북한 핵 문제

IAEA 대북한 핵시설 사찰 1

북한 핵 문제

IAEA 대북한 핵시설 사찰 1

한국학술정보

| 머리말

1985년 북한은 소련의 요구로 핵확산금지조약(NPT)에 가입한다. 그러나 그로부터 4년 뒤, 60년대 소련이 영변에 조성한 북한의 비밀 핵 연구단지 사진이 공개된다. 냉전이 종속되어 가던 당시 북한은 이로 인한 여러 국제사회의 경고 및 외교 압력을 받았으며, 1990년 국제원자력기구(IAEA)는 북핵 문제에 대해 강력한 사찰을 추진한다. 북한은 영변 핵시설의 사찰 조건으로 남한 내 미군기지 사찰을 요구하는 등 여러 이유를 댔으나 결국 3차에 걸친 남북 핵협상과 남북핵통제공동위원회 합의 등을 통해 이를 수용하였고, 결국 1992년 안전조치협정에도 서명하겠다고 발표한다. 그러나 그로부터 1년 뒤 북한은 한미 합동훈련의 재개에 반대하며 IAEA의 특별사찰을 거부하고 NPT를 탈퇴한다. 이에 UN 안보리는 대북 제재를 실행하면서 1994년 제네바 합의 전까지 남북 관계는 극도로 경직되게 된다.

본 총서는 외교부에서 작성하여 최근 공개한 1991~1992년 북한 핵 문제 관련 자료를 담고 있다. 북한의 핵안전조치협정의 체결 과정과 북한 핵시설 사찰 과정, 그와 관련된 미국의 동향과 일본, 러시아, 중국 등 우방국 협조와 관련한 자료까지 총 14권으로 구성되었다. 전체 분량은 약 7천여 쪽에 이른다.

2024년 3월
한국학술정보(주)

| 일러두기

· 본 총서에 실린 자료는 2022년 4월과 2023년 4월에 각각 공개한 외교문서 4,827권, 76만여 쪽 가운데 일부를 발췌한 것이다.

· 각 권의 제목과 순서는 공개된 원본을 최대한 반영하였으나, 주제에 따라 일부는 적절히 변경하였다.

· 원본 자료는 A4 판형에 맞게 축소하거나 원본 비율을 유지한 채 A4 페이지 안에 삽입하였다. 또한 현재 시점에선 공개되지 않아 '공란'이란 표기만 있는 페이지 역시 그대로 실었다.

· 외교부가 공개한 문서 각 권의 첫 페이지에는 '정리 보존 문서 목록'이란 이름으로 기록물 종류, 일자, 명칭, 간단한 내용 등의 정보가 수록되어 있으며, 이를 기준으로 0001번부터 번호가 매겨져 있다. 이는 삭제하지 않고 총서에 그대로 수록하였다.

· 보고서 내용에 관한 더 자세한 정보가 필요하다면, 외교부가 온라인상에 제공하는 『대한민국 외교사료요약집』 1991년과 1992년 자료를 참조할 수 있다.

| 차례

정 리 보 존 문 서 목 록

기록물종류	일반공문서철	등록번호	32259	등록일자	2009-01-29
분류번호	726.63	국가코드		보존기간	영구
명 칭	IAEA(국제원자력기구)의 대북한 핵시설 사찰, 1992. 전6권				
생 산 과	국제기구과/북미2과	생산년도	1992~1992	담당그룹	
권 차 명	V.1 1-4월				
내용목차	* 3.21-28 IAEA 핵사찰팀 북한 방문				

0001

외 무 부

110-760 서울 종로구 세종로 77번지   / (02)720-2336   / (02)720-2686

문서번호 국기 20332-⌐⌐

시행일자 1992. 1. 8.(   )

수신 과기처장관

참조 원자력 정책 실장

취급		장 관	
보존			
국 장	전 결		
심의관			
과 장			
기안	신 동 익		협조

제목 대북한 핵사찰 실시 문제

1. 전인찬 주비엔나 북한대사는 북한이 1월말까지 핵·안전조치협정에 서명후 가까운 시일내에 협정을 비준.발효, IAEA의 정가 핵사찰을 수락할 것임을 밝힌 바 있습니다.

보통문서로 재분류(1992/2.7/)   /계속...

IAEA의 대북한

3. 이와관련 귀처에서 ~~북한과 IAEA간~~ 보조약정서 체결(최초보고서, 설계 정보제출 및 시설부록 작성등) 교섭및 향후 사찰실시(ad hoc inspection 포함)에 대하여 우리가 특별히 IAEA측에 협조를 요청하거나 유의를 부탁할 사항이 있는지를 검토후 결과를 92.1.31까지 당부에 통보하여 주시기 바랍니다.

4. 또한 IAEA측은 「한반도 비핵화 공동선언」에 따른 남북한간 상호 사찰과 IAEA 사찰간의 관계에 대해 관심을 갖고 있다하는 바, 이와관련 사찰의 효율과 신뢰 제고측면에서 귀처의 의견도 아울러 통보해 주시기 바랍니다.   끝.

예 고 : 92.12.31 일반

외 무 부 장 관

0003

공   란

외 무 부

종 별 :

번 호 : AVW-0331   일 시 : 92 0227 1930

수 신 : 장 관(국기,미이) 사본:주미,일,영,불,노,북경,유엔대사-중계필

발 신 : 주 오스트리아 대사

제 목 : 핵사찰단의 북한 방문설

대:WAV-0268 및 0270(USW-0962)

연:AVW-0322

1. IAEA JENNEKENS 사무차장은, 대호에 관련하여, 북한으로 부터 방북초청을 받은일도 없고, 동 방문을 수락한일도 없다고 말하면서 언론이 오도(MISLEADING)하고 있다고 지적하였음.

2. 또한 BLIX 사무총장은 금 2.27(목) 오전에 가진 2 월 이사회 결과에 관한 기자회견에서 상기 보도 내용의 확인을 요청하는 기자질문에 대한 답변에서 연호(FAX)와 같이 이를 부인하면서, 핵협정의 발효전에는 여사한 방문이 없을 것이며, 비준후엔 이미 사무총장 자신이 방북 초청을 받고있는 만큼 첫방문팀을 자신이 이끌게 될것이라 하였음. (북한문제 관련 사무총장 답변요지 영문)

ON NORTH KOREA: HE SAID THE AGENCY HAD NOT RECEIVED THE INTELLIGENCE INFORMATION ABOUT A POTENTIAL WEAPONS CAPABILITY OR CONCEALMENT EFFORT REPORTED BY THE CIA NOR WOULD IT REQUEST THIS INFORMATION. IT WOULD WAIT UNTIL THEY SUBMITTED AN INITIAL INVENTORY WHICH THEY WOULD HAVE TO DO BY THE END OF THE MONTH FOLLOWING RATIFICATION OF THEIR SAFEGUARDS AGREEMENT. THAT INVENTORY WOULD BE STUDIED AND EVALUATED, ALTHOUGH THE AGENCY HAD NO SATELLITE OF ITS OWN. THERE WOULD BE NO INSPECTORS GOING TO NORTH KOREA BEFORE RATIFICATION OF THE SAFEGUARDS AGREEMENT, AND HE WOULD BE HEADING THE FIRST IAEA VISIT PERSONALLY WHEN THE TIME CAME.

3. IAEA 는 INFCIRC 66 협정에 따른 대북한 정기사찰을 금년봄에도 실시할 예정임을 참고바람.

예 고:92.6.30 일반.

국기국   장관   차관   미주국   분석관   중계

3. IAEA의 北韓 定期 核査察

o 표제관련, 2.28 美 國務部 關係官은 우리측에 下記 要旨 言及함.

- IAEA 2월 理事會에 참석한 오창림 북한대표는 IAEA 關係官에게 영변소재 8MW 核發電所에 대한 3월말의 IAEA 定期 査察時, 동 사찰팀이 영변의 기타 核施設도 訪問토록 許容할 것임을 시사했다 함. 동 언급이 사실 이라면 核査察 문제에 있어 큰 進展을 의미함.

- 한편, 2.27 平壤放送은 IAEA 査察團員의 平壤 訪問을 報道한 바, 이는 異例的인 일임. (駐美大使代理 報告)

  * 北韓은 1965년 舊蘇聯과 8MW 原子爐 導入契約 締結時 蘇聯側의 요구에 따라 1978년이래 每年 1회 IAEA의 部分査察을 받아오고 있음.

0006

관리 번호	92-225

외 무 부

원 본

종   별 :

번   호 : AVW-0345   일   시 : 92 0302 1900

수   신 : 장 관(국기) 사본:주미대사 -중계필

발   신 : 주 오스트리아 대사

제   목 : IAEA 사찰관의 북한 방문 보도 부인

대:WAV-0289

연:AVW-0331

1. IAEA 핵안전조치 북한 담당 책임자 WILLI THEIS 에 의하면 대호 3 항과같이 평양을 방문중인 자가 없다고 하며, 그가 모르는 누구도 있을수 없다고 부인하였음.

2. INFCIRC 66 에 의거한 정기사찰의 일환으로 3.20 일경 THEIS 자신과 한명의 관계관이 북한을 방문할 예정이나, 대호 1 항과같이 영변의 기타 핵시설 방문 허용 운운은 근거없다고 그가 말하였음. 끝.

예고:92.6.30 일반.

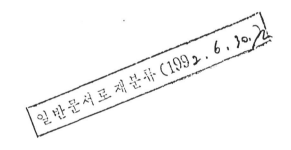

국기국   장관   차관   분석관   중계

분류번호	보존기간

발 신 전 보

번 호 : WAV-0291   920303 1012 WH 종별 : 지급

수 신 : 주 오스트리아   대사.//총영사   (사본: 구미대사)   WUS-0970

발 신 : 장 관 (국기)

제 목 : IAEA 전문가 방북 확인

연 : WAV-0289

대 : AVW-0345

연호, ~~2.28.~~ 2.28. 북한 중앙방송은 별첨과 같이 IAEA 전문가들의 구체적 이름을 거명하여 정치선전을 하였는 바, 동인들이 IAEA 소속직원인지 여부와 방북목적등 관련 사항을 사무국에 문의 지급 보고바람.

첨부 : 상기 fax 1매. 끝.

예고 : 92.6.30. 일반

(국제기구국장   김 재 섭)

일반문서로 재분류 (1992.6.30.)

외정심의관: (서명)

앙 고 재	92 년 3 월 3 일	국 제 기 구 과	기안자 성 명 신 동 익		과장 (서명)	심의관 (서명)	국장 전결		차관	장관 (서명)

보 안 통 제	(서명)

외신과통제

0008

2. 국제원자력기구 전문가들, 방북인상 피력

(중방 92.02.28 0000)

국제원자력기구 전문가들은 우리나라를 떠나기에 앞서 방문인상
에 대해 말했습니다. 그들은 평양시와 지방의 여러곳을 돌아보면서 인민
대중 중심의 정치가 실시되고 있는 조선식 사회주의의 참다운 우월성에
대해서 커다란 감명을 표시했습니다. 캄마카메라 전문가인 "강글프렌츠" 는
만경대를 방문한 영광에 대해서 언급하면서 다음과 같이 언급했습니다.
나는 만경대고향집 방문을 통하여 조선의 새역사가 어떻게 시작되고 발
전해 왔는가를 잘알 수 있었다. 특히 나는 찬란한 귀국의 현실을 직접
목격하면서 왜 조선인민의 위대한 수령님의 영상을 가슴에 모시고 다니
는가에 대하여 알게 되었다. 위대한 수령님의 탄생은 조선인민에게 조국
광복의 서광을 안겨준 빛나는 해돋이였다. 조선인민이 오늘과 같이 행복
하고 문명한 생활을 누릴 수 있는 것은 위대한 김일성동지의 현명한
영도가 있기 때문이다. 그는 조선의 사회주의의 기치를 변함없이 들고
나아갈 수 있는 것은 그이께서 창시하신 주체사상을 혁명과 건설에 접
철저히 구현해 왔기 때문이라고 하면서 다음과 같이 계속했습니다. 주체
사상은 사람이 모든 것의 주인이며, 모든 것을 결정한다는 인간중심의
철학이다. 일부나라들이 혁명과 건설에서 진통을 겪고 있는 것은 올바른
지도사상이 없기 때문이라고 생각한다. 조선이 인간중심의 사회주의 나라
로 될수 있은 것은 전적으로 주체사상의 빛나는 결실이라고 나는 생각
한다. 그는 조선은 모든 것이 인민을 위해서 복무하는 참다운 인민의
나라이다고 하면서 다음과 같이 말했습니다. 조선적십자종합병원에서 본바
와 같이 조선인민은 돈한푼 내지않고 현대적인 의료기구들이 갖추어진
병원들에서 무상으로 치료를 받고 있다. 자본주의 사회에서 병치료를 받
자면 수많은 돈이 있어야 하지만 조선인민은 국가의 혜택으로 돈걱정을
모르고 치료를 받고 있다. 나는 귀국의 여러곳을 돌아보면서 조선인민의
행복한 참모습을 직접 볼수 있었다. 참으로 조선은 인간중심의 정치가
실시되고 있는 인류의 이상사회이다. 공무원 "요한 하이로" 는 조선은 독
특한 사회주의를 건설하고 있다고 하면서 다음과 같이 말했습니다. 귀국
인민은 위대한 수령 김일성동지의 두리에 굳게 뭉쳐 그이께서 가르키시
는 길을 따라 사회주의 길로 확실성 있게 나아가고 있다. 조선은 자주
성을 일관하게 견지하고 있다. 때문에 격변하는 오늘의 국제정세하에서도
조선은 변함없이 사회주의의 기치를 높이 들고 혁명과 건설을 성과적으
로 진행하고 있다. 모든 것이 인민을 위하여 복무하는 참다운 나라 조
선의 미래는 휘황히 찬란하다. 그는 이와같이 말했습니다

0009

3/4신
외서신, 장보신
등과 배로신함

원 본

관리 번호	92 -228

외 무 부

종 별 : 지 급

번 호 : AVW-0347

일 시 : 92 0303 2000

수 신 : 장 관(국기)

발 신 : 주 오스트리아 대사

제 목 : IAEA 전문가 방북

　　　대:WAV-0291

　　　연:AVW-0345

　　　1. 대호 IAEA 전문가 방북 보도 확인을 위하여 IAEA 사무국 담당부서인 원자의학 SECTION 과 접촉하려했으나 직원 부재중이어서 확인이 불가능하였음.

　　　2. 그러나 IAEA 아세아-태평양 기술협력 담당관에 의하면 IAEA 는 평양적십자 병원과 감마카메라 사용에 관한 원자의학 협력사업을 시행중에 있다함.

　　　3. 동건 명일중 확인 보고위계임.끝.

　　　예고:92.6.30 일반.

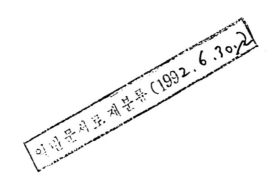

국기국　　분석관　　안기부

PAGE 1

92.03.04　　05:06

외신 2과 통제관 FK

0010

관리 번호	92-230

외 무 부

종 별 :

번 호 : AVW-0351

일 시 : 92 0304 1730

수 신 : 장 관(국기,미이,기정)

발 신 : 주 오스트리아 대사

제 목 : IAEA 전문가 방북 보도

대:WAV-0291

연:AVW-0345

1. 대호 관련 금 3.4(수) IAEA 사무국 원자의학 SECTION 에 확인한바, IAEA감마카메라 전문가로서 현재 북한을 방문중이거나 최근 방문한 사람은 없다하며, 또한 대호'강글 프렌츠'와 유사한 이름을 가진 IAEA 감마카메라 전문가도 없다함.

2. 연호 2 항 IAEA 의 평양 적십자 병원과의 감마카메라 사용 진단법 증진을 위한 기술협력 사업과 관련 금년 5 월중 감마카메라 전문가 GERALD VAN HERK 를 파견, 설치된 감마카메라의 성능(QUALITY CONTROL AND ACCEPTANCE)을 점검할 것이라함. 또한 금년 4 월중 IAEA 사무국 원자의학 SECTION 의 DR.PIYASENA 도 94년도 원자의학 협력사업 협의를 위해 중국, 북한등을 방문할 예정이라함.

3. 또한 대호 별첨 보도 후반 공무원 '요한 하이르'는 91.8 월 IAEA 와 북한의 방사능 의학연구소(INSTITUTE OF RADIATION MEDICINE)와의 방사능 진료법 증진을 위한 협력 사업과 관련 CALIBRATION STANDARD 문제 협의를 위해 북한을 방문한 적인 있는 원자력 안전문제 IAEA 전문가 JOHANN G. HAIDER 를 말하는것으로 보이나, 동인에 의하면 대호 보도와 같은 정치적 발언을 한다는 것은 상상할수도 없다하며, 왜 북한이 6 개월 이상이 지난후 그런 방송을 하였는지에 대해 이해할수없다고 하였음. 끝.

예 고:92.6.30 일반.

국기국	장관	차관	미주국	분석관	안기부

92.03.05   05:10

외신 2과   통제관 FM

0011

5. IAEA 核査察官 北韓訪問 관련

3/3 신
축연통합보고

o IAEA 核安全措置 北韓擔當責任者는 3.20경 자신과 한명의
  關係官이 定期査察의 일환으로 北韓을 訪問할 예정이나,
  현재 北韓訪問중인 關係官은 없음을 確認함.

(駐오스트리아大使 報告)

0012

長 官 報 告 事 項

題 目 : IAEA관련 북한 방송 ~~확인 결과~~

1. 북한 방송내용

("강국 프렌즈"와 "모한 하이스")

가. 2.28. 북한 중앙방송은 IAEA 전문가들이 북한을 떠나기 앞서 북한식 사회주의의 우월성에 대해 감명을 표시 했다고 보도

  - 미국무부 정보조사국도 평양을 방문중인 IAEA 사찰단원이 북한의 주체사상을 찬양하였다는 2.28자 북한방송 내용을 아측에 알려줌.

나. 또한 2.29과 3.2. 북한 중앙방송은 IAEA 2월이사회에 37개국 대표들이 북한 입장 지지 연설을 했고, 과거에 내정 간섭적인 ~~부당한~~ 발언을 하던 나라들까지 도 북한의 핵안전 협정 비준 절차에 동감을 표시했다고 보도

상기 관련 사신내용
2. ~~확인 결과~~

가. IAEA측에 확인한 결과

   ○ 최근 평양을 방문중인 IAEA 사찰관은 없으며, 부분 안전조치협정에 의거 실시되는 정기사찰을 위해 3.20일경 2명의 사찰관이 방북 예정

   ＊ 북한은 1965년 구소련으로부터 8MW급 연구용 원자로 도입시 소련측의 요구에 따라 NPT 비당사국이 체결하는 부분 안전조치협정(INFCIRC/252)을 1977년 IAEA와 체결, 1978년 이래 매년 1회씩 IAEA의 사찰을 받아오고 있음.

외정실 장

- 1 -

0013

o IAEA가 평양적십자 병원과 감마카메라 사용에 관한 원자의학 협력사업을
  시행중인 것은 사실이나, 동 분야 전문가로서 현재 북한을 방문중이거나
  최근 방문한 사실은 없다함. 으며 북한방송이 언급하는 "강국 프린스"와 유사하는 이름을 가신
  IAEA 전문가도 없음.
  - IAEA는 기술협력 사업의 일환으로 금년 4월과 5월중에 원자의학 전문가
    와 감마카메라 전문가 2인을 북한에 파견할 계획이라함.
o 또한 북한방송에서 언급된 다는 한마디 IAEA직원 "요한 하이데"는 91.8월 북한의 방사능
  진료법 증진문제 협의를 위해 북한을 방문한적이 있으나, 상기 1항과 같은 "가"
  정치적 발언을 한적은 전혀 없다함. 음

나. IAEA 2월이사회 결과

  o 금번 2월이사회에서는 35개 이사국중 31개 이사국(카메룬 불참, 벨기에,
    그리스, 알제리 미발언) 및 2개 옵서버국(체코, 코스타리카)이 북한의
    조속한 협정비준과 이행을 촉구하는 발언을 행함.
    - 중국, 큐바, 베트남등도 북한의 조속한 협정비준과 이행을 요구

3. 관련 조치 계획

  가. 별첨과 같이 보도 참고자료를 작성 당부 출입기자단에게 배포, 북한의 허위
    보도사실을 적의 홍보토록 함.

  나. 남북한 「핵통제 공동위」 대표 접촉시 아측 대표단이 동자료를 참고로 활용
    토록함.

  다. 상기 내용을 미국, 일본, 호주, 카나다등 주요 관련공관에 통보, 주재국 활동
    에 참고토록 함.

첨부 : 상기 북한방송 보도관련 참고자료 1부. 끝.

    예고: 92.6.30. 일반

                    - 2 -

                                            0014

국제원자력기구(IAEA)관련 최근 북한 방송보도 사례 및 확인결과

1. 92.2.28. 00:00(중앙방송)

가. 보도 내용

- 국제원자력기구 전문가들은 우리나라를 떠나기에 앞서 ..... 조선식 사회주의의 참다운 우월성에 대해 커다란 감명을 표시

- 감마 카메라 전문가인 "강글 프렌츠"는 ... 조선인민이 오늘과 같이 행복하고 문명한 생활을 누릴수 있는 것은 위대한 김일성동지의 현명한 영도가 있기 때문이고, ... 주체사상은 사람이 모든것의 주인이며, 모든 것을 결정한다는 인간중심의 철학이라고 말함.

- IAEA 공무원 "요한 하이데"는 조선은 독특한 사회주의를 건설하고 있으며 ..... 자주성을 일관하게 견지하고 있기 때문에 격변하는 오늘의 국제정세 하에서도 조선은 변함없이 사회주의의 기치를 높이 들고 혁명과 건설을 성과적으로 진행하고 있다고 말함.

나. IAEA에 확인 결과

- IAEA가 평양적십자 병원과 감마 카메라 사용에 관한 원자의학 협력사업을 시행중인 것은 사실이나, 동 분야 전문가로서 현재 북한을 방문중이거나 최근 방문한 사실이 없으며, 상기 "강글 프렌츠"와 유사한 이름을 가진 IAEA 전문가도 없다함.

- 또한 상기 IAEA 공무원 "요한 하이데"는 북한의 방사능 의학연구소와의 방사능 진료법 증진을 위한 협력사업 관련 문제협의를 위해 91.8월 북한을 방문한 적이 있으나 상기내용과 같은 정치적 발언을 한다는 것은 상상할 수도 없다하면서, 북한이 6개월이 지난후 왜 그런 방송을 하였는지에 대해 이해할수 없다함.

0015

2. 92.2.29. 06:20 및 3.2. 06:15 (중앙방송)

가. 보도내용

○ 2.24과 25일 오지리에서 진행된 국제원자력기구 2월 관리이사회 회의에서
   ...... 37개 나라 대표들이 핵문제와 관련한 우리의 입장과 성의 있는
   노력을 지지해서 연설함.(2.29자)

○ 동 회의에 참가한 절대다수의 나라들은 핵 담보 협정의 비준절차와 관련한
   우리의 자주적이며 전진적인 계획에 대하여 열렬히 환영함.
   지난시기 관리이사회 회의들에서 핵문제에 관련한 우리의 조치들에 대하여
   의심하면서 우리에게 내정 간섭적인 부당한 발언을 하던 나라들까지도 우리
   의 핵 담보 협정의 비준절차에 대하여 이해와 동감을 표시함.
   이것은 핵 담보협정 이행문제와 관련하여..... 우리가 내놓은 주동적인
   계획들이 국제적인 기정사실로 인정을 받고 있다는 것을 명백히 보여주고
   있음.(3.2자)

나. 이사회 결과

○ 금번 IAEA 2월이사회에서는 35개 이사국중 31개 이사국과 2개 옵서버국
   (체코, 코스타리카)이 북한의 조속한 협정 비준과 의무 이행을 촉구하는
   발언을 하였음.
   - 발언을 하지 않은 4개 이사국은 카메룬(불참), 벨기에와 그리스(폴투갈
     이 EC 공동대표로 촉구 발언), 알제리였음.

○ 특히 그간 북한 입장에 동조해온 중국, 큐바, 베트남등의 이사국들까지 금번
   이사회에서 북한의 조속한 협정 비준 및 이행을 요구함. ~~점에 비추어 상기~~
   ~~북한방송 내용은 사실과 많은 차이가 있다고 볼수 있음.~~ 끝.

0016

長 官 報 告 事 項

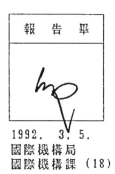

報 告 畢

1992. 3. 5.
國際機構局
國際機構課 (18)

題 目 : IAEA관련 북한 방송

1. 북한 방송내용

　가. 2.28. 북한 중앙방송은 <u>IAEA 전문가들</u> ("강글 프렌츠"와 "요한 하이데")이 북한
　　　을 떠나기 앞서 북한식 사회주의의 우월성에 대해 감명을 표시 했다고 보도

　나. <u>또한 2.29과 3.2. 북한 중앙방송은 IAEA 2월이사회에서 37개국 대표들이 북한</u>
　　　<u>입장 지지 연설을 했고, 과거에 내정 간섭적인 부당한 발언을 하던 나라들까지</u>
　　　<u>도 북한의 핵안전 협정 비준 절차에 동감을 표시했다고 보도</u>

2. 상기관련 사실 내용

　가. IAEA측에 확인한 결과

　　ㅇ 최근 평양을 방문중인 IAEA 사찰관은 없으며, 부분 안전조치협정에 의거
　　　실시되는 정기사찰을 위해 3.20일경 2명의 사찰관이 방북 예정
　　　* 북한은 1965년 구소련으로부터 8MW급 연구용 원자로 도입시 소련측의
　　　　요구에 따라 NPT 비당사국이 체결하는 부분 안전조치협정(INFCIRC/
　　　　252)을 1977년 IAEA와 체결, 1978년 이래 매년 1회씩 IAEA의 사찰을
　　　　받아오고 있음.

- 1 -

0017

o IAEA가 평양적십자 병원과 감마카메라 사용에 관한 원자의학 협력사업을
  시행중인 것은 사실이나, 동 분야 전문가로서 현재 북한을 방문중이거나
  최근 방문한 사실은 없으며 북한방송이 언급한 "강글프렌츠"와 유사한
  이름을 가진 IAEA 전문가도 없음.
  - IAEA는 기술협력 사업의 일환으로 금년 4월과 5월중에 원자의학 전문가
    와 감마카메라 전문가 2인을 북한에 파견할 계획이라함.
o 또한 북한방송에서 언급된 다른 한명의 IAEA직원 "요한 하이데"는 91.8월
  북한의 방사능 진료법 증진문제 협의를 위해 북한을 방문한적이 있으나,
  상기 1."가"항과 같은 정치적 발언을 한적은 전혀 없음.

나. IAEA 2월이사회 결과
  o 금번 2월이사회에서는 35개 이사국중 31개 이사국(카메룬 불참, 벨기에,
    그리스, 알제리 미발언) 및 2개 옵서버국(체코, 코스타리카)이 북한의
    조속한 협정비준과 이행을 촉구하는 발언을 행함.
  - 중국, 큐바, 베트남등도 북한의 조속한 협정비준과 이행을 요구

3. 관련 조치 계획

  가. 별첨과 같이 보도 참고자료를 작성 당부 출입기자단에게 배포, 북한의 허위
     보도사실을 적의 홍보토록 함.
  나. 남북한 「핵통제 공동위」 대표 접촉시 아측 대표단이 동자료를 참고로 활용
     토록함.
  다. 상기 내용을 미국, 일본, 호주, 카나다등 주요 관련공관에 통보, 주재국 활동
     에 참고토록 함.

첨부 : 상기 북한방송 보도관련 참고자료 1부. 끝.
예고 : 92.6.30 일반

- 2 -

0018

국제원자력기구(IAEA)관련 최근 북한 방송보도 내용의 진위확인

1. 92.2.28. 00:00(북한 중앙방송)

   가. 보도 내용

   ○ 국제원자력기구 전문가들은 우리나라를 떠나기에 앞서 ..... 조선식 사회
      주의의 참다운 우월성에 대해 커다란 감명을 표시

   ○ 감마 카메라 전문가인 "강글 프렌츠"는 ... 조선인민이 오늘과 같이 행복
      하고 문명한 생활을 누릴수 있는 것은 위대한 김일성동지의 현명한 영도가
      있기 때문이고, ... 주체사상은 사람이 모든것의 주인이며, 모든 것을
      결정한다는 인간중심의 철학이라고 말함.

   ○ IAEA 공무원 "요한 하이데"는 조선은 독특한 사회주의를 건설하고 있으며
      ..... 자주성을 일관하게 견지하고 있기 때문에 격변하는 오늘의 국제정세
      하에서도 조선은 변함없이 사회주의의 기치를 높이 들고 혁명과 건설을
      성과적으로 진행하고 있다고 말함.

   나. IAEA에 확인 결과

   ○ IAEA가 평양적십자 병원과 감마 카메라 사용에 관한 원자의학 협력사업을
      시행중인 것은 사실이나, 동 분야 전문가로서 현재 북한을 방문중이거나
      최근 방문한 사실이 없으며, 상기 "강글 프렌츠"와 유사한 이름을 가진
      IAEA 전문가도 없다함.

   ○ 또한 상기 IAEA 공무원 "요한 하이데"는 북한의 방사능 의학연구소와의
      방사능 진료법 증진을 위한 협력사업 관련 문제협의를 위해 91.8월 북한을
      방문한 적이 있으나 상기내용과 같은 정치적 발언을 한다는 것은 상상할
      수도 없다하면서, 북한이 6개월이 지난후 왜 그런 방송을 하였는지에 대해
      이해할수 없다함.

0019

2. 92.2.29. 06:20 및 3.2. 06:15 (북한 중앙방송)

가. 보도내용

o 2.24과 25일 오지리에서 진행된 국제원자력기구 2월 관리이사회 회의에서
...... 37개 나라 대표들이 핵문제와 관련한 우리의 입장과 성의 있는
노력을 지지해서 연설함.(2.29자)

o 동 회의에 참가한 절대다수의 나라들은 핵 담보 협정의 비준절차와 관련한
우리의 자주적이며 전진적인 계획에 대하여 열렬히 환영함.
지난시기 관리이사회 회의들에서 핵문제에 관련한 우리의 조치들에 대하여
의심하면서 우리에게 내정 간섭적인 부당한 발언을 하던 나라들까지도 우리
의 핵 담보 협정의 비준절차에 대하여 이해와 동감을 표시함.
이것은 핵 담보협정 이행문제와 관련하여..... 우리가 내놓은 주동적인
계획들이 국제적인 기정사실로 인정을 받고 있다는 것을 명백히 보여주고
있음.(3.2자)

나. 이사회 결과

o 금번 IAEA 2월이사회에서는 35개 이사국중 31개 이사국과 2개 옵서버국
(체코, 코스타리카)이 북한의 조속한 협정 비준과 의무 이행을 촉구하는
발언을 하였음.
- 발언을 하지 않은 4개 이사국은 카메룬(불참), 벨기에와 그리스(폴투갈
이 EC 공동대표로 촉구 발언), 알제리였음.

o 특히 그간 북한 입장에 동조해온 중국, 큐바, 베트남등의 이사국들도 금번
이사회에서 북한의 조속한 협정 비준 및 이행을 요구하였음.   끝.

0020

발 신 전 보

WUS-1035   외 별지참조   종별 :

번   호 :

수   신 : <u>주 수신처 참조   대사. 총영사</u>

발   신 : <u>장 관 (국기)</u>

제   목 : <u>IAEA 관련 북한 방송내용 확인 결과</u>

("강국 프런트"와 "모한 하이로")

1. 2.28 북한 중앙방송은 국제원자력기구(IAEA) 전문가들이 북한을 떠나기에 앞서 북한식 사회주의의 우월성에 감명을 표시 했다고 보도하였음. ~~따구무부 공보~~ ~~조사국도 평양을 방문중인 IAEA 사찰단원이 북한의 주체사상을 찬양하였다는 2.28자~~ ~~북한 방송내용을 아측에 알려준바 있음.~~

2. 상기 내용에 대해 주오스트리아 대사관을 통해 IAEA측에 확인한 결과는 아래와 같음.

가. 최근 평양을 방문중인 IAEA 사찰관은 없으며, 1977년 북한과 IAEA 간 체결된 부분안전조치 협정(NPT 비당사국이 체결하는 협정: INFCIRC/252)에 의거 북한에 대해 매년 실시해온 사찰(8MW 연구용 원자로에 대해서만 실시함)을 위해 3.20경 2명의 사찰관이 방북 예정임.

나. IAEA가 평양적십자 병원과 감마카메라 사용에 관한 원자의학 협력 사업을 시행중인 것은 사실이나, 동분야 전문가로서 현재 북한을 방문중이거나 최근 방문한 사실은 없다함. 이며 북난방송이 연급한 "강국 프런트"와 유사한 이름등 가신 IAEA 전문가도 없음.

	보안 통제	

앙고재	9ㅗ년 3월 6일	국제기구과	기안자 성명 신ㅗ영	과 장	심의관	국 장	차 관	장 관	외신과통제

0021

다른 한때의

다. 북한방송에 언급된 IAEA 직원 "요한 하이데"는 91.8월 북한의

방사능 진료법 증진문제 협의를 위해 북한을 방문한 적이 있으나,

상기 1항과 같은 정치적 발언을 한적은 전혀 없음 ~

3. 또한 2.29 및 3.2 북한 중앙방송은 금번 IAEA 2월이사회에서 37개국 대표

들이 북한 입장 지지 연설을 했고, 그간 내정 간섭적인 부당한 발언을 하던 나라들까지

도 북한의 핵안전협정 비준절차에 대해 동감을 표시했다고 보도함.

4. 그러나 기통보한 2월이사회 결과에서 보듯이 금번 이사회에서는 35개 이사

국중 31개 이사국(카메룬 불참, 벨기에, 그리스, 알제리 미발언) 및 2개 옵서버국(체코,

코스타리카)이 북한의 조속한 협정 비준 촉구 발언을 했고, 특히 그간 북한입장에 동조

해온 중국, 큐바, 베트남등도 촉구발언을 행한 바 있음.

5. 따라서 상기 북한방송에 언급된 내용들은 모두 사실과 다르다고 ~~볼수 밖에~~

~~없는 바 향후~~ 귀주재국 ~~외교활동에 참고 바람.~~ 끝.

예고 : 92.6.30 일반

(국제기구국장   김 재 섭)

수신처 : 주미, 일본, 러시아, 유엔, 오스트리아, 영국, 호주, 카나다, 제네바대사
　　　　주북경대표,
　　　　주알제리, 불가리아, 아르헨티나, 그리스, 멕시코, 노르웨이, 다키스탄, 루마니아, 자메일,
　　　　알젠인, 벨기에, 브라질, 카메룬, 프랑스, 독일, 인도, 인도네시아, 이란, 모로코, 포르투칼, 터어,
　　　　우루과이싸, 주카이로 총영사

0022

```
WUS-1035     920306 1422  CJ

WJA -0988  WRF -0672  WUN -0511  WAV -0308  WUK -0417

WAU -0189 .WCN -0210  WGV -0356  WCP -0509  WAG -0073

WBL -0103  WEQ -0048  WGR -0061  WMX -0121  WNR -0071

WPA -0105  WRM -0090  WAR -0112  WBB -0115  WBR -0150

WCM -0070  WFR -0470  WGE -0300  WND -0183  WDJ -0241

WIR -0112  WMO -0056  WPO -0087  WTH -0362  WUR -0040

WCA -0102
```

0023

WZR-0254   920306 1427 CJ

0024

공   란

공   란

공   란

공 란

공   란

외 무 부

종 별 : 지 급

번 호 : AVW-0370

일 시 : 92 0307 0930

수 신 : 장 관(국기,미이)

발 신 : 주 오스트리아 대사

제 목 : 북한의 핵문제와 남북한 경제교류

3.9(월) 오전 본직의 BLIX 사무총장 면담등을 포함하여 업무상 필요하오니 남북한간의 경제교류를 북한의 핵문제에 연계 시킨다는 최근의 언론보도와 관련하여 정부의 공식입장(대외 설명용)을 지급 알려주기바람. 끝.

국기국   미주국   상황실

0030

92.03.07   18:09
외신 2과 통제관 BS

	분류번호	보존기간

발 신 전 보

번　　호 : WAV-0321　　920309 1148　DQ종별 : ＿＿＿자금＿＿＿

수　　신 : 주 오스트리아　　대사./총/영사

발　　신 : 장 관 (국기)

제　　목 : 북한 핵문제와 남북한 경제교류

대 : AVW-0370

연 : WAV-0295, 298

1. 3.4. 통일관계 장관회의에서 북한 핵문제 해결을 남북관계 진전과 병행하여 추진키로 결정, 북한에 대해 핵문제 해결여부가 다음 3가지에 심각한 영향을 미칠것임을 지적키로 하였음.

　　가. 「남북 기본 합의서」의 전반적 이행

　　나. 당면 남북 경제 협력 추진

　　다. 북한의 대일 수교 및 대미관계 개선

2. 이와 관련 핵통제 공동위 구성 제3차 및 제4차 남북 접촉시 아측은 상기 입장을 북측에 전달하였고(연호 접촉결과 참조), 정부는 북한측의 핵문제 해결을 위한 노력이 가시화 될때까지 남북한 경제교류도 보류하는 선에서 대처하고 있음을 참고 바람.

　　　　　　　　　　　　　　　　　　　　　　끝.

(국제기구국장　김 재 섭)

	보　안 통　제	

앙 고 재	92년 3월 9일	국제기구과	기안 자성 명	신중역		과 장		심의관	국 장 관계		차 관	장 관	외신과통제

0031

공 란

공   란

공　　　란

공   란

공   란

공   란

공   란

공　　　　란

공   란

발 신 전 보

번   호 : WAV-0373   920318 0952   WH 종별 :

수   신 : 주수신처 참조   대사,//,총영사

발   신 : 장   관 (국기)

제   목 : 북한 핵사찰 관련

WCP-0605   WRF-0797
WUN-0608

분직과

3.16(월) 솔로몬 미국무부 동아태차관보와 ~~본직~~ 면담시 표제관련 언급내용을
아래 통보하니 참고바람.

1. 우리측은 6월초까지 북한에 대한 상호 핵사찰이 실현될것을 기대하고 이를
강력히 추진할 것이나 관련국과의 구체적협력도 필요하다는 점을 상기시킴.

2. 이에 대해 미국측은 오는 6월까지 남북한 상호사찰이나 IAEA에 의한 국제
사찰이 이루어지지 않을경우 UN 안보리제재 가능성을 ~~포함~~ 러시아 연방 및 중국측과
계속 협의중임을 밝힘, ~~한국측도 동구들과의 긴밀한 대화 기회를 활용, 대북한 압력을
강화시카도록 외교적 노력이 필요함을 강조하~~ 한원자력이 대하여

예고 : 92.6.30 일반

(국제기구국장   김 재 섭)

수신처 : 주오스트리아, ~~일본, 호주, 카나다~~ 대사   북경, 러시아, 유엔

0041

발 신 전 보

번   호 : WAV-0388   920319 1810 FJ   종별 : 암호송신

수   신 : 주 오스트리아   대사. /총영사

발   신 : 장 관 (국기)

제   목 : IAEA, 북한 핵사찰

　　　금일 (3.19)자 국내신문은 별첨과 같이 IAEA 소속 사찰관 2인이 77년 체결된 핵안전협정에 따라 북한의 영변 핵 연구시설을 방문할것이라고 3.18 IAEA 대변인 발표를 인용 보도하였는바, 동 사실을 확인 보고 바람.

　　　첨부 : 상기 fax 1매. 끝.

　　　　　　　　　　　　　　　　　　　　(국제기구국장 김 재 섭)

앙고재	92년 3월 19일 국제기구과	기안자 성명 신롱영		과 장	심의관	국 장		차 관	장 관	보안통제

외신과통제

0042

외 무 부

번 호 :   년월일 : 3.19   시간 :

수 신 : 주 오스트리아 (대사)(총영사)

발 신 : 외무부장관 (국기   )

제 목 : IAEA 본관 배치산

총 2 매 (표지포함)

보 안 통 제	
외신과 통 제	

2-1   1

92. 3. 19 〈목〉

경향 2면

IAEA, 이달말 寧邊핵 사찰

【빈=聯合】국제원자력기구(IAEA)소속 사찰요원 2명이 지난 77년 체결된 핵안전협정에 따라 연2회 실시되는 정기사찰의 일환으로 이달말 북한의 寧邊핵연구시설을 방문할 것이라고 IAEA 대변인이 18일 밝혔다.

한스 마이어 寧邊 핵시설에는 핵분열에 필수적인 부품과 러시아産 용 원자로등 2개의 연구용 원자로가 있다고 밝혔다.

北韓 核문제싸고 韓美 일정등 異見
NYT 보도

【뉴욕=朴秀晚특파원】북한핵문제에 대해 한국과 미국은 근간 공동보조를 취해왔으나 최근 이 문제와 관련한 對北접근방식에 어 이견을 보이고있다고 뉴욕타임즈가 18일 보도했다. 이신문은 이날 북한핵

문제에 관한 해설기사를 통해 한국은 남북한간의 대화계속과 북한측이 제시한 시한까지 기다리자는 주장이며 지난 14일의 합의에서 는 핵통제위설치 이전에 사찰일정과 대상지역을 명시해야한다는 중래일장을 포기하기까지했으나 미국은 보다 강경한 일장을 취하

고있으며 구체적인 사찰일정과 시설을 강조하고있다고 전했다.

美행정부관리들은 14일의 對北합의는 빠지거나 갈 구멍과 지연전술의 가능성을 내보하고있다고 보고있는 것으로 이신문은 지적했다. 또 미관계자들은 현재 북한 핵시설에 대한 공격준비는 하지 않고있으나 북한이 무기급 플루토늄을 생산하기시작 했다는 증거가 포착되면 해안에 어떤 사태전개가 있을수도 있다는 것으로 보도했다.

核通委명단 상호통보
오늘 사찰규정 첫협의

南北한은 19일 상오10시 판문점 북측지역 통일각에서 남북핵통제공동위원회 1차회의를 열고 핵사찰에 관한 절차문제를 협의한다.

위원회 구성에 따른 사찰규정 협의에 들어간다. 양측은 이에앞서 19일 각각 핵통제공동위원단을 통보했다.

【남측】
◆위원장 孔魯明 남북고위급회담 대표 (외교안보연구원장)
◆위원 盧載源 외무부장관특별보좌관, 卞鍾圭 대통령안보비서관, 李富榮 국방부 차관, 李昇 九 과학기술처심의관, 凡 총리실의관

【북측】
◆위원장 崔宇鎭 부위원장 외교부순회대사
◆위원 朴光鉉 조선인민군 소장, 金철만국조선원자력연구소 국장급, 崔영관조선인민군대좌, 김만길조선인민서기국참사

0044

50   IAEA 대북한 핵시설 사찰 1

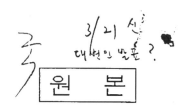

관리
번호 92-261

외 무 부

종 별 :

번 호 : AVW-0442

일 시 : 92 0319 1930

수 신 : 장 관(국기)

발 신 : 주 오스트리아대사대리

제 목 : IAEA 핵사찰팀 북한 방문

대:WAV-0388

연:AVW-0351(1),0345(2)

1. 연호 (1) 2 항및 연호(2) 9 항으로 기보고한바와 같이 IAEA 핵안전조치국의 OPERATION A3 SECTION HEAD(북한관장) WILLI THEIS(독일인)와 사찰관 FYODOR GRINEVITCH(우크라이나인)이 영변소재 연구용원자로에 대한 IAEA/ 북한간 부분적 핵안전 조치협정(INFCIRC 66 TYPE)에 따른 정기사찰을 실시키 위해 3.21-3.28 간 북한 방문 예정임.

2. 동인들은 3.14 당지를 출발하였으며 파키스탄및 북경을 경유하여 북한에입국할 예정임(THEIS 는 3.21 입국, 3.27 출구하고 GRINEVITCH 는 3.22 에 입국, 3.28 출국 예정임)

3. 북한이 이들에게 금번 방북중 상기 연구용 원자로 이외에 핵시설 방문을허용할지 여부는 상금 미상인바, 동인들의 귀임(THEIS 는 3.29, GRINEVITCH 는3.28 평양출발 인도를 경유한후 4.12 경 귀임 예정) 후 접촉 추보 위계임.

(대사대리-국장)

예 고:92.6.30 일반.

국기국 장관 차관 미주국 외정실 분석관 안기부

분류번호	보존기간

발 신 전 보

번   호 : WAV-0405   920323 1717 FL 종별 : _____

수   신 : 주 오스트리아   대사.//총영사

발   신 : 장 관 (국기)

제   목 : IAEA 핵사찰팀 북한 방문

연 : WAV-0388

대 : AVW-0442

연호, 표제관련 IAEA 대변인 발표가 있었는지 여부를 확인 보고하고 발표가
있었을 경우 발표문(statement)을 입수 fax 송부바람.   끝.

예고 : 92.6.30 일반

보통문서로재분류(1992. 6.30.에) (국제기구국장   김 재 섭)

보안 통제	&c

앙고재	92년 3월 23일	국제기구과	기안자 성 명 신동익	과 장 &c	심의관	국 장 전결	차 관	장 관 &c	외신과통제

0046

외 무 부

종   별 :

번   호 : AVW-0468   일   시 : 92 0324 2300

수   신 : 장 관(국기)

발   신 : 주 오스트리아 대사

제   목 : IAEA 핵사찰팀 북한 방문

　　　대:WAV-0388,0405

　　　연:AVW-0442

　　　대호관련 IAEA 대변인실에 확인한바에 의하면 IAEA 대변인의 발표나 보도자료 배포는 없었으며, 일부기자들의 전화문가 있어 IAEA/북한간 부분적 핵안전조치 협정에 따른 정기 사찰계획이 있음을 설명해준적이 있다함.끝.

　　　(대사대리-국장)

　　　예 고:92.6.30 일반.

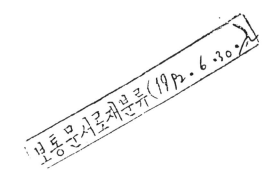

국기국	장관	차관	미주국	외정실	분석관	청와대	안기부

PAGE 1

공　　　란

공 란

북한의 핵 안전조치협정 체결후 IAEA 사찰실시 과정 도표

92.3. 국제기구과

1. 핵 안전조치협정(safeguards agreement) 서명   92.1.30 서명 (예상)

2. 북한의 국내비준
   o 북한 헌법 제96조는 조약의 비준은 주석이 하도록 규정
      (최고 인민회의의 조약 비준동의권 언급 없음)
   o 주비엔나 북한대사관(윤호진 참사관)은 1.7. 북한 최고
      인민회의 의결을 거쳐 주석의 서명이 있어야 한다고 언급

3. <u>협정의 발효</u>   92.4.8 발효(가정)
   ★ 이하 4.8. 발효
   가정에 따른 각
   단계별 최대한 일자
   o 발효일은 협정 비준 사실의 IAEA에 서면통보 일자

4. 사찰대상 모든 <u>핵 물질에 대한 최초 보고서</u> (initial   92.5.30 까지 제출
   report)를 IAEA에 <u>제출</u>
   o 발효 해당월의 최종일로 부터 30일 이내

5. 최초보고서 내용에 대한 IAEA의 <u>임시사찰</u> (ad hoc in-   92.6월15일경 실시 가능
   spection) <u>실시</u>
   o 임시사찰을 위한 사찰관 임명은 가능한한 안전조치협정   - 92.5월8일경
      발효후 30일 이내 완결
   o 북한은 상기 IAEA 사찰관 임명 수락 여부를 제의받은   - 92.6월8일경
      후 30일 이내에 사무총장에게 통보
   o IAEA는 사찰관 수락회보 접수후 최소한 1주일전 북한에   - 92.6월15일경
      통보후 사찰관 파견

0050

6. 보조약정서(하기 7항) 체결 협의기간중 기존 <u>핵시설 관련</u> <u>설계정보</u> (design information)를 IAEA에 <u>제출</u>　　　　92.4.8~
　　　　　　　　　　　　　　　　　　　　　　　　　　　　　　　　7월초 사이

　　o 제출된 설계정보 검증을 위해 IAEA는 사찰관 파견 가능
　　　(임시사찰과 같은 절차를 거쳐 파견)

7. <u>보조약정서</u> (subsidiary arrangement) <u>체결</u> , 발효　　　92.7.7까지

　　o 협정에 규정된 절차와 시행방법을 구체적으로 명시하는
　　　보조약정서를 IAEA와 체결

　　o 보조약정서는 안전조치협정 발효후 90일이내에 체결 발효
　　　시키도록 노력

8. <u>일반사찰</u> (routine inspection) 실시

　　o 사무총장은 북한에 대해 IAEA 사찰관 임명에 대한 동의를
　　　서면으로 요청

　　o 북한은 임명동의 요청 접수후 30일 이내에 수락여부를　　92.8.7 경
　　　사무총장에게 통고

　　　* 사무총장은 필요에 따라 보조약정 체결전이라도 당사국
　　　　에 사찰관 임명 동의 요청 가능

　　o IAEA는 사찰실시 1주일전 북한에 사전통보후 사찰관 파견　92.8.15 경

9. <u>특별사찰</u> (special inspection) 실시　　　　　　　　　일반사찰 실시후
　　　　　　　　　　　　　　　　　　　　　　　　　　　　　　필요시

　　o 특별사찰은 일반사찰을 통해 획득한 정보가 협정에 따른
　　　책임 이행에 충분치 못하다고 판단될 때 실시

　　o 따라서 북한의 미신고 핵물질 및 시설에 대한 의혹이
　　　있을 경우 IAEA 이사회 결정에 따라 특별사찰 실시가능

　　o 쌍방 협의하에 가능한한 조속한 시일내 사전통고후 실시

0051

Date	Title	Place	Interpretation
May	The Geneva Informal Meeting of International Non-Governmental Youth Organizations (GIM) (CSDHA)	Vienna, VIC Austria	
May	Seminar on the improvement of national legislation concerning the integration of disabled persons (XB) * (CSDHA)	Yugoslavia	
May	Subregional Meeting on the Promotion of Intra-African industrial co-operation within the framework of the IDDA for Central Africa (PPD/AREA/IDDA) (UNIDO)	Brazzaville Congo	English/French
1 June	Meeting of the Vienna NGO Committee on the Family (CSDHA)	Vienna, VIC Austria	
1-5 June	UNRWA General Cabinet Meeting* (UNRWA Meeting)	Vienna, VIC Austria	
2 June	Informal Consultative Meeting of NGO Group on the International Year of the Family (CSDHA)	Vienna, VIC Austria	
2-5 June	International Workshop on Economic Incentives for the Transfer and Application of Clean Energy-Saving Technologies in East European Countries * (IPCT/TP/OD) (UNIDO)	Vienna, VIC Austria	
■ June	Meeting of the Vienna NGO Committee on Youth (ODG)	Vienna, VIC Austria	
10-12 June	Third International WHO workshop on national cancer control policy development* (WHO)	Vienna, VIC Austria	
15-19 June	IAEA - Board of Governors (IAEA)	Vienna, VIC Austria	Arabic/Chinese/English French/Russian/Spanish
15-19 June	United Nations Scientific Committee on the Effects of Atomic Radiation (UNSCEAR), forty-first session * (UNSCEAR)	Vienna, VIC Austria	Chinese/English/French Russian/Spanish

0052

NPT와 북한의 핵안전조치협정

1. 핵무기 비확산조약(NPT)주요내용

2. 북한의 핵 개발현황

3. 북한-IAEA간 핵 안전협정체결교섭 경위

4. 북한의 핵안전협정 체결시 핵사찰 대상

   첨부 : 가. 한국. IAEA간 핵안전조치협정

        나. 한국이 받고 있는 핵사찰 내용

        다. 미.쏘가 받고 있는 핵사찰 내역

        라. IAEA 핵안전협정의 특별사찰관련 규정

0053

1. 핵무기 비확산조약(Treaty on the Non-Proliferation of Nuclear Weapons)주요내용

o 68.7.1. 채택

o 70.3.5. 발효 (한국, 75년 가입)

o 가입국 : 140개국

o 전문 및 11조로 구성

제 1 조

o 핵보유 조약당사국은 어떠한 국가(any recipient)에 대하여도 핵무기를 양도
하거나 통제권을 이양치 않으며, 어떠한 비핵보유국(*NPT 가입여부와 무관)
에 대하여도 핵개발을 지원치 않음

  [참고 - 1] 조약내용상 선진 핵기술보유 비핵보유국에 의한 핵개발 지원은
           허용된다고 볼 수 있으나, 실제로 NPT 비가입국에 대한 핵물질,
           장비수출은 IAEA와의 부분안전협정 체결을 전제조건으로 이루어
           지고 있음

. [참고 - 2] 조약상 '핵 보유국'은 67.1.1 이전 핵폭발을 실시한 국가를 의미
           함. 이에 해당하는 국가는 미, 영, 불, 소, 중국임

제 2 조

o 비핵보유 조약당사국은 핵무기를 양도받거나 개발치 않음

제 3 조

o 비핵보유국 조약당사국은 IAEA와 전면 안전협정(자국내 모든 핵물질 및 시설이
  사찰대상)을 체결함

o 모든 조약당사국은 국제안전조치가 없는 경우 어떠한 비핵보유국에 대하여도
  핵물질이나 장비를 제공치 않음

0054

[참고 - 1] IAEA와의 안전조치협정은 3가 종류가 있는 바, NPT 가입 비핵
           보유국의 경우 전면안전조치, 비가입국의 경우 부분안전조치,
           NPT 가입 핵보유국의 경우 자발적 안전조치등이 있음

[참고 - 2] 조약발효 180일 이후 NPT 가입국(예 : 북한)의 경우 가입서 기탁
           일자 이전에 IAEA와의 협정체결 교섭을 개시하여야 하며, 교섭
           개시일로 부터 18개월이내 협정이 발효토록 되어 있으나 91.6월
           현재 북한 포함 51개국이 안전조치협정을 체결하지 않고 있음
           동 51개국중 북한만이 핵활동(significant nuclear activities)을
           하고 있기 때문에 우려의 대상이 되고 있음

제 4 조

o 모든 조약당사국은 평화적 목적을 위한 원자력의 연구, 생산 및 이용개발에
  관해 불가양의 권리(inalienable right)를 가짐
o 모든 조약당사국은 원자력의 평화적 이용을 위한 설비, 자재 및 과학적. 기술적
  정보를 가능한 최대한도로 상호교환(the fullest possible exchange)

   [참고] 74.5. 인도의 핵폭발이후 핵기술 선진국들의 핵기술 이전 규제조치
          강화에 대해 비동맹. 중립그룹은 조약위반 행위라고 비난

제 5 조

o 핵폭발 평화적 응용에서 파생되는 이익은 비핵보유 조약당사국에 제공되어야
  함

   [참고] 평화적 목적의 핵폭발이 군사적 목적의 경우와 기술적으로 구분하기
          어렵고 핵실험 전면금지협약(CTBT)체결문제와도 상충되어 사실상
          사문화된 조항

0055

제 6 조

o 조약 각 당사국은 핵군축 교섭을 성실히 추구함

[참고] 비동맹.중립그룹은 비핵보유국이 조약상 핵무기 개발포기 의무를
성실히 이행하고 있는 반면, 핵보유국은 핵군축 의무를 성실히 이행
치 않고 있다고 비난하고 조약 의무 이행에 관한 double standard가
철폐되어야 한다고 주장

제 7 조

o 비핵지대 설치권리 인정

제 8 조 - 제 11 조

o 최종조항(조약개정, 서명, 탈퇴, 작성언어등 규정)

0056

2. 북한의 핵개발 현황

가. 주요 협정 체결

o 1959. 9   쏘련과 원자력 평화적 이용협정 체결

o 1974. 9   IAEA 가입

o 1985.12   NPT 가입

o 1985.12   쏘련과 원자력 발전소 건설 지원협정 체결

나. 원자로 보유현황

(1) 제1원자로(4MW 연구용)

o 1965년 쏘련이 연구용원자로(IRT-2,000형) 1기 및 핵원료 공급

o 용량 : 4MW 정도로 핵무기 생산에 필요한 양의 플루토늄을 생산할 만한
규모는 아님

o 쏘련으로부터 동 원자로 구입시 IAEA 사찰을 받도록 규정한 양국간
협정에 따라 동 원자로는 IAEA의 사찰을 받고 있음. (IAEA의 개별적 안전
조치 대상)

(2) 제2원자로(30MW급 자체개발)

o 1987.2 북한이 자체기술로 건조, 가동중(북한은 대외적으로 동 원자로
존재부인)

o 용량 : 30MW급으로 년간 플루토늄 7Kg 생산가능(20Kt 의 나가사키급 원폭
1개 제조분량)

(3) 제3원자로(현재 건조중)

o 1984년 착공, 1994년 완공 예상(일부에서는 1992년경 완공예상)

o 용 량 : 50-200MW급으로 추정, 년간 플루토늄 18-50Kg 생산가능
(나가사키급 원폭 2-5개 제조분량)

0057

다. 핵연료 제조

　o 우라늄 매장량 : 2,600만톤

　o 핵연료 재처리 시설 : 1995년 완공예상

라. 원자력 발전소 건설 프로젝트

　o 1985.12 북한-쏘련간 원자력 발전소 건설 지원 협정 체결에 따라 발전용
　　원자로 VVER-440형 4기(총 1,760MW)구매계약에 기본합의(86.2)했으나 실행은
　　유보상태임

　o 쏘련측이 원전 건설 지원협정 체결시 북한의 NPT 서명을 조건으로 내세움에
　　따라 북한은 85.12 NPT 조약에 서명했으나, 쏘련측이 북한의 안전조치 협정
　　서명도 추가조건으로 요구함으로써 원전건설 프로젝트는 유보된 것으로
　　추정됨

마. 북한의 핵무기 개발 전망

　o 미국측은 북한이 1995년경 핵무기를 개발할 수 있을것으로 보고 있음

　o 그러나 일부 전문가들(한국포함)은 1993-4년경 북한이 핵폭탄을 개발할 수
　　있을 것으로 예상하고 있음

0058

3. 북한 - IAEA간 핵안전협정체결 교섭 경위

o 85.12 　·북한, 핵비확산조약(NPT) 가입

o 86.2 　IAEA 사무국, 북한측에 협정초안 전달

- IAEA 사무국은 착오로 NPT 비당사국과 체결하는 협정초안을
  북한측에 전달

o 87.6.2 　북한, 상기 협정초안을 거부한다고 IAEA에 통보

o 87.6.5 　IAEA 사무국, NPT 당사국과 체결하는 표준 협정안을 북한측에 재 송부

o 89.9.6 　북한, 상기 표준 협정안 검토후 하기 제의 포함한 정치적 및 기술적
논평을 IAEA에 제시

- 협정 전문(preamble)에 협정의 시행, 효력 지속 기간을 핵 보유국의
  태도에 연결한다는 내용을 삽입
- 제26조 효력조항에 협정의 효력지속을 정치적 문제와 연결, 즉
  상황에 따라 효력 정지를 가능케하는 단서조항 추가

o 89.9.21 　IAEA, 북한의 논평이 표준 협정안의 기본조항으로부터 일탈하기 때문에
수락불가 하다는 입장통보

o 89.10.17 　IAEA 조사단 북한 방문, 북한입장 타진시 북한은 IAEA의 상기 반응
-23 　(response)을 연구중이라고만 표명

o 89.12.11 　북한 법률전문가 비엔나 방문, 북한과 IAEA간 표준협정안에 대한
-14 　정식 교섭 개시하였으나, 북한이 아래 입장을 고수, 이견을 노정

- 협정의 효력발생 및 지속기간을 한반도의 핵무기 철거와 연계
- IAEA에 대한 정보제공 대상을 핵물질로 한정하고 핵시설은 제외

0059

o 90.1.15   비엔나에서 속개된 2차 교섭에서 북한은 기술적사항에 관해서는 IAEA
             입장을 모두 수락하였으나, 표준 협정안의 효력조항(제26조)에 "한반도
             로부터 핵무기가 철거되지 않고 북한에 대한 핵위협이 계속될 경우,
             협정의 효력을 정지시킬 수 있다" 는 유보조항 삽입 요구

o 90.6.14   북한은 IAEA 이사회에서 미국의 북한에 대한 명시적 핵선제 불사용을
             보장할 것을 요구

o 90.7.10   북한은 비엔나에서 IAEA와 협정체결에 관한 제3차 교섭 전개
  -12   - 북한은 핵안전협정에 조건없이 즉시 서명하고, NPT 제4차 평가회의
             (90.8) 이전에 IAEA 특별 이사회를 소집, 동협정을 상정할 준비가
             되어있다고 언급
             - 그러나, 북한은 미국의 핵선제불사용보장(NSA)을 받기 위해 미국과의
             직접협상을 제의하고 미측 수락을 요구

o 90.8.20   미국측이 북한에 대한 특별한 NSA 보장은 불가하다는 입장을 분명히
  -9.14   하자, 북한은 협정체결 전제조건으로서 한반도 핵무기 철수 및 비
             핵지대화 제안등 종래입장을 반복 주장

o 90.11.2   IAEA 사무총장은 북한과 IAEA는 협정초안에는 합의하였으나, 북한이
             요구하고 있는 NSA 보장 문제는 미·북한간 문제로서 IAEA가 직접 개입할
             문제가 아니라고 언급

o 91.5.28   주 비엔나 북한대사, IAEA 사무총장에게 협정 체결 교섭재개 제의
             (서한 전달)

o 91.6.7   북한 순회대사 진충국, IAEA 사무총장에게 협정서명의사 통보
             - 91.7.10-15간 전문가 회의 개최, 협정의 본질 내용을 수정함이 없이
             문안 최종 확정제의
             - 확정된 협정안은 IAEA 9월 이사회에서 승인후 북한 서명 제의

0060

4. 북한의 핵안전협정 체결시 핵사찰 대상

가. IAEA가 북한에 제의한 핵안전협정안은 IAEA의 표준협정안으로서 NPT 가입국
   중 핵비보유국가들은 이와 동일한 형태의 협정을 체결하고 있음

나. 따라서 북한이 핵안전협정을 체결할 경우, 아국과 마찬가지로 북한의 모든
   핵시설 및 핵물질은 IAEA의 사찰대상이 됨

다. 그러나 상기 사찰대상은 북한이 제시하는 시설과 장소에만 국한되므로 북한이
   그 존재를 부인하는 핵재처리 시설등은 사찰대상이 되지않음

첨 부 : 가. 한국.IAEA간 핵안전조치협정
       나. 한국이 받고 있는 핵사찰 내용
       다. 미.쏘가 받고 있는 핵사찰 내역
       라. IAEA 핵안전협정의 특별사찰관련 규정

0061

<첨 부>

한국. IAEA간 핵안전조치 협정(전문과 98조로 구성)

가. 체결 경위

　o 우리나라는 1975.4 핵무기 비확산조약(NPT) 가입후 동조약 제3조에 의거
　　1975.11 안전조치협정 체결

　o 핵 비보유 NPT 가입 국가에 해당되는 IAEA 문서 INFCIRC/153 내용에 따라
　　안전조치협정을 체결, 세부적인 절차는 1976.2 체결한 동 협정의 보조
　　약정(Subsidiary Agreement)에 규정되어 있음

나. 안전조치 협정의 주요내용

　(1) 안전조치 대상 핵물질 및 시설 (전문 및 제98조)

　　o 핵물질 : 플루토늄, 우라늄, 토리움등

　　o 핵시설 : 원자로, 전환공장, 가공공장, 재처리 공장등으로서 정량
　　　　　　　1Kg이상의 핵물질이 통상 사용되는 장소

　(2) 안전조치 적용 및 이행 기본원칙(제1조-제10조)

　　o 핵 비확산의 검증만을 목적으로 안전조치 수행

　　- 평화적 핵 활동에 대한 부당한 간섭 배제

　　o 해당국은 안전조치 대상 핵물질 및 시설에 대한 최소한의 필요 정보
　　　제공

　(3) 국가 핵물질 안전조치 체제 확립(제31조,제32조)

　　o 각 당사국별로 안전조치 수단 확립과 이를 위한 관련 규정제정 및
　　　운영

　　- 핵물질의 인수, 생산, 선적, 이전량 및 재고량 측정

　　- 측정의 정확성, 정밀도 및 불확실성 평가

　　- 물자 재고목록 작성 절차등

　(4) 핵물질에 대한 기록유지 및 보고(제51조-제69조)

　　o 기록 유지의 대상, 국제적 측정기준 및 보관기관(최소5년)설정

　　o 계량기록 및 작업기록에 포함시켜야할 사항 선정

　　o 핵물질 계량 기록 보고(계량, 특별 및 추가 보고서등)

0062

(5) 핵시설 설계에 대한 정보(제42조-제50조)

    o 검증의 편의를 위해 안전조치 관계시설 및 핵물질 형태의 확인

    o 신규시설은 핵물질 반입전 가능한 조속히 보고

    o 설계정보내용

      - 시설의 일반적 특성, 목적, 명목 용량 및 지리적 위치등

      - 핵물질의 형태, 위치 및 유통 현황등

(6) 안전조치의 기점, 종료 및 면제(제11조-제14조, 제33조-제38조)

    o 핵물질의 국내 수입시 부터 안전조치 적용

    o 핵물질의 소모, 희석으로 더 이상 이용 불가능하거나 회수 불가능시

      (IAEA와 협의) 또는 당사국 밖으로 핵물질 이전시(IAEA에 사전 통보)

      종료

    o 기기 감도 분석으로 이용되는 gm 규모 이하의 특수 분열성 물질은

      면제

(7) 핵물질의 국제이동(제91조-제97조)

    o 당사국 밖으로 핵물질 반출시 IAEA에 사전통고

      - 반출 핵 물질의 책임 수령일로 부터 3개월 이내 동 물질의 이전

      확인 약정 조치 필요

    o 당사국내로 핵물질 반입시 IAEA에 보고

      - 안전조치 대상 핵 물질 반입시 반입량, 양도지점 및 도착일시등

      보고

      - 반입시 수시 사찰 가능

(8) 안전조치 사찰(제70조-제90조)

    가) 사찰종류

      o 수시 사찰(ad hoc inspection)

        - 최초 보고서에 포함된 정보 검증

        - 최초 보고일자 이후에 발생한 상황변화에 대한 검증

        - 핵 물질의 국제이전에 따른 핵물질의 동일성 검사

0063

o 일반 사찰(routine inspection)

- 핵 안전협정의 내용에 따른 정기사찰

- 보고서 내용과 기록과의 일치 여부에 대한 통상적 사찰

o 특별사찰(special inspection)

- 특별 보고서상의 정보를 검증할 필요가 있을 때나 (특별보고서
는 돌발적인 사고, 상황으로 인한 핵물질 손실 발생시에 협정
당사국이 IAEA에 제출)

- 일반 사찰 정보와 당사국 제공 정보가 책임이행에 충분치 못
하다고 판단되는 경우에 특별사찰

- 협정 당사국의 동의가 없는 한 특별사찰 실시는 불가능

나) 사찰 범위

o 계량기록 및 작업기록 검토

o 안전조치 대상 핵물질의 독자적 측정

o 핵물질 측정, 통제기기의 기능검정 및 검증

다) 사찰 통고

o 수시사찰 : 사찰 내용에 따라 최소 24시간 내지 일주일전 통보

o 일반사찰 :   "   "   "

o 특별사찰 : 당사국과 IAEA간 사전 협의후 조속한 시일내

다. 보조약정 주요내용

o 안전조치협정 제39조에 따라 안전조치 적용을 위한 절차와 시행방법을
명시

o 한국과 IAEA간 업무연락방법, 제반관계서류 및 작성방법, 행정절차 및
조치기한등에 관한 규정을 포함하여 한국내의 모든 평화적 핵활동에 적용
되는 일반사항 규정

o 한국내 안전조치 대상시설 및 물질수지(material balance)구역별 사찰
방법, 횟수 및 강도의 IAEA 보고등 구체적인 사항을 명시한 시설부록을
포함

0064

라. 아국의 안전조치가입 의의 및 중요성

o 핵안전관련 주요 국제협정 가입

  - 핵무기비확산 조약('75)

  - 한.IAEA 안전조치 협정('75) 및 보조약정('76)

  - 양국간 원자력 협정 및 다자간 안전조치 협정 체결

    : 미국, 불란서, 카나다, 호주등과 양자 협정체결

  - 핵물질의 물리적 방호에 대한 협약 체결(87.2)

o 조약상 의무사항 준수

  - 핵물질 관련 계획의 통제 및 허가

  - 핵물질 계량관리 및 기록 유지

  - 핵물질 재고 변동 및 보유현황을 IAEA에 정기. 비정기적 보고

  - 검증.확인을 위한 IAEA의 아국 핵 시설 사찰 허용 및 협조

  - 국내 사찰을 통한 독자적 검증 및 확인

o 원자력의 평화적 이용 확대 및 발전에 기여

  - 핵물질의 효율적 계량관리 및 통제를 위한 사전대책 마련 가능

  - 국가 안전체제의 구축.운영을 통한 원전 핵심기술의 국내이전 촉진 및

    자립계획 조기 완수.

0065

공   란

공   란

IAEA 핵안전협정의 특별사찰 관련 규정

1. IAEA 핵안전협정의 특별사찰 규정

　　가. 특별사찰 근거(제73조)

　　　　o 특별 보고서상의 정보를 확인할 필요가 있을 때

　　　　　* 특별보고서는 돌발적인 사고, 상황으로 인한 핵물질 손실 발생시 협정

　　　　　　당사국이 IAEA에 제출

　　　　o 일반사찰에 의한 정보와 당사국이 제공한 정보가 책임이행에 충분치 못한

　　　　　것으로 IAEA가 판단하는 경우

　　나. 특별사찰 실시 절차(제77조)

　　　　o 협정당사국과의 사전협의를 요함

2. 특별사찰의 문제점

　　o IAEA측으로서는 의혹이 있다고 판단되는 협정 당사국의 핵시설에 대하여

　　　특별사찰을 실시하고자 하더라도 협정당사국의 동의가 없는 한 불가능

　　　- 지난 91.5.27 일본 교토 개최 유엔 군축회의에서 가이후 일본수상은 IAEA

　　　　핵사찰제도를 효율화하기 위하여 특별사찰 제도의 강화를 주장

　　o 따라서 북한이 핵 안전협정을 체결하더라도 북한의 비공개 원자로와 핵재처리

　　　시설등은 북한이 자진해서 사찰 대상이 되도록 신고하지 않는한 IAEA가 강제적

　　　으로 사찰을 실시할 수 없음. 그러나 IAEA는 동시설에 대한 특별사찰 실시를

　　　위한 협의를 북한측에 제기할 수는 있음.

3. 특별사찰 실시 전례

　　o IAEA는 91.4.3 유엔안보리 결의(No. 687)에 의거 91.5.14-22간 이라크의 핵

　　　시설에 대한 강제성격의 특별사찰을 실시한 바, 동사찰이 IAEA에 의한 최초의

　　　특별사찰 임.

0068

4. 참고 : IAEA 핵안전 협정규정상 사찰 종류

   가. 일반사찰(routine inspection)

   　　o 핵안전 협정의 내용에 따른 정기사찰

   　　　* 정기사찰 대상인 핵 관련시설과 사찰 내역을 협정의 보조약정 부록
   　　　　(별책)으로 작성

   　　o 당사국의 보고서와 기록과의 일치 여부에 대한 통상적 사찰

   　　o 사찰내용에 따라 최소 24시간 내지 일주일전 통보

   나. 수시사찰(ad hoc inspection)

   　　o 협정에 따른 안전조치 대상 핵물질에 관한 당사국의 최초 보고서에 포함된
   　　　정보의 검증

   　　o 최초 보고 일자 이후에 발생한 상황의 변화(핵시설의 건설등)에 대한 검증

   　　o 사찰내용에 따라 최소 24시간 내지 일주일전 통보

   다. 특별사찰(special inspection)

   　　o (전 술)　　　　　끝.

0069

다. IAEA 일반 사찰실시

　　o 북한은 IAEA가 임명하는 사찰관에 대하여 30일 이내에 수락여부 회보

　　o IAEA는 사찰관 수락회보 접수후 북한에 사전통보(24시간 내지 1주일전)
　　　함으로써 일반사찰 실시 시작

3. 안전조치협정 주요내용

　가. 안전조치대상 핵물질 및 시설(전문 및 98조로 구성)

　　o 핵물질 : 플루토늄, 우라늄, 토리움 등

　　o 핵시설 : 원자로, 전환공장, 가공공장, 재처리공장 등으로서 정량 1kg
　　　　　이상의 핵물질이 통상 사용되는 장소

　나. 핵물질에 대한 기록유지 및 보고(제51-69조)

　　o 기록유지의 대상, 국제적 측정기준 및 보관기간(최소 5년) 설정

　　o 핵물질 계량 기록 보고(계량, 특별 및 추가 보고서등)

　다. 핵시설 설계에 대한 정보(제42-50조)

　　o 검증의 편의를 위해 안전조치 관계시설 및 핵물질 형태의 보고

　　o 신규시설은 핵물질 반입 전 가능한한 조속히 보고

　　o 설계정보내용

　　　- 시설의 일반적 특성, 목적, 명목, 용량 및 지리적 위치등

　　　- 핵물질의 형태, 위치 및 유통 현황등

　라. 안전조치의 기점, 종료 및 면제(제11-14조, 제33-38조)

　　o 핵물질의 국내수입시부터 안전조치적용

　　o 핵물질의 소모, 희석으로 더 이상 이용 불가능하거나 회수 불가능시
　　　(IAEA와 협의) 또는 당사국 밖으로 핵물질 이전시(IAEA에 사전 통보)
　　　종료

마. 핵물질의 국제이동(제91-97조)

　　o 당사국 밖으로 핵물질 반출시 IAEA에 사전 통고

　　　- 반출 핵물질의 책임 수령일로부터 3개월 이내 동 물질의 이전 확인

　　　　약정 조치 필요

　　o 당사국내로 핵물질 반입시 IAEA에 보고

　　　- 안전조치 대상 핵물질 반입시 반입량, 양도지점 및 도착일시등 보고

바. 안전조치 사찰(제70조-제90조)

　　o 임시사찰(ad hoc inspection)

　　　- 최초 보고서에 포함된 정보 검증

　　　- 최초 보고일자 이후에 발생한 상황변화에 대한 검증

　　o 일반사찰(routine inspection)

　　　- 핵 안전협정의 내용에 따른 정기사찰

　　　- 보고서 내용과 기록과의 일치 여부에 대한 통상적 사찰

　　o 특별사찰(special inspection)

　　　- 특별보고서상의 정보를 검증할 필요가 있을 때나(특별보고서는 돌발
　　　　적인 사고, 상황으로 인한 핵물질 손실 발생시에 협정 당사국이 IAEA
　　　　에 제출)

　　　- 일반사찰 정보와 당사국 제공 정보가 책임이행에 충분치 못하다고
　　　　판단되는 경우에 특별사찰.　　　　　끝.

0071

VAR~~~~G TEXTS SENT TO STATES
AS A~~~~LICABLE.

LETTER "A"

INTERNATIONAL ATOMIC ENERGY AGENCY
AGENCE INTERNATIONALE DE L'ENERGIE ATOMIQUE
МЕЖДУНАРОДНОЕ АГЕНТСТВО ПО АТОМНОЙ ЭНЕРГИИ
ORGANISMO INTERNACIONAL DE ENERGIA ATOMICA

WAGRAMERSTRASSE 5, P.O. BOX 100, A-1400 VIENNA, AUSTRIA
TELEX 1-12645, CABLE INATOM VIENNA, FACSIMILE. 43 1 234564, TELEPHONE. 43 1 2360

IN REPLY PLEASE REFER TO
PRIERE DE RAPPELER LA REFERENCE   M1,25 Circ.   DIAL DIRECTLY TO EXTENSION
                                                             COMPOSER DIRECTEMENT LE NUMERO DE POSTE

1 April 1992

Sir,

        I have the honour to refer to the meeting on 26 February 1992 of the
Board of Governors of the International Atomic Energy Agency at which the
Board considered a number of measures related to efforts to strengthen the
Agency's system of safeguards, in particular with a view to ensuring that all
nuclear material subject to comprehensive safeguards agreements is safeguarded.

        As part of this consideration, the Board unanimously called upon all
parties to comprehensive safeguards agreements with the Agency to take a
number of measures pursuant to such agreements to ensure that the IAEA be
given early information about the design of new nuclear installations and
about modifications of existing installations (Attachment). Specifically,
parties were requested to:

    (a) inform the Agency of their programmes for new nuclear
         facilities and activities and for any modifications to
         existing facilities through the provision of preliminary
         design information as soon as the decision to construct,
         to authorize construction or to modify has been taken; and

    (b) provide the Agency with further information on designs as
         they are developed. The information should be provided
         early in the project definition, preliminary design,
         construction and commissioning phases; and

    (c) provide the Agency with completed Design Information
         Questionnaires for new facilities based on preliminary
         construction plans as early as possible, and in any event
         not later than 180 days prior to the start of construction.
         Design Information Questionnaires based on "as-built" designs
         should be provided as early as possible, and in any event not
         later than 180 days before the first receipt of nuclear
         material at the facility.

3-~

0072

COPY : COPIE : COPY : COPIE : COPY : COPIE : COPY : COPIE : COPY : COPIE : COPY

- 2 -

As your Government is a party to a comprehensive safeguards agreement with the IAEA, I would appreciate if the information referred to above could be provided to the Agency in the future when the occasion arises.

The Board of Governors of the IAEA further requested the Secretariat of the IAEA and all parties to comprehensive safeguards agreements to adapt Subsidiary Arrangements made to the safeguards agreements so as to bring the former into line with the recommendations cited above.

The Secretariat is in the process of identifying the necessary adjustments of the relevant Subsidiary Arrangements. By separate letter, it will propose, where appropriate, the steps necessary to incorporate these modifications.

Accept, Sir, the assurances of my highest consideration.

Hans Blix
Director General

Attachment : GOV/2554/Attachment 2/Rev.2
             of 1 April 1992

3 - 3   0073

원　본

외　무　부

종　별 :

번　호 : AVW-0520　　　　　　　　　일　시 : 92 0402 1900

수　신 : 장 관(국기,정특,과기처)

발　신 : 주 오스트리아 대사

제　목 : IAEA 정기사찰팀 북한 방문

연:AVW-0514

1. 당관 허남과학관이 연호 방문을 마치고 4.1(수) 19:00 귀임한 IAEA 안전조치부서(SGO A3)의 WILLI THEIS 과장을 접촉한바, 동인은 북한이 4.8(수) 예정된 최고인민위원회에서 3 번째 의제로 상정된 IAEA-북한간 안전 조치협정을 비준될것으로 보며 협정내용에 따른 의무이행 전망이 밝다는(VERY PROMISSING) 느낌을 받았다고 함.

2. 동인 방북결과는 관례상 북한측 요청이 없는한 대외 발표를 하지 않는 것이 IAEA 사무국 입장(PUBLIC INFORMATION DIRECTOR, DAVID KYD 의 말)이라면서THEIS 방문결과에 대해 묻는 많은 기자 질문에 대하여는 별첨(FAX) PRESS GUIDELINE 에 따라 답변하고 있다함.

3. KYD 는 IAEA-홍콩정부 주최로 92.5.21-22 홍콩(NEW WORLD HARBOUR HOTEL)에서 개최되는 세미나(HONG KONG SEMINAR ON NUCLEAR INFORMATION AND COMMUNICATION)에서 IAEA 사무총장이 에너지, 경제, 환경및 원자력 발전이라는 연제로 연설키위해홍콩을 방문 할 계획이 있는데, 만약 북한이 동 세미나 개최 이전에 비준. 발효 이후 최초보고서(핵시설 대상목록)을 제출하게되면 현재 북한으로부터 방북 초청을 받고 있는 IAEA 사무총장이 상기 세미나 참석에 이어 방북 가능성이 있다고 하였음.

첨부:AVW(F)-054 1 매.끝.

(대사 이시영-국장)

예고:92.12.31 일반.

국기국　　외정실　　분석관　　안기부　　과기처

　　　　　　　　　　　　　　　　92.04.04　04:56

외신 2과　통제관 FM

0074

EMBASSY OF THE REPUBLIC OF KOREA

Praterstrasse 31, Vienna
Austria 1020 (FAX : 2163438)

42

No : AVW(海)-054	Date : 20/02 1800

To : 장관(국기. 정특. 과기처)

(FAX No :   )

Subject :   전무

표지포함 2매

Total Number of Page : ____

0075

2-1

Routine inspection recently carried out in DPRK in accordance
with the provision of INFCIRC/66 Safeguards Agreement
concluded with IAEA in 1977.

Facilities inspected were pool type 8MW research reactor and
zero power critical assembly type facilities.

0076

ɔ — 2

원 본

외 무 부

종 별 :

번 호 : AVW-0428

일 시 : 92 0402 2030

수 신 : 장 관(국기)

발 신 : 주 오스트리아 대사

제 목 : 북한의 핵 관련 정보 제출

대:WAV-0456

연:AVW-0514

대호 관련 안전조치국 WILLI THEIS 및 섭외국 대북한 핵 안전조치 협정 담당관 겸 의전과 KELTOCH(본직의 BLIX 사무총장 예방시 배석한바 있음)에게 확인한 바를 하기 보고함.

1. 연호 예방시 BLIX 사무총장이 5.30 이내에 최초보고서와 함께 설계 정보로 제출할것으로 예상한다고 말한것은 설계정보 제공 시한이 5.30 이란 것은 아니며, 대호 1 항과 같이 설계정보 제공 시한은 보조약정 체결 기간대, 즉 협정 발효일로 부터 90 일 이내임.

2. BLIX 사무총장은 1.30 협정 서명후 북한 대표단장 홍근표와 면담시 북한측이 핵물질 뿐만 아니라 핵 시설에 대한 설부도 조속히 제공하여 줄것을 요청한바 있으며, IAEA 사무국측은 이러한 IAEA 측의 의사가 북한측에 충분히 전달되었을 것으로 보고, 5 월말 정도의 기간이면 설계정보도 제공 할수있는 합리적 기간으로 생각하고 있다함. 또한 당지 북한 대표부 윤호진 참사관도 상기 KELTOCH 에게 수차 최초보고서와 설계 정보를 5 월말까지는 제출하게 될것이라고 말하였다 함(그러나 윤호진이 말한 설계정보가 COMPREHENSIVE 한 설계정보를 의미하는 지 여부는 확실치 않다함)

3. 또한, IAEA 사무국측은 지난 2 월 이사회시 안전조치제도 강화 일환으로 채택된 설계정보 조기제공 권고(AVW-0320 및 GOV/2554/ATTACHMENT 2/REV.1 참조)와 관련한 후속 조치를 위해 회원국들에 대해 곧 공한을 발송토록 준비중이라하며, 북한과의 보조약정 체결 협의시엔 상기 설계정보 조기제공에 관한 2 월 이사회 결정사항도 반영토록 할것이라고 함.

(대사 이시영-국장)

국기국   외정실   분석관   안기부

예 고:92.12.31 일반.

원 본

외 무 부

종 별 :

번 호 : AVW-0513

일 시 : 92 0402 2300

수 신 : 장 관(국기,미이,정특,구이,과기처)

발 신 : 주 오스트리아 대사

제 목 : IAEA 사무총장에 대한 신임장 제정

연:1.AVW-0442

2.AVW-0367

1. 본직은 금 4.2 1030-1115 BLIX IAEA 사무총장을 예방하고, 신임장을 제출하였음.

2. 상기 예방시면담 내용중 특기사항을 하기 보고함.

가. 북한의 핵안전협정 비준및 이행 전망

1)BLIX 사무총장은 북한이 최근 새로이 입장 통보해온바는 없으나 종래 애기 해온바에 비추어볼때 4 월중 조만간 핵안전협정 비준통보를 할것으로 본다고 하면서 이경우 북한 핵시설에대한 설계정보를 포함 최초보고서를 5.30 시한내엔 제출할 것으로 예상하며 빠르면 5 월 초순 또는 중순 제출 가능성도 있다는 감촉이라고 언급함. 또한 동 사무총장은 5 월중에 최초보고서를 접수하면 가급적 빠른 시일내에 최초보고서 검증을 위한 IAEA 임시 사찰단이 북한을 방문하여 시일이촉박하기는 하나 6 월 이사회에 그결과를 보고할수 있게 되기를 희망한다고 말하였음.

2)본직은 남북한 관계에 있어서 통북한 핵문제 우선 해결의 중요성, 최근 남북 핵통제 공동위원회 회의가 특히 핵차찰 규정을 둘런싼 기본적인 입장 차이로 아무런 진전이 없었던점, 북한의 지연전술에 대한 경계 필요성, 최초보고서 내용의 성실성 여하의 중요성등을 강조하고 북한 핵문제를 다룸에 있어 IAEA 사무국측의 각별한 협조를 당부하였음.

3)BLIX 사무총장은 이에 공감을 표한후 최초보고서를 접수하면 동 보고서 성실성을 확인하는 과정에서 한국과 미국등이 북한 핵시설에 대한 정보관련 협조해 주기를 바란다고 말하였음.

나. BLIX 북한 방문 계획

국기국	장관	차관	1차보	2차보	미주국	구주국	외정실	분석관
정와대	안기부	과기처						

1)동 사무총장은 자신이 방북 초청을 이미 수락하였으나 그시기는 북한 핵안전 협정의 비준 발효후가 될것이며 5 월 후반부를 고려하고 있다고 하였음 (가급적 북한의 최초보고서 제출이 동인 방북 이전에 되기를 희망하고 있었음)

2)이에 본직은 북한측이 지연술책의 일환으로 BLIX 총장의 방문을 북한의 핵문제에 대한 국제적 압력을 회피하기 위한 수단으로 활용할수 있는 점에 대해 주의를 환기 시켰던바, 동인은 이점에 대해 자신도 주의를 기울이고 특히 방문후의 대외 발표 문제등을 조심스럽게 다룰것이라고 하면서 그러나 현재 자신의 느낌으로는 북한의 핵안전 협정 이행 문제와 관련 현재까지 아무런 불길한 징조는 보이지 않는다고 언급함.

다. IAEA 사찰단 북한 방문결과

연호(1) THEIS 일행의 북한 방문 결과(4.1 저녁 귀국)에 관한 보고를 받았는바 현재까지 INFCIRC 66 에 따라 사찰을 받아오던 시설외에 다른 핵시설을 방문하지는 않았다 함. 다만 금번 사찰팀 북한 방문중 사찰팀과 북한 당국자간 최초보고서 제출 준비및 핵안전 협정 보조 약정 체결문제에 대한 협의가 있었으며 그과정에서 북한의 핵안전협정 이행문제와 관련 특별히 낙관적이거나 비관적인 새로운 조짐은 발견치 못했다고 함 (사무국으로서는 동 방문결과에 관한 외부로부터의 문의가 있을 경우 상기한 내용으로 설명케 될것이라함)

라. 본직이 연호(2) IAEA 의 다목적 사찰팀의 북한 방문 가능성에 대해 문의해본바 동사무총장은 현재로선 여사한 계획은 없다고 말하였음.

3. 또한 BLIX 사무총장은 ZERO GROWTH 예산체제하에서 IAEA 의 재정상 어려움과 일본의 경우 정규예산 분담금 외에 120 만불 원자력 발전시설 안전활동 특별지원 사례를 설명하고, 아국의 정규예산 분담금외의 자발적 기여금 증액등 지원을 기대한다고 말하였음. 본직은 아국의 금년도 분담금을 4 월중에 지불할수 있을것이며 가능한 협조토록 노력하겠다고 말하였음.

4. 상기 3 항 관련 우선 금년도 IAEA 분담금을 예년과 같이 4 월중에 납부할수 있도록 조치하여 주시고 앞으로 북한 핵문제등과 관련한 IAEA 사무국측과의긴밀한 협조 증진 차원에서 아국의 대 IAEA 자발적 기여금 증액 가능성도 긍정적으로 검토하여 줄실것을 건의함. 끝.

(대사 이시영-국장)

예고:92.6.30 일반.

PAGE 2

0080

	분류번호	보존기간

발 신 전 보

번 호 : WAV-0456   920403 1653 FO 종별 :

수 신 : 주 오스트리아   대사./총영사

발 신 : 장 관 (국기)

제 목 : 북한의 핵관련 정보 제출시기

대 : AVW-0513

*재처리시설측
포함된*

1. 대호 2항 1)내용에 의하면 Blix 사무총장은 북한이 핵시설에 대한 설계
정보를 포함한 최초보고서를 5.30 시한내 제출해야 하는 것으로 보고 있으나, 1.30.
북한-IAEA간 서명된 핵안전협정 내용(제42조 및 62조)에 의하면 설계정보는 보조약정
을 체결하는 기간내(협정 발효후 90일이내) 그리고 핵물질에 대한 최초보고서(initial
report)는 협정 발효익월 최종일까지 제출하도록 규정되어 있음.(즉 핵시설 설계정보
제출시한은 4월중순 협정 발효시 7월중순경이 될것임)

2. 이와 관련 향후 북한의 핵시설설계정보 제출 시한을 명확히 하기위해 필요
하니 상기 차이점에 대해 IAEA 안전조치 담당부서 책임자에게   확인하여 보고
바람. 끝.

예고 : 92.6.30 일반

일반문서로 재분류 (1992. 6.30)

(국제기구국장 김 재 섭)

	보 안 통 제	

앙 고 재	92년4월3일	국제기구과	기안자 성명 신종익		과 장	심의관	국 장		차 관	장 관	

		외신과통제

0081

원 본

외 무 부

종   별 :

번   호 : AVW-0535   일   시 : 92 0406 2000

수   신 : 장 관(국기,미이,정특,기정,과기처)

발   신 : 주 오스트리아 대사

제   목 : IAEA 안전조치 사무 차장 면담

연:AVW-0514,0528

본직은 금 4.6(월) 12:00-13:15 IAEA 의 안전조치 담당 사무차장 Jennekens 을 예방하고 오찬을 같이 하였는바, 동 사무차장과의 환담중 특기사항을 하기 보고함.

1.THEIS 과장의 방북 사찰내용에 관한 본직의 문의에 대하여 동 차장은 BLIX 사무총장의 엄명에 따라 본건을 매우 신중히 다루고 있음을 전제하면서 연호 내용 이상의 특이한 사항은 없으나 자신으로서는 북한의 비준및 사찰 수락에 관한 사무총장의 조심스런 낙관적 기대에 동감이라고 말하고 당장 북한 대표부 측이 시사한 바와 같이 4 월 중순경 비준및 5 월말 이전 최초 보고서 제출을 기대하고 있다고 하였음(북한이 예정대로 비준및 사찰 수락까지 가도록 하기 위한 북한을 자극할 어떠한 조치도 피하려는 것이 BLIX 총장의 의도임을 시사함). 북한의 설계정보 제출시기와 관련한 본직의 타진에 대하여 동 차장은 작년부터 북한과 IAEA 간 최초보고서및 설계정보(DIQ) 작성 요령및 조기 제출필요성에 대하여 수차례에 걸쳐 협의가 있었음을 시사하면서 북한으로서는 이의 제출을 위한 실무차원의 준비가 충분히 되었을 것으로 본다고 언급 하였음(북한이 처음에는 THEIS 과장의 방북을 거부 했다가 후에 그를 다시 초청키로 번의한 것은 주목된다고 첨언하였음).

2.BLIX 총장의 북한 방문시기에 대하여는 5 월초에 IAEA 행정 예산 위원회가 개최될 예정이며, 6 월 이사회 이전 2 주간은 이사회 준비를 위하여 본부에 있어야 함으로 결국 5 월 하순(제 3 주 또는 4 주중)이 될 가능성이 많다고 보고있으며, IAEA 사무국으로서는 사무총장 방문 이전에 북한이 최초 보고서와 설계정보를 제출하여 주기를 희망하고 있다고 하였음.

3. 동인은 내년 4 월까지 현직 근무 예정이라고 하면서 한국측과의 변함없는 협조를 약속 하였으며, 한국의 원자력 평화적 이용의 수준에 비추어 IAEA 사무국에의

국기국	장관	차관	1차보	2차보	미주국	외정실	분석관	청와대
안기부	과기처							

적극 진출 의지를 표명한데 대해 앞으로 NEUCLEAR FUEL CYCLE 및 NEUCLEAR SAFETY 분야에 있어서 한국인 전문가의 진출 전망을 긍정적으로 예상하였음.끝.

    (대사 이시영-국장)

    예 고:92.12.31 일반.

공   란

공   란

공 란

공 란

공 란

공   란

공 란

공   란

제 209호

자립적인 우리나라의 핵동력공업
(기자의 탐방기)
('92. 4. 11, 18:00, 평 방)

핵에너르기를 전망성있게 개발하는 것은 경제의 규모가 비할바 없이
커지고 과학과 기술이 급속히 발전하는데 맞게 늘어나는 인민경제의
전력수요를 원만히 보장하는 데서 매우 중요한 의의를 가집니다.

우리 당은 핵에너르기를 평화적 목적에 이용하는 원칙에서 자립적인
핵동력공업을 창설하기 위한 옳은 방침을 제시하고 그 실현을 위한 투쟁 (해설
을 현명하게 영도하여 오늘 우리나라에는 자체의 힘과 기술, 자체의
자원을 철저히 의거하는 자립적인 핵동력공업이 창설됐습니다.

우리나라에 마련된 주체적인 핵동력공업의 기초는 자립적 민족경제의   지
발전을 믿음직하게 담보해주는 핵동력의 토대로서 우리인민에게 커다란
긍지와 신심을 안겨주는 자랑찬 창조물입니다.   !어 '를

위대한 수령 김일성동지께서는 다음과 같이 제시하셨습니다.   문헌
"원자력발전소를 비롯하여 여러가지 새로운 동력자원에 의거하는 발전소
들을 많이 건설하여 전력생산을 획기적으로 늘여야 하겠습니다."   ! 진행

위대한 수령 김일성동지께서는 일찍이 원자력개발사업의 중심을 핵
동력공업 창설을 둘데 대한 명확한 방침을 제시하시고 원자력의 평화적 기
이용을 위한 연구사업을 강화하여 원자력에 의한 전력생산을 늘이며

- 1 -

중방 | 이미 보도된것처럼 조선민주주의인민공화국최고인민회의 제9기 제3차

0092

방사선 동위원소와 방사선을 공업과 농촌경리를 비롯한 인민경제의 여러 부문에 널리 이용할 수 있도록 세심히 보살펴 주셨습니다.

원자력을 연구 개발함에 있어서 핵무기를 만들거나 군사적 목적에 이용할 것이 아니라 철저히 동력으로 이용하여 인민경제를 발전시키는 것을 기본목적으로 해야 하며, 주체적 입장에 튼튼히 서서 우리의 힘과 기술, 우리의 자원에 기초하여 우리나라 실정에 맞게 건설할데 대한 우리 당의 원자력공업 창설방침, 이것은 세상에서 사람을 가장 귀중한 존재로 여기는 주체사상의 근본원리를 구현하고 있는 우리 당과 공화국 정부의 시종일관한 평화애호정책과 인민대중 중심의 우리식 사회주의의 본성적 요구를 반영한 가장 정당한 방침이며, 연료 동력공업을 확고히 앞세워야 하는 경제건설의 일반적 합법칙성과 전망적인 동력문제 해결의 근본방도를 다같이 고려한 정당한 방침입니다.

원자력공업 창설에 관한 우리 당의 옳은 방침에 따라 우리는 핵동력공업을 창설하기 위한 연구사업에 힘을 넣으면서 짧은 기간에 은을 낼 수 있는 방사선 동위원소와 방사선을 이용하기 위한 사업도 힘있게 벌어 우리의 힘과 기술로 시험원자력발전소를 건설하고 거기에 우리가 생산한 핵연료봉을 주입하여 운영하는데 성공하게 되었습니다.

(중략)

우리 당의 재원인 원자력부문의 과학자, 기술자들은 노동자들과 힘을 합쳐 영변지구에 원자력연구기지를 꾸리고 이에 토대해서 핵동력개발에 대한 연구사업을 진행하는 한편 핵연료자원을 얻어내기 위한 전문 방사선 광물탐사를 힘있게 벌여, 평산과 정선지구에서 우라늄광물 매장지를 찾아내는 데 성공했습니다. 그리고 우리나라에 매장되어 있는 우라늄광물의 물리화학적 특성에 맞는 정광법과 정광제조법을 연구 개발하고,

- 2 -

중방 | 이미 보도된것처럼 조선민주주의인민공화국최고인민회의 제9기 제3차

0093

평산과 박천지구에 꾸려놓은 정광기지에서 정광을 생산하고 있습니다.

핵동력공업을 주체적으로 개발하는 데 맞게 동력용원자로의 형태도 우리나라의 공업토대와 기술수준, 앞으로 형성하려는 핵연료순환 체계를 종합적으로 고려해서 선정하고 전기출력이 5천키로와트인 시험원자력 발전소도 우리나라 실정에 맞게 성과적으로 건설했습니다.

우리 당이 제시하는 주체적인 원자력공업 창설방침에 따라 우리의 과학자, 기술자들과 노동계급이 자력갱생 간고분투의 혁명정신을 높이 발휘해서 우리의 힘과 기술, 우리의 자원에 기초한 핵연료생산 공정을 갖춘 데 기초해서 처음으로 건설한 시험원자력 발전소는 전력과 난방열 생산을 정상화하며, 물리공학적 실험기지로서의 사명을 원만히 수행하고 있습니다. 우리 인민은 자체의 힘으로 첫 시험원자력발전소를 건설한 경험에 기초해서 전기출력이 5만키로와트의 원자력발전소와 20만키로와트의 원자력발전소를 건설하고 있으며, 전망적으로 대동력원자로의 핵연료와 조정체계, 대형선풍기와 연료교체기지, 터빈과 발전기를 비롯한 설비들을 생산하기 위한 준비사업도 진행하고 있습니다.

지금 우리 인민은 자체의 힘으로 시험원자력발전소를 건설하고 성과적으로 조업한 데 대해서 커다란 긍지를 가지고 있으며, 앞으로 핵동력을 이용하여 생산과 건설에서 더큰 혁신을 일으킬 수 있다는 확고한 신심에 넘쳐 있습니다.

얼마전 우리는 우리나라에 새로 창설된 핵동력공업에 대한 취재를 위해서 영변원자력연구기지를 찾았습니다. 우리는 먼저 시험원자력 발전소를 찾았습니다. 우리와 만난 이 발전소기사장동무는 이렇게 말했습니다.

" 이 발전소는 연구사업을 위해서 처음으로 개발한 시험원자력발전소 입니다. 이 발전소의 전기출력은 5천키로와트 입니다. 우리나라는

- 3 -

중방 | 이미 보도된것처럼 조선민주주의인민공화국최고인민회의 제9기 제3차

... 우리는흑연감속탄산가스 냉각형원자로 입니다. 다시말해서 우리나라에 많이 매장되어 있는 천연우라늄을 핵원료로 하고 고순도흑연을 감속제로 하며 탄산가스를 연료로하는 우리나라 실정에 가장 정당한 원자로형태인 것입니다. 이제 생산공정을 돌아보시면 알겠지만 우리 원자력부문 과학자, 기술자들의 힘에 의하여 건설된 이 발전소는 모든 생산설비들이 다 우리의 노동계급들이 자체의 힘으로 만들어낸 것입니다. 원자로도 그렇고 터빈발전가며 연료개폐기를 비롯한 모든 기계설비들이 다 룡성과 대안의 노동계급들이 자체의 힘과 기술, 자재로 만들었습니다."

(중 략)

우리는 시험원자력발전소를 돌아보고 우리나라 핵동력공업의 주체성을 믿음직스럽게 담보해주는 핵연료봉공장을 찾았습니다.

현대적인 생산건물들이 규모있게 자리잡은 연료봉공장은 첫 눈에 우리 마음을 끌었습니다. 이 공장은 우리나라에서 생산하는 우라늄정광으로 핵연료봉을 생산하는 정광용해공정으로 부터 불화물, 제조, 가공및 완성공정이 그쯘하게 (＊ 충분히 다 갖추어져 있다) 갖추어져 있었습니다.

연료봉공장 기사장 전치부동무는 모든 생산공정이 훌륭하게 갖추어지고 우리의 과학자, 기술자들이 연구 재작한 여러가지 보호체계가 갖추어져 방사선의 안전성을 믿음하게 담보되어 있는 일터에서 우리의 힘과 기술, 우리의 자원으로 질좋은 연료봉을 만든다고 하면서 이렇게 말했습니다.

" 시험원자력발전소를 돌아보시면서 우리나라의 핵동력공업의 주체성에 대해서 느끼셨으리라 봅니다. 그런데 원자력공업의 주체성에 대해서 말할 때 자립적인 핵원료공업을 빼놓고는 생각할 수 없습니다. 천연자원 1톤이면 석탄 2만톤과 맞먹는데이런 우라늄광석이 우리나라에 아

- 4 -

| 중방 | 이미 보도된것처럼 조선민주주의인민공화국최고인민회의 제9기 제3차 |

0095

주 많습니다.. 박천지구에는 희천지구에서 캐낸 우라늄광석으로 우라늄정광을 생산하는 기본공장이 있습니다. 그 운영부문에 기초해서 평산지구에 새로 우라늄정광생산기지를 건설하였습니다. 평산지구에 건설한 정광공장은 1990년 하반기부터 부분시운전단계를 거쳐서 1단계조업을 했습니다.

지금 우리는 박천과 평산지구에서 생산한 우라늄정광을 다 받아서 핵원료봉을 생산하고 있습니다.

(중략)

우리는 핵원료봉 공정을 돌아보면서 우리의 핵동력공업이 적극성있는 튼튼한 연료기지로 되어있고 안전하고도 빠른 발전이 확고히 담보되고 있음을 알 수 있었습니다.

우리는 영변지구에 꾸려져있는 원자력연구기지의 여러 연구소들도 돌아보았습니다. 연구소들에는 원자로물리와 원자로공학, 핵연료에 드는 연구, 원자로의 자동화 체계화, 핵전자기지들에 대한 연구를 비롯해서 여러 연구과제를 수행하는 연구실들이 있었는데 바로 그곳에 우리의 과학자, 기술자들이 연구사업을 진행하고 있었습니다.

모든 연구조건이 훌륭히 갖추어져 있는 연구소들에서 우리 당이 제시한 주체적인 원자력공업 창설방침을 높이받들고 핵동력공업에서 나서는 과학. 기술적문제들을 능숙하게 풀어나아가는 과학자. 기술자들, 우리의 핵동력공업의 담당자들인 이들의 모습을 볼수록 자랑스러웠습니다.

(중략)

참으로 우리나라에서 첫 시험원자력발전소의 건설과 그 운영, 이것은 위대한 수령님과 친애하는 지도자동지의 현명한 영도밑에 우리의 노동계급이 자립적인 핵동력공업 창설에서 이룩한 자랑찬 결실입니다.

우리의 자립적인 민족경제는 이에 토대해서 더욱더 발전하게 될 것입니다.

- 5 -

중방 | 이미 보도된것처럼 조선민주주의인민공화국최고인민회의 제9기 제3차

0096

- '92. 4. 14. 과학기술처 -

〈기술적분석〉

원자력 발전

o 정규 전기출력 5천 KW 시험 원자력발전소
  ⇒ 영변소재 30 MW급으로 추정했던 제 2 연구용원자로 가능성

  - 목   적 : 전력생산용, 난방열 공급용, 물리학적 실험연구용
  - 핵 연 료 : 자력제조한 천연우라늄 핵연료 장입, 원격연료교체장비 사용
  - 로   형 : 흑연감속 탄산가스 냉각형 원자로, 수백개 수관부
  - 기기제공 : 원자로, 터빈발전기, 연료교체기, 고압송풍기 등을 용성과
                  대안에서 제작, 제공
  - 기   타 : 폐설물과 폐수 정제공정 완비

o 정규 전기출력 5만 KW 원자력발전소
  ⇒ 영변소재 200 MW급으로 추정했던 제 3 연구용원자로 가능성

o 정규 전기출력 20만 KW 원자력발전소
  ⇒ 태천소재 건설중인 대규모 원자력발전소로 추정

o 대동력원자로의 핵연료, 조정체계, 대형송풍기, 연료교체기기, 터빈 / 발전기
  생산시설 건설 준비중 ⇒ 향후 원전 사업지속 추진 시사

- 1 -

0097

우라늄 정광

o 박천우라늄 정광공장
  - 원 광 : 순천지구에서 캐낸 우라늄 광석 이용
  - 용 도 : 영변의 핵연료봉 생산공장에 정광 공급

o 평산 우라늄 정광공장
  - 개 요 : '90년 하반기부터 부분 시운전 단계를 거쳐 1단계 조업을 이룬
          새로운 우라늄 정광 생산 기지
  - 공 정 : 선광 → 분쇄 → 산침출 → 이온교환 → 침전

우라늄 가공

o 핵연료봉 공장 ⇒ 영변 소재 핵연료가공시설로 추정했던 공장일 가능성

  - 개 요 : 현대적 생산건물로서 박천과 평산지구의 우라늄정광을 이용하여
          핵연료봉 생산
  - 공 정 : 산처리 → 식순정제 → 야금 → 가공 → 열처리 → 금속우라늄
          → 피복 → 핵연료봉

기초연구시설

o 영변지구 원자력연구기지 ⇒ 영변소재 연구단지로 추정

  - 연구분야 : 원자로물리, 원자로공학, 핵연료연구, 원자로자동화 체계, 핵전자

  - 핵물리연구소
    · 원자로물리 및 핵물리분야의 연구
    · 방사성동위원소의 공업 및 농업이용 연구
    · 비파괴용, 의학용 방사성동위원소 생산사업

- 2 -

0098

공   란

원 본

외 무 부

종 별 :

번 호 : JAW-2178   일 시 : 92 0414 1524

수 신 : 장 관(국기,아일,정특,미이)

발 신 : 주 일대사(일정)

제 목 : 북한 핵문제

　　　금 4.14 자 당지 공동통신 보도에 의하면, 북한의 원자력 공업성 최정순 대외 사업국 장은 금 4.14 평양에서 기자회견(김일성생일 행사참석 방북대표단 수행기자단 포함)을 통해 북한의 핵사찰 문제에 대해 언급하였는 바, 동 내용아래 보고함.

　　　0 북한의 IAEA 핵사찰 대상 시설은 영변지역에 있는 1) 1986년 완성된 5천 KW의실험용원자로 2) 현재 건설중인 5만 KW 의발전용 원자로 3) 건설중인 20만 KW 의발전용원자로-3개소가 중심이 될것임.

　　　0 이와 관련 60년대초에 소련에서 도입한 실험용 원자로(8천 KW, 영변)와 임계실험용 원자로(영변)에 대해서는 이미 IAEA 의 사찰을 받고 있는 바, 금년 3월에도 정기사찰이행해졌음.

　　　0 IAEA 와의 핵 안전협정이 4.9 최고인민회의에서 비준되으므로 금후는5월말까지의 가능한 빠른시기에 IAEA 에 핵물질에 대한 보고를 행하는등 정해진 절차를 순조롭게 밟아 나가도록 성의를 갖고 노력할것임. 북한은 모든 시설에 대해 봉보할 것임.

　　　0 사찰실시는 6월에도 가능함.

　　　0 (재처리 시설과 관련) 핵연료 사이클 연구의 일환으로서 재처리에 대해서도 연구하고 있으나 재처리시설은 보유하고 있지 않음.

　　　0 또한 신포에 4개의 원자로 도입계획하에 부지 조사중이며, 평산과 박천에 우라늄 정련공장이 있고, 순천에는 우라늄 광산이 있으나, 지하공장은 존재하지 않음.끝

　　　(대사 오재희-국장)

국기국　　아주국　　미주국　　외정실　　분석관　　청와대　　안기부

92.04.14　　16:21 WH

외신 1과 통제관

0100

問3. 핵연료의 주기 (Cycle) 란?

핵연료 주기는 우라늄정광으로 부터 시작된다. 경수로의 경우 정광은 변환 및 농축과정을 거쳐 원자로에 장전가능한 핵연료 집합체로 성형 가공한다.

핵연료는 원자로에서 100% 연소되지 않고 우라늄이 일부 남으며 연소중에 생성되는 플루토늄도 핵연료로 사용하므로 재처리 과정을 거쳐 이들을 회수하여 다시 사용하며 이런 일련의 과정을 핵연료 주기라고 한다.

○ 핵연료 주기도

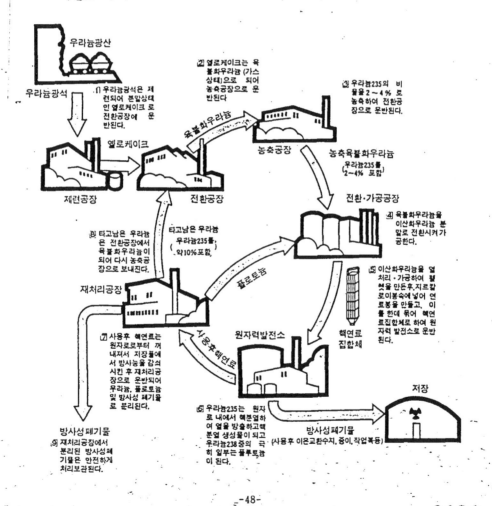

발 신 전 보

번 호 : WAV-0524   920415 1553 FO   종별 : ___

수 신 : 주 오스트리아   대사. 총영사

발 신 : 장 관 (국기)

제 목 : 북한의 원자로 현황 관련 자료

　　　　북한의 원자로 개발 현황 관련 4.11자 평양방송 Text와 원자력 공업부 최정순
외사국장의 일본신문 인터뷰내용 기사(4.14자)를 별첨 fax 송부하니 참고바람.

　　첨부 : 상기 fax 9 매.　　끝.

　　　　　　WAVF-66

(국제기구국장 김 재 섭)

0102

主要外信隨時報告

外務部 情報狀況室
受信日時 92. 4. 14. 17 :40

4/15 신

북한원자력부관리, IAEA 제출 최초보고서에

3개 원자로 포함예정 언급

```
W1116
r IBX   TXA499  14-04  00305
intj 87
^BC-North Korea-Nuclear
^North Korea to List Three Reactors in Report to International
Agency<
```

   TOKYO (AP) _ A North Korean atomic energy official said Tuesday his nation will list three nuclear reactors in its first report to the international agency that oversees nuclear safeguards, Kyodo News Service reported.

   North Korea, which long has refused to open its nuclear facilities to international inspection, ratified a safeguards agreement earlier this month with the International Atomic Energy Agency. It still has not announced a date for the start of inspections required by the agreement.

   In a report from Pyongyang, the North Korean capital, Kyodo said Choe Chong Sun, head of the Atomic Energy Ministry's foreign affairs bureau, told reporters that North Korea would submit a report to the agency at the end of May concerning its nuclear facilities and materials.

   The report said these include a 5,000-kilowatt experimental reactor at Yongbyon completed in 1986. Western intelligence reports have suggested that plant is being used for weapons development, and that North Korea could be ready to build nuclear arms by next year.

   North Korea has denied any intention of making nuclear weapons, but said it would not open its facilities to international inspection as long as it remained under U.S. nuclear threat. Last year, President Roh Tae-woo of rival South Korea declared that his nation was free of nuclear weapons, implying that all American nuclear weapons there had been removed.

   Earlier this year, in moves toward ending four decades of hostility, North and South Korea concluded agreements on non-aggression, reconciliation and banning nuclear arms from the Korean peninsula.

   Kyodo said Choe added that North Korea's report to the IAEA also would include two nuclear power plants, of 50,000 kilowatts and 200,000 kilowatts, that now are under construction.
^(pb)<

```
AP-TK-14-04-92 0817GMT<
```

0103

北韓 가동·건설중原子爐 5基

"核재처리시설은 없다"

原子力部 局長밝혀 寧邊것 일부는 자력 건설

南北대화 잘될 것

金日成 北·日수교 "하루빨리"

訪北 日대표단 總理친서 전달

[東京=李東柱특파원] 訪北 한 日대표단과 회담을 갖고 회담을 앞으로도 진척돼 나 는것으로 평가하고 있다 에 관해 일층노력해주기를 고 했다.

북한 핵 지도

박천 ● 영변 ● 신포 ●
순천 ○
평양 ◎
평산 ●
서울 ◎
북한　동해
남한
황해

단체장選擧연기 재확인

黨政회의 결론 상반기중 관련法 개정키로

택시·철도·수도料 분산 인상

北韓~美 직통전화

日紙 "技術검토 이미 끝난듯"

[東京=합] 미국의 장거리 국제전화를 취급하는 AT&T社는 14일 일본의 마이니치(每日)신문은 14일 美·北간의 지접전화개설과 관련, 발표한 성명에서 마이친트는 AT&T社의 의미결과, 성명에서 美국무부

李외무·李鵬 나란히

제48차 亞·太경제사
14일오 北京서 열

UNITED N
ECONOMIC AND SOC
ASIA AND T
PREMIER

0104

관리
번호 92-325

발 신 전 보

번 호 : WAV-0523   920415 1524 FO

종별 : 자급 :   WUS -1736
                 (사본 : 주미대사)

수 신 : 주 오스트리아   대사. //총/영사

발 신 : 장 관 (국기)

제 목 : 북한보유 핵시설 현황

연 : WAV-0492, 대 : AVW-0584

1. 북한 원자력 공업부의 최정순 대외사업국장은 4.14. 일본 기자들과의 회견
에서 북한이 보유 또는 건설중인 원자로(5기) 및 핵연구 시설을 아래와 같이 밝혔다함.
(관련기사 별전 fax 송부)

    가. 60년대초 구소련으로부터 영변지구에 도입, 건설한 연구용 실험로
        (열출력 8MW)와 실험용 임계로(critical assembly : 출력없음)
        - 동 실험로 및 임계로에 대해서는 IAEA 사찰을 받고 있음

    나. 86년 북한 자력으로 영변에 건설한 실험용 원자로(전기출력 5MW)
        - IAEA에 대한 최초보고시 동 시설정보 제출 예정

    다. 90년대 중반에 완성, 가동 예정인 원자로(영변소재, 전기출력 50MW)
        와 90년대말 완성, 가동 예정인 원자로(영변근처 태천지역 추정, 전기
        출력 200MW)
        - 동시설들에 대한 정보도 IAEA에 제출예정

보안통제

앙고재	92년4월15일	국기구과	기안자성명 신동익	과 장	심의관	국 장	레1과신오	차 관	장 관	외신과통제

0105

라. 동해안 신포에 구소련으로부터 40-60만 KW급의 원자로 4기 도입을 위한
   교섭진행중

마. 영변에 「핵재처리 시설」은 갖고 있지않으며, 「핵연료 주기(cycle)
연구」를 위한 연구활동을 하고있음.

바. 황해도 평산 및 박천의 우라늄 정련시설과 개발중인 순천의 우라늄
광산에 대하여도 IAEA에 보고할 계획임.

2. IAEA 사무국에 상기 내용을 알리고 관련정보를 갖고 있는지를 문의하는
동시에 현재 IAEA와 북한간에 보조약정 체결(북한측의 핵물질 및 시설 보고대상 및
정보 제출 일정 포함)을 위한 협의가 진행중인지를 파악 보고바람.

3. 북한이 최초보고서에 상기 1.나,다항만 포함시키고 "마"의 핵연료 주기
연구관련 시설을 포함시키지 않을 경우, 현재 건설중인 영변내 시설(미국이 핵재처리
시설이라고 의심하는)이 그들이 주장하는 「핵연료 주기 연구」를 위한 시설인지를
확인하기 위한 방법으로 5월하순 계획중인 Blix 사무총장의 방북시 동시설을 방문할
수 있도록 북한에 요청하는 것을 Blix 총장에게 적극 권고(encourage)하는 것에 대해
귀지 미국대표부측과 협의, 조치바람.

4. 연호 Kennedy 미국대사와 Blix 사무총장간의 면담(4.10) 결과에 대해서도
파악 보고 바람.   끝.

예고 : 92.6.30 일반

(장 관 대 리)

0106

공   란

공   란

공   란

공 란

공 란

공   란

관리	92
번호	-328

외 무 부

원 본

종 별 : 지 급

번 호 : AVW-0604

일 시 : 92 0415 2030

수 신 : 장 관(국기,미이,정특)

발 신 : 주 오스트리아 대사

제 목 : 북한 핵사찰 문제

대:WAV-0492(1), WAV-0489(2), WAV-0271(3)

북한의 핵사찰 문제와 관련 4.14 당관 김의기 참사관이 IAEA 북한 핵사찰 담당관 WILLI THEIS(920)(3.21-3.28 간 연구용 원자로에 대한 정기 사찰 팀 방북시 북한 방문)와 접촉 탐문한 바를 하기 보고함.

1. 동인에 의하면 IAEA 사무국은 북한 핵사찰 문제가 일단 순조롭게 진행되고 있다고 믿고 있으며, 외부의 영향으로 북한이 현재의 협조적 태도를 변경할 가능성을 몹시 우려하고 있다 함. 이러한 맥락에서 BLIX 사무총장은 북한의 핵문제에 관하여는 철저한 보안을 유지 할것을 관계관들에게 지시하였다 함.

2. 동인은 IAEA 측으로서는 북한에 대해 최초보고서와 설계정보를 5 월말 시한 훨씬 이전(MUCH EARLIER)에 제출하도록 요청하였으며, 이에 대해 북한측으로 부터 긍정적 반응이 있었다고 시사하였으며, BLIX 사무총장의 북한 방문 이전에 북한측으로 부터 최초 보고서를 접수 할것으로 내다 보았음. 또한 IAEA 측은 북한이 5 월 중순까지는 최초 보고서를 제출하는 것을 전제로 대북한 핵사찰 계획을 마련하고 있음을 암시하였음.

3. 5 월말 이전에 AD HOC INSPECTION 팀이 북한을 방문할 가능성이 있느냐는질문에 대해 동인은 AD HOC INSPECTION 팀은 6 월 이사회 훨씬전(LONG BEFORE JUNE BOARD MEETING) 에 북한을 방문 할 것을 계획 중이며, 6 월 이사회시 BLIX사무총장은 북한의 핵안전 협정 이행에 대하여 매우 근거있는 보고(WELL-FOUNDED BRIEFING)을 할수 있을 것이라고 언급함.

4. 대호(1) 3 항과 관련 지금까지 알려진 북한의 미신고 핵시설(대호 3, 30MW 제 2 원자로, 건설중인 50-200MW, 제 3 원자로및 핵연료 재처리 시설)에 대하여 언급하고 이에 대해 알고 있느냐고 묻자, 동인은 상기 핵시설의 존재를 확인도 부인도 할수없는

국기국	차관	1차보		미주국	외정실	분석관	청와대	안기부

입장이라고 말하였으며, 대호 (2) FAX 에 언급된 5 천 KW급 원자력 발전소와 상기 제 2 원자로가 동일한 것인지에 대하여는 원자로의 전기 출력이 열출력의 3 분의 1 정도이나 원자로의 효율이 낮을 경우 3 분의 1 에 많이 미달할 가능성이 있다고 언급함(위성 사진에 의하면 북한 원자로에 외부로 나가는 전선이 없다는 언급에 대해 동인은 순수한 기술적 견해로는 전선을 지하에 가설하거나 발전 시설과 전선을 공히 지하에 설치할수도 있다고 말함. 끝.

    (대사 이시영-차관)

    예고:92.12.31 일반

관리
번호 92-686

장관부재중 보고 사항

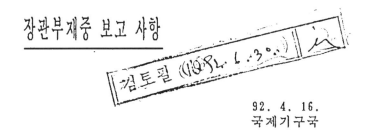

검토필 (1982. 6.30

92. 4. 16.
국제기구국

IAEA의 대북한 핵사찰 실시 계획(W. Theis 북한 핵사찰 담당관 언급)

o IAEA는 북한에 대해 최초보고서와 설계정보를 5월말 시한 훨씬 이전에 제출
하도록 요청, 이에대해 북한측으로부터 긍정적 반응이 있었음.

o 북한이 5월중순까지는 최초보고서를 제출하는것을 전제로 핵사찰 계획을 마련
하고 있음.

o 최초보고서에 대한 임시사찰(ad hoc inspection)은 6월이사회(6.15-19) 훨씬
전에 실시할 것을 계획중

o 북한이 최근 언급한 핵시설등에 대해 현재로서는 IAEA가 그 존재를 확인도
부인도 할수없는 입장임.

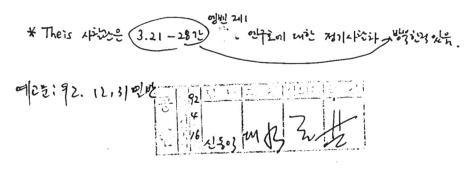

* Theis 사무관은 (3.21 - 28간) 영변 제1 · 연구로에 대한 정기사찰과 병행하여 있음.

예고는 : 92. 12. 31만반

0115

IAEA의 대북한 핵사찰 실시 계획(W. Theis 북한 핵사찰 담당관 언급)

* Theis 사찰관은 영변 제1연구로에 대한 정기사찰차 3.21-28간 방북한적 있음.

o IAEA는 북한에 대해 최초보고서와 설계정보를 5월말 시한 훨씬 이전에 제출
  하도록 요청, 이에대해 북한측으로부터 긍정적 반응이 있었음.

o 북한이 5월중순까지는 최초보고서를 제출하는것을 전제로 핵사찰 계획을 마련
  하고 있음.

o 최초보고서에 대한 임시사찰(ad hoc inspection)은 6월이사회(6.15-19) 훨씬
  전에 실시할 것을 계획중

o 북한이 최근 언급한 핵시설등에 대해 현재로서는 IAEA가 그 존재를 확인도
  부인도 할수없는 입장임.
  - 5천KW급(전기출력) 원자력발전소와 우리가 파악하고 있는 제2연구로(열출력
    30MW급)가 동일한것인지에 대해서는 원자로의 효율이 낮을경우 전기출력이
    열출력의 3분의 1에 미달할수 있다고 언급, 동일한것일 가능성을 시사

0116

4/18 신
축축 3경 6.각

외 무 부

종 별 : 지 급
번 호 : AVW-0623   일 시 : 92 0417 1800
수 신 : 장 관(국기)
발 신 : 주 오스트리아 대사
제 목 : 북한 보유 핵시설 현황

대:WAV-0523

연:AVW-0604(1), 0535(2), 0514(3)

1. 대호 2 항 관련 당관 김참사관이 북한 핵사찰 담당관 WILLI THEIS 와 4.16 전화로 접촉, 북한이 대외적으로 밝힌 핵시설 내용에 관하여 IAEA 측이 정보를 가지고 있는지 여부를 타진한 바, 동인은 북한 핵시설에 관한 보도 내용이 새로운 것이 아니라는 반응을 보였으며, 북한으로 부터 그러한 핵시설에 대한 정보제공을 받은바 있다고 시인 하였음.

2. 북한측은 협정 서명 이전부터 최초 보고서, 설계정보(DIQ), 보조약정 등 핵안전 협정 이행과 관련 IAEA 측과 의무사항등을 수시 문의, 협의하고 있다 하며(연호 0535 참조), 연호 (0514)로 기보고한 바와 같이 지난 3 월 하순 THEIS일행 방북시에도 보조 약정 체결에 관하여 협의가 있었다 함(THEIS 에 의하면 방북중 북한측과 실무 협의를 거의 매일 주야로 강행군 하였다고 함).

3. 지금까지 당관이 여러 경로를 통해 IAEA 상무국측으로 부터 탐문한 바에의하면, IAEA 측은 5.15 이전에 북한측으로 부터 최초 보고서와 시설에 관한 정보를 접수 할수 있을 것으로 생각하고 있는 것으로 보이며, 북한에 대하여 일단 핵에 관련된 모든 물질과 시설을 보고자료에 포함 시키면 IAEA 측이 검토하여 사찰 대상에 해당되지 않는 부분은 동 자료에서 제외 시켜 주겠다고 종용한바 있다고 함. 끝.

(대사 이시영-국장)

예고:92.12.31 일반.

국기국	차관	1차보	2차보	외정실	분석관	청와대	안기부

장관부재중 보고 사항

92. 4. 17.
국제기구국

대북한의 IAEA 핵사찰관련 주오스트리아 대사 보고

o 4.16. W.Theis IAEA 북한 핵사찰담당관은 북한이 최근 밝힌 핵시설 내용(별전기보고)은 새로운것이 아니며, 북한으로부터 이에 대한 정보제공을 받은바 있다고 시인함.

o 북한측은 협정 서명이전부터 최초보고서, 설계정보(DIQ), 보조약정등 핵안전협정 이행관련 의무사항에 대해 IAEA측에 수시 문의, 협의하고 있으며, 지난 3월하순 IAEA 사찰팀 방북시에도 보조약정 체결에 관한 협의가 있었다함.

o IAEA측은 5.15 이전에 북한측으로부터 최초보고서와 시설정보를 접수할수 있을것으로 보고 있으며, 북한에 대해 일단 핵물질 및 시설관련 모든 정보를 보고자료에 포함시키면 IAEA측이 검토후 사찰대상에 해당되지 않는 부분은 제외시켜주겠다하면서 북한의 성실한 보고를 종용한바 있다함.

0118

공　　　　란

공   란

공   란

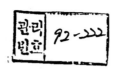

외 무 부

110-760 서울 종로구 세종로 77번지 / (02)720-2336 / (02)720-2686

문서번호 국기20332-<u>977</u>

시행일자 1992. 4.18.( )

취급		장 관	
보존			
국 장	전결		
심의관			
과 장			
기안	신 동 익		협조

수신 주일대사

참조 정무과장

제목 북한 IAEA 핵사찰 일정표

대 : JAW-2246

대호, 4.18. 북한의 IAEA 핵안전협정 발효후 보조약정 체결과정과 IAEA
사찰실시 일정표를 별첨 송부합니다.

첨부 : 상기 과정도표 1부. 끝.

외 무 부 장 관

0122

북한의 핵 안전조치협정 발효후 IAEA 사찰실시 과정 도표

92.4.11. 국제기구과

1. <u>협정의 발효</u>

   o 발효일은 협정 비준 사실에 대한 북한정부의 서면
     통고를 IAEA가 접수한 일자

   | 92.4.10발효
   ★ 이하 4.10.발효
   따른 각단계별
   최대한 일자

2. 사찰대상 모든 <u>핵 물질에 대한 최초 보고서</u> (initial
   report) 를 IAEA에 <u>제출</u>

   o 발효 해당월의 최종일로 부터 30일 이내

   | 92.5.31 까지
   제출

3. 최초보고서 내용에 대한 IAEA의 <u>임시사찰</u> (ad hoc in-
   spection) <u>실시</u>

   o 임시사찰을 위한 사찰관 임명은 가능한한 안전조치협정
     발효후 30일 이내 완결

   o 북한은 상기 IAEA 사찰관 임명 수락 여부를 제의받은
     후 30일 이내에 사무총장에게 통보

   o IAEA는 사찰관 수락회보 접수후 최소한 1주일전 북한에
     통보후 사찰관 파견

   | 92.6월16일경
   실시 가능

   - 92.5월10일경

   - 92.6월9일경

   - 92.6월16일경

4. 보조약정서(하기 5항) 채결 협의기간중 기존 <u>핵시설 관련</u>
   <u>설계정보</u> (design information)를 IAEA에 <u>제출</u>

   o 설계정보는 재처리시설 관련 정보도 포함하여 각 시설별
     설계정보 설문서(Design Information Questionnaire)형식
     으로 제출

   | 92.4.10-7.9
   사이

0123

o 제출된 설계정보 검증을 위해 IAEA는 북한에 사찰관 파견
  (임시사찰과 같은 절차를 거쳐 파견)
o IAEA는 상가 설계정보내용 확인후 시설부록 (Facility
  Attachment)을 작성 보조약정서에 첨부

5. 보조약정서 (subsidiary arrangement) 체결 및 발효   92.7.9까지
  o 협정에 규정된 안전조치 절차와 시행방법을 구체적으로
    명시하는 보조약정서를 IAEA와 체결
  o 보조약정저는 안전조치협정 발효후 90일이내에 체결 및
    발효 시키도록 노력

6. 사찰관 임명 을 위한 사전 협의
  o 사무총장은 북한에 대해 IAEA 사찰관 임명에 대한 동의를
    서면으로 요청
  o 북한은 임명동의 요청 접수후 30일 이내에 수락여부를   92.8.8 경
    사무총장에게 통고
    * 사무총장은 필요에 따라 보조약정 체결전이라도 북한
      에 사찰관 임명 동의 요청 가능
    * 일단 임명동의를 받은 사찰관들은 향후 사찰을 위해
      북한 재입국시 임명동의 재요청 불필요

7. 일반사찰 (routine inspection) 실시
  o IAEA는 사찰관 임명동의 접수후 사찰실시 1주일전 북한에
    사찰관 파견 사전통보
  o 사찰관 북한 입국, 일반사찰 실시   92.8.15 경

8. 특별사찰 (special inspection) 실시   일반사찰 실시후
  o 특별사찰은 일반사찰을 통해 획득한 정보가 협정에 따른   필요시
    책임 이행에 충분치 못하다고 판단될 때 실시

0124

o 따라서 북한의 미신고 핵물질 및 시설에 대한 의혹이
  있을 경우 IAEA 이사회 결정에 따라 특별사찰 실시가능
  * 92.2월 IAEA이사회는 IAEA가 상기 핵관련 추가정보를
    입수하여 관련장소를 조사할수 있는 권한을 갖고 있음
    을 재확인
o 쌍방 합의후 가능한한 빠른 시일내 사찰관 파견 사전
  통보후 실시

끝.

	분류번호	보존기간

발 신 전 보

WAV-0548   920420 1520 WG

번   호 :   종별 : 차급   WJA-1750

수   신 : 주 오스트리아   대사.//총영사 (사본 : 주일대사)

발   신 : 장 관 (국기)

제   목 : 영변 핵 재처리시설 특별사찰

4.19자 일본 도쿄신문은 일본 외무성 소식통을 인용 'Blix 사무총장은 5월중순 북한이 제출할 최초보고에 문제의 핵 재처리 시설이 포함될 가능성이 없다고 판단, 동시설에 대한 IAEA의 특별사찰 실시 방침을 결정했다'는 내용을 보도하였는바(별첨 신문기사 참조), Blix 총장이 상기 내용을 언급한 바 있는지를 IAEA 사무국에 확인 보고바람.

첨부 : 상기관련 일본 및 국내신문기사 2부. 끝.

예고 : 92.6.30 일반

보통문서로재분류(1992.6.30자)

(국제기구국장   김 재 섭)

	보 안 통 제	PR

앙고재	92년 4월 20일	국제기구과	기안자 성명 신종아		과장	심의관	국장		차관	장관		외신과통제

0126

외 무 부

번 호:　　　　　　　　　　년월일: 92. 4. 20　　시간:

수 신: 주 외러, 일 대사(총영사) ~~주인대사~~

발 신: 외무부장관(국기)

제 목: 자료송부

총 3 매 (표지포함)

보 안 통 제	🖎
외 신 과 통 제	-

원 본

외 무 부

종 별 :

번 호 : AVW-0629   일 시 : 92 0421 1900

수 신 : 장 관(국기,과기처)

발 신 : 주 오스트리아 대사

제 목 : 영변 핵 재처리 시설 특별 사찰 보도

대:WAV-0548

연:AVW-0623

1. 대호 보도 관련 당관이 IAEA 공보국장 DAVID KYD 에 확인한바, BLIX 사무총장이 영변 핵시설 특별 사찰 관련 그러한 언급을 한바 없다 함.

2. 동인에 의하면 IAEA 측은 연호 보고와 같이 5.15 이전에 북한이 최초 보고서를 제출 할것으로 기대하고 있으며, 최초 보고서 접수후 사무총장의 북한 방문을 계획하고 있다 함.

3. 따라서 최초 보고서를 검토 하기전에 특별 사찰을 운운하는 것은 상식 밖의 일이라 동 기사를 보도한 동경신문에 대하여 항의 서한을 내는것도 고려하지 않고 있다함.

4. 상기 보도 관련 당지 일본대표부에 문의한바, 동 대표부도 IAEA 의 특별사찰 운운은 처음 듣는 것이라 하며, 단순한 추측 기사일 것이라고 말하였음. 끝.

(대사 이시영-국장)

예 고:92.12.31 일반.

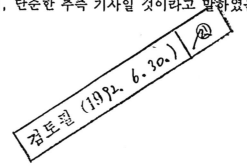

검토필 (1992. 6. 30.)

국기국   장관   차관   1차보   2차보   외정실   분석관   정와대   안기부
과기처

1. IAEA의 對北韓 核査察 관련

○ 최근 北韓 原子力部 外事局長이 日本 記者와의 會見時 北韓이
保有 또는 開發중인 5개 核關聯 施設에 대한 現況을 밝힌 것과
관련, 4.16 IAEA側으로부터 確認한 內容은 아래와 같음.

- IAEA 北韓 核査察 擔當官은 上記 報道內容이 새로운 것은
아니며, 北韓으로부터 이에 대한 情報提供을 받은 바 있다고
是認함.

- 北韓側은 協定署名 以前부터 最初報告書, 設計情報, 補助
約定등 核安全協定 履行관련 義務事項에 대해 IAEA側에
隨時 問議, 協議하고 있으며, 지난 3월하순 IAEA 査察팀
訪北時에도 補助約定 締結에 관한 協議가 있었다 함.

- IAEA側은 5.15 이전에 北韓側으로부터 最初報告書와 施設
情報를 接受할 수 있을 것으로 보고 있으며, 北韓에 대해
核物質 및 施設관련 모든 情報를 報告資料에 包含시켜 줄
것을 慫慂한 바 있다 함.   (駐오지리大使 報告)

0129

공 란

공　　　　란

공   란

공   란

공   란

공   란

공   란

공 란

공   란

원 본

4/23 신

3

외 무 부

종 별 :

번 호 : AVW-0639

일 시 : 92 0422 1830

수 신 : 장 관(국기,미이,동북1,정특)

발 신 : 주 오스트리아 대사

제 목 : 일본 신문 보도

대:WAV-0548

금 4.22 본직이 당지 KUME 일본 국제기구대사에게 대호 관련 문의한바, 동 대사는 일본 외무성 원자력 고관련 과장이 언론에 대하여 만일 북한이 영변의 핵재처리 혐의 시설을 신고하지 않을 가능성과 관련, 가능한 대처 방안은 2 월 IAEA 이사회시 특별사찰 관련 결정에 따른 제반 조치를 취하는 방법이 고려의 대상이 될수 있다고 설명해 준 것을 일본 언론이 과장 보도 한 것이며, IAEA 측이나 BLIX 사무총장이 특별 사찰 관련 어떤 결정을 내린것은 아닌 것으로 알고 있다고 말하였음. 끝.

(대사 이시영-국장)

예 고:92.12.31 일반.

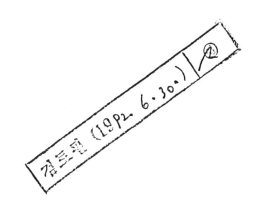

검토필 (1992. 6.30.)

국기국 안기부	차관	1차보	2차보	미주국	구주국	외정실	분석관	청와대

PAGE 1

92.04.23   05:28

외신 2과 통제관 FK

0139

IAEA(국제원자력기구)의 대북한 핵시설 사찰, 1992. 전6권 (V.1 1-4월) 145

3. IAEA의 北韓 核施設 特別査察方針 報道관련

4/23 신

○ IAEA 公報局長은 '블릭스 IAEA 事務總長이 北韓 영변지구의
核施設을 對象으로 特別査察 實施方針을 決定했다' 는 4.19자
日本 東京新聞 報道가 전혀 事實無根이며, 블릭스事務總長이
그같은 언급을 한 바 없다고 우리側에 알려옴.

- 北韓의 IAEA앞 最初報告書를 檢討하기도 前에 特別査察을
운운하는 것은 상식밖의 일로서, IAEA側은 東京新聞에
대해 抗議書翰을 내는 것조차도 고려치 않고 있다 함.

(駐오지리大使 報告)

0140

발 신 전 보

번   호 : WAV-0583   920423 1908   CO   종별 : _____

수   신 : 주오스트리아(이시영대사남)대사·총영사

발   신 : 장 관 (반기문 배)

제   목 : 업 연

대 : AVW-0638

1. 제번하옵고, 대사님 말씀하신 JNCC 3차 회의시 양측 기조발언문(사찰
    규정 수정안 포함)과 북한 핵시설 Video Tape는 금일 파편에 송부하였
    으며, 사찰규정 수정안 영문 text는 완료되는대로 송부하겠습니다.
    기타 북한 핵문제 관련 참고될 사항을 적기에 알려드리도록 노력
    하겠습니다.

2. 카네기재단 전문가 3인(Selig Harrison 연구원, Leonard Spector
    연구원, James Leonard 전군축대사)은 남·북한 관계 및 핵문제 관련
    자료 수집차 4. 18~22간 방한하여 외무부(연구원장, 외정실장), 국방부
    (합참의장, 군비통제관), 과기처장관, 외교안보수석, 통일원차관등을
    면담하였으며, 일본을 거쳐 4. 28~5. 4간 북한 방문 예정입니다.
    동인들은 방북기간중 북한 당국으로부터 영변 핵시설 방문을 허락받을
    것이라고 위싱턴 출발전 언론에 밝힌바 있어 워싱턴 포스트지가 동
    내용을 4. 17자 보도한 바 있으나 사실 여부는 확인되지 않았습니다.

3. 대사님 건승을 빕니다. 끝.

예고 : 독후파기.

0141

공   란

공   란

공 란

北核사찰 내달로 당겨질듯

첫보고서 조기제출 움직임
IAEA査察팀 增員 구성
美 CIA에서도 정보제공받아

【빈=崔孟浩】北韓이 핵시설과 핵물질에 관한 최초보고서를 조기제출할 움직임을 보이고있어 국제원자력기구(IAEA)의 사찰도 빠르면 5월하순경부터 실시될 전망이다。

IAEA소식통들은 23일『북한이 최초보고서 제출을 서두르고 있으며 빠르면 5월초순, 늦어도 중순은 넘길것같지않다』면서『북한측은 핵안전 협정에 규정된 법적시한에 관계없이 서류가 준비되는대로 제출할 계획이란는 입장을 나타냈다』고 전했다。

빈주재북한관계자도『가능한한 빨리 한다는 것이 우리의 기본 입장』이라고 밝혔다。

IAEA측도 북한에 대해 최초보고서의 조기제출을 촉구하고 있으며 현지사찰에 대비,북한전담사찰팀을 이미 구성했다。

IAEA측은 또 사찰절차와 방법에 관해 북한과 협의중이다。한편 美중앙정보국(CIA) 관계자가 최근 IAEA를 방문,북한의 핵관련정보를 제공한 것으로 알려졌다。

IAEA 관계자는『북한이 핵시설목록을 조기제출할 경우 5월하순경 사찰이 실시될 수 있다』면서『최초 사찰인만큼 사찰관의 숫자도 통상사찰의 수준(2명)을 훨씬 넘는 인원이 파견될 것』이라고 말했다。

북한은 오는 6월 IAEA이사회에서의 압력을 벗어나기 위해서 이사회 개최이전까지 사찰을 수용하는 방향으로 IAEA측과 협의를 진행하고 있는 것으로 알려졌다。

한편 한스 블릭스 IAEA사무총장은 북한이 초보고서를 제출한뒤인 월중순 북한을 방문할 으로 알려졌다。

北核시설 어느 수준인가

査察앞두고 西方側추측 만발

北韓의 핵시설과 기술능력은 어느 정도인가。

국제원자력기구(IAEA)의 사찰을 앞두고 이 문제가 지금 최대의 관심사로 떠오르고 있다。

과연 핵재처리시설이 완공단계에 들어갔는지,핵물질을 이미 보유하고 있는지,가동 또는 건설중인 원자로의 형태와 용량은 어느 정도인지등 끝없는 의문이 제기되고 있다。

각국 언론이나 기관을통해 발표되거나 흘러나오는 북한核에 관한 수많은 정보가 어디까지 진실인지 지금으로서는 판별하기가 지극히 어려운 실정이다。

특히 북한의 핵정보를 사실상 독점하고 있는 미국의 공식 비공식발표내용도 현지사찰,그것도 철저한 사찰이 실시되기전에는 신뢰하기 어려운것으로 지적되고 있다。이라크핵시설의 경우 미국은 이스라엘과 합작으로 첩보능력을 총동원했으나 핵물질제조의 초기 공정을 찾아내지 못했다가 현장사찰을 통해서야 비로소 밝혀낼수 있었다。

「재처리시설」存在여부 큰 관심

북한 당국이 최근 스스로 공표한 5基의 원자로중 5천kw짜리는 서방세계에 전혀 노출되지 않은것이라는 점에서 서방세계에 충격을 주었으며 첩보의 한계성을 다시 일깨워주기도 했다。

미국이 흘리고 있는 북한 핵정보는 2基의 대형 원자로와 1基의 재처리시설로 요약된다。이중에서 가장 큰 우려의 대상은 재처리시설이다。

美첩보위성 분석으론 "地下은폐"
"技術낙후 아직 초보단계" 평가도

첩보위성이 촬영한 북한의 핵관련시설사진을 본적이 있다는 한 서방소식통은 북한이 핵개발을 하고 있는 것으로 의심하고 있다。美첩보위성은 하루에 4차례씩 북한의 寧邊지역을 촬영하고 있는데 사진분석결과 재처리시설의 특징인 높은 굴뚝과 단 한개의 유리창이 있는 대형건물이 선명했고 감속재로 쓰이는 흑연이 공급되었으며 寧邊 약산일대에 거대한 통풍구 5개가 건설되어있는점은 지하시설이 있다는 증거라고 그는 분석하고 있다。

이같은 첩보내용중 일부는 최근 북한당국이 밝힌 핵시설내용에서 사실로 확인됐다。건설중인 5만kw급과 20만kw급원자로및 흑연이 그것들이다。북한은 또 20만kw급에 대형선풍기도 설비하고 있다고 밝혀 위성에 포착된 통풍구도 확인됐다。

그러나 관심의 초점인 핵재처리시설여부에 대해 미국측은 조만간 완성될것으로 보고 있는 반면 북한은 이를 공식부인하면서 다만「핵연료사이클연구」를 위한 연구활동을 하고 있다고 주장했다。IAEA의 한 전문가는『연구활동』이란 명목으로 북한이 핵재처리시설을 은폐하고 있지 않나 의심하고 있다。

북한이 공표한 내용은 미국이 수집한 첩보의 일부를 확인한 것이지만 북한이「자신있게」사찰을 받아들이겠다는 장담에는 이관계자도 고개를 갸우뚱하고 있다。그는 첩보위성이 촬영한 북한의 20만kw급 원자로와 주변의 연료교체기지 터빈과 발전기설비등을 재처리시설로 잘못 분석했거나 또는 미국의 첩보수집 능력으로봐 아직 공개하지않은 첩보가 있는것이 아닌가 하는 추측을 하고 있다。

한편 IAEA내 일부에서는 북한의 핵재처리시설 不在論도 고개를 들고있다。즉 이론적 기술적 능력은 있으나 산업전반의 기술수준이 낙후되어 있어 재처리시설까지는 만들기 어려운 상황이라는것이다。

아무튼 이 모든 의문은 앞으로 있을 현장사찰에서 최소한 그 일부가 풀릴수 있을 것으로 보인다。

〈빈=崔孟浩〉

東亞日報

1992. 4. 24. 금, 2면

0145

	분류번호	보존기간

발 신 전 보

번   호 : WUS-1929   920424 1426 CO   종별 :

WAV-0590

수   신 : 주미 대사. 총영사 (사본 : 주오스트리아 대사)

발   신 : 장관 (국기)

제   목 : IAEA 북한 핵 사찰 문제

대 : USW-2054,
연 : WUS-1759, 1923

대호, 표제문제관련 아래사항에 대해 미국무부측과 협의후 결과 보고바람.

1. 북한의 핵 재처리 시설에 대한 자료 제출 촉구방안

   가. 북한에 대한 우회적인 압력

      1) 북한은 IAEA와 체결한 협정규정(제42조) 새로운 시설에 관한
         설계정보는 핵물질 반입전 가능한 조속히 제공토록 되어 있어
         (제출시한은 보조약청에 규정), 핵 재처리 시설로 의심받고 있는 시설은
         현재 건설중인 시설은 북한의 최초보고서 제출시 (제62조) 반드시
         포함시킬 대상은 아님.

      2) 4.14. 최정순 북한 원자력공업부 외사국장이 북한은 핵 연료 재
         처리 시설을 갖고 있지도 개발계획도 없다고 밝힌 반면, 4.21자
         워싱톤 포스트지는 '북한의 재처리 시설이 6월중 완공될것'이라고
         보도한 바 있음.

      3) 이와관련 북한이 재처리 시설을 건설해왔고 완공이 임박한것이라면,
         사실이라면 IAEA는 상기 협정 및 보조약정 규정에 의거하여 북한에
         대해 동 의혹 시설의 설계 정보 제출을 요구할수 있을것임.

앙고재	국기구	기안자 성명	과 장	국 장	차 관	장 관	외신과통제
92년 4월 24일	과	신종영					

0146

o 표준 보조약정 규정상 새로운 시설에 대한 설계정보는 늦어도 동 시설에 최초로 핵물질이 반입되기 180일전에 IAEA에 제출 토록 되어 있음

o 92.2월 IAEA이사회는 동 설계정보를 최소한 건설시작 180 일전으로 앞당겨 제출하도록 권고하는것을 결정한 바 있음.

4) 그러나 북한은 동 의혹시설이 단순한 연구시설로 언제 완공 될지 또는 핵물질이 언제 반입될지 예측할 수 없다는 점을 들어 시설 설계정보 제출을 계속 지연시킬 가능성이 큼.

이정우
따라서 일본, 러시아, 중국등이 상기 '3)'항에 근거하여 북한에 대해 모든 시설(건설중인 원자로, 연구시설 및 재처리시설 포함) 관련 설계정보를 IAEA 조기제출하도록 권유할 수 있을 것임.

나. Blix 사무총장의 방북 관련

o Blix 총장은 92.1.30. 북한의 협정 서명이후 북한의 최초보고서 접수후 방북할 의사를 표명해 왔음에 비추어 지금으로서는 5월중 방북할 가능성이 크다고 보는 바, 이는 사무총장의 방북이 북한의 모든 핵 물질 및 시설에 대한 정보 접수 또는 사찰이 실시되기 전까지는 이루어지지 않는것이 바람직하다는 미측입장 과는 거리가 있는 듯함.

o 이와관련 북한의 최초 보고서 제출시 재처리 의혹시설에 대한 정보 가 누락되지 않도록 하는 사전 조치로 Blix 총장의 방북전 북한이 재처리 의혹 시설에 대한 정보를 제출하거나 제출시기를 밝히도록 IAEA가 북한측에 요구하는것이 필요하다 봄.

ㅇ 따라서 필요시 우리와 Core 그룹(미, 일, 호주, 카나다) 이사국
들이 공동으로 이러한 입장을 Blix총장에게 전달하는 방안도 고려
할수 있을것임.(사무총장의 방북시에는 4.23. 일 외무성 원자력
과장의 언급내용을 참고(WUS-1923) 대처방안 강구)

2. 북한이 재처리시설에 대한 자료를 포함시키지 않을 경우 대책 문의

가. 최초 보고서에 포함된 정보에 대한 임시사찰이 6월초에 실시될 것으로
예상하는 경우 사무총장이 동 사찰 결과를 6월이사회(6.15-19)에
보고할수 있을 것임.

나. 이와관련, 5월중 북한이 제출할 최초보고서에 재처리 의혹 시설정보를
포함시키지 않을 경우 과연 이를 중요사안(urgent character)으로
취급하여 6월이사회 이전에 특별이사회는 소집하여 사무총장으로 하여금
사무총장이 이사회에 보고할 수 있을것인지?(특히 북한에 대해 임시
하도록 한
사찰이나 정기사찰이 실시되지 않은 상황에서)

다. 또한 동 의혹 시설이 재처리시설이라는 증거가 이사국들에게 제시
되더라도 북한이 이는 자신들이 밝힌 핵연료 주기 연구 시설로서
아직 완공 단계에 있지 않으며 연구를 위한 핵물질 반입은 완공후
수개월후에나 가능할것이므로 추후에 설계정보를 제출할것이라고
설명할 경우 어떠한 방식으로 특별사찰을 추진할수 있을것인지? 끝.

예고 : 92.6.30 일반

(국제기구국장 김 재 섭)

0148

발 신 전 보

번   호 : WAV-0593   920424 1930/ FO 종별 : _____

수   신 : 주 오스트리아   대사. /총영사

발   신 : 장 관 (국기)

제   목 : 북한 핵 사찰 관련 문제

　　　　연 : WAV-0590

　　　　대 : AVW-0629

표제관련 아래사항에 대해 IAEA사무국 안전조치부에 문의후 결과 보고바람.

1. 핵안전협정 73조 하단의 관련 규정 및 안전조치강화에 대한 이사회 문서
(GOV/2554, 91.11.12, page 5, paragraph 14)의 내용에 따른 특별사찰 실시문제에
대한 IAEA측의 해석

　　　1) 북한이 5월중 핵물질 및 시설관련 최초보고시 재처리 의혹 시설에
　　　대한 정보를 제출하지 않을 경우 사무총장이 이를 주요안
　　　(urgent character)으로 간주하여 특별이사회를 소집, 특별사찰
　　　실시를 결정할 수 있는지?

　　　2) 동 의혹 시설에 대한 특별사찰 실지가 결정되는 경우 IAEA는 어느
　　　시점에서 특별사찰을 시작할 수 있는지? 즉, 북한에 대한 임시사찰
　　　시작 전에도 가능한지? 또는 임시사찰 결과를 본후 실시해야 하는
　　　것인지? 아니면 특별사찰은 어느 경우에도 일반사찰까지 실시한후
　　　종합적인 사찰결과를 바탕으로 실시해야 되는 것인지?

앙 고 재	92년 4월 24일	국제기구과	기안자 성명 신종영	과 장	국 장 전결	차 관	장 관	보 안 통 제

외신과통제

0149

2. 북한의 핵시설 설계정보 제출관련 문제

  o 북한-IAEA간 협정규정(제42조)에 의하면 기존시설 설계정보는 협정
    발효후 90일이내에 제출하게 되어 있지만, 새로운 시설의 설계정보
    는 핵물질이 동 시설에 반입되기전에 가능한 조속히(표준 보조약정서
    에는 180일전으로 규정) 제공토록 되어 있음.

  o 또한 지난 2월이사회에서는 설계정보 조기제출 문제 관련해서 앞으로
    새로운 핵시설 건설시에는 핵물질 반입이 아닌 늦어도 건설(construction)
    시작 180전에 제출할것을 결정하였는데, 금번 IAEA-북한간 보조약정
    체결시 동 내용 (건설 180일전 정보제출)이 포함될 것인지?

  o 이와관련 북한의 재처리 의혹 시설(또는 북한이 핵연료 주기 연구
    시설이라고 밝힌 시설)이 건설중인 새로운 시설로 간주될때 북한은
    규정상 언제까지 동 시설에 대한 설계정보를 제출해야 되는 것인지?

3. 사찰관 임명동의 요청

  o 임시사찰을 위한 사찰관 임명은 가능한한 핵안전협정 발효후 30일
    이내에 마치도록 되어 있는데, 북한에 파견할 사찰관들은 이미 선발
    되어 있는지?
    - 북한에 파견될 사찰관들의 국적은 대략 어떻게 구성될 것인지?

  o 1978년 이래 매년 북한의 실험용 연구로 사찰을 위해 파견된 사찰관
    들이 상당수 있는 것으로 알고 있는데 북한 사정에 경험이 있는 이들
    을 대북한 사찰(임시 또는 일반)에 이용할 계획인지?

0150

o 또한 지난해 이라크 핵사찰시 미신고 핵시설을 발견한 사찰관들을
  북한에 파견하면 북한이 신고하지 않은 핵시설이 있는지 여부를 파악
  하는데 도움이 될 수 있을것으로 봄.

예고 : 92. 6. 30 일반

(국제기구국장   김 재 섭)

외 무 부

종 별 : 긴 급

번 호 : AVW-0657

일 시 : 92 0424 1600

수 신 : 장 관(국기, 미이, 정북, 과기처)

발 신 : 주 오스트리아 대사

제 목 : 북한 원자로 관련 정보

1. 금 4.24 허남 과학관이 북한대표부 윤호진 참사관으로 부터 입수한 정보에 의하면 최근 북한측이 개발, 시험중(건설중인 2 기 포함)인 원자로의 특징은 아래와 같음이 처음으로 확인되었기 보고함.

    가. 연료: 천연 우라늄

    나. 감속재:흑연

    다. 냉각방식:가스냉각

2. 상기 내용은 윤참사관이 금일 정보 IAEA 사무국에 구두로 통보했다 하며, 세부 정보 입수되는대로 보고 예정임.끝.

    (대사 이시영-국장)

    예 고:92.12.31 일반.

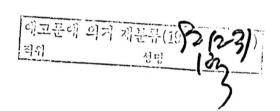

검토필 (1   6.30.) 인

대고문대 의거 재분류(19   )
직위   성명

국기국	차관	1차보	미주국	상황실	외정실	분석관	안기부	과기처

PAGE 1

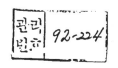

외 무 부

110-760 서울 종로구 세종로 77번지   / (02)720-2336   / (02)720-2686

문서번호 국기20332-105

시행일자 1992. 4. 27. (   )

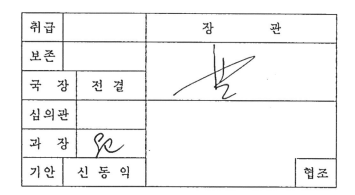

취급		장 관
보존		
국 장	전 결	
심의관		
과 장		
기 안	신 동 익	협조

수신 수신처 참조

참조

제목 대북한 핵사찰실시 일정표

    92.4.10. 북한과 IAEA간 핵 안전조치 협정 발효에 따라 협정 규정에 따른 대북한 핵사찰 실시 일정 및 관련 참고자료를 별첨 송부하니 귀관 업무에 참고하시기 바랍니다.

첨부 ; 1. 대북한 IAEA핵사찰 실시 과정표 1부.

     2. 북한의 핵 안전 협정체결 관련 참고자료 1부.

     3. 북한의 핵관련 시설 현황 1부. 끝.

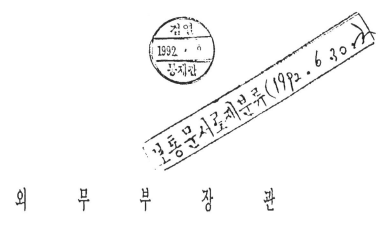

외 무 부 장 관

수신처 : 주미국, 호주, 캐나다, 러시아, 영국, 유엔, 제네바 대사

0153

북한의 핵 안전조치협정 발효후 IAEA 사찰실시 과정표

92.4.27. 국제기구과

1. <u>협정의 발효</u>

   o 발효일은 협정 비준 사실에 대한 북한정부의 서면
     통고를 IAEA가 접수한 일자

   92.4.10발효
   ★ 이하 4.10.발효
   따른 각단계별
   최대한 일자

2. 사찰대상 모든 <u>핵 물질에 대한 최초 보고서</u> (initial
   report)를 IAEA에 <u>제출</u>

   o 발효 해당월의 최종일로 부터 30일 이내

   92.5.31 까지
   제출

3. 최초보고서 내용에 대한 IAEA의 <u>임시사찰</u> (ad hoc in-
   spection) <u>실시</u>

   o 임시사찰을 위한 사찰관 임명은 가능한한 안전조치협정
     발효후 30일 이내 완결

   o 북한은 상기 IAEA 사찰관 임명 수락 여부를 제의받은
     후 30일 이내에 사무총장에게 통보

   o IAEA는 사찰관 수락회보 접수후 최소한 1주일전 북한에
     통보후 사찰관 파견

   92.6월16일경
   실시 가능

   - 92.5월10일경

   - 92.6월9일경

   - 92.6월16일경

4. 보조약정서(하기 5항) 체결 협의기간중 기존 <u>핵시설 관련</u>
   <u>설계정보</u> (design information)를 IAEA에 <u>제출</u>

   o 설계정보는 재처리시설 관련 정보도 포함하여 각 시설별
     설계정보 설문서(Design Information Questionnaire)형식
     으로 제출

   92.4.10-7.9
   사이

0154

o 제출된 설계정보 검증을 위해 IAEA는 북한에 사찰관 파견
  (임시사찰과 같은 절차를 거쳐 파견)

o IAEA는 상기 설계정보내용 확인후 시설부록 (Facility
  Attachment)을 작성 보조약정서에 첨부

5. <u>보조약정서 (subsidiary arrangement) 체결 및 발효</u>   92.7.9까지

   o 협정에 규정된 안전조치 절차와 시행방법을 구체적으로
     명시하는 보조약정서를 IAEA와 체결

   o 보조약정서는 안전조치협정 발효후 90일이내에 체결 및
     발효 시키도록 노력

6. <u>사찰관 임명</u> 을 위한 사전 협의

   o 사무총장은 북한에 대해 IAEA 사찰관 임명에 대한 동의를
     서면으로 요청

   o 북한은 임명동의 요청 접수후 30일 이내에 수락여부를   92.8.8 경
     사무총장에게 통고

     * 사무총장은 필요에 따라 보조약정 체결전이라도 북한
       에 사찰관 임명 동의 요청 가능

     * 일단 임명동의를 받은 사찰관들은 향후 사찰을 위해
       북한 재입국시 임명동의 재요청 불필요

7. <u>일반사찰</u> (routine inspection) 실시

   o IAEA는 사찰관 임명동의 접수후 사찰실시 1주일전 북한에
     사찰관 파견 사전통보

   o 사찰관 북한 입국, 일반사찰 실시   92.8.15 경

8. <u>특별사찰</u> (special inspection) 실시   일반사찰 실시후
                                                            필요시
   o 특별사찰은 일반사찰을 통해 획득한 정보가 협정에 따른
     책임 이행에 충분치 못하다고 판단될 때 실시

0155

o 따라서 북한의 미신고 핵물질 및 시설에 대한 의혹이
  있을 경우 IAEA 이사회 결정에 따라 특별사찰 실시가능
  * 92.2월 IAEA이사회는 IAEA가 상기 핵관련 추가정보를
    입수하여 관련장소를 조사할수 있는 권한을 갖고 있음
    을 재확인
o 쌍방 합의후 가능한한 빠른 시일내 사찰관 파견 사전
  통보후 실시

끝.

0156

〈북한 핵안전 협정 체결관련 참고자료〉

1. 북한의 핵 안전조치협정 서명,비준 및 발효 경위

   o 85.12.   북한, 핵 비확산조약(NPT) 가입

   o 89.12   북한, 3차에 걸쳐 IAEA와 협정체결 교섭
     -90.7.
               - 북한은 한반도내 핵무기 철거와 미국의 북한에 대한 개별적 핵
                 선제 불사용보장(NSA)을 협정체결 전재조건으로 주장

   o 91.7.16. 북한, IAEA와 협정문안을 최종 확정, 91. 9월 이사회 승인을 득함

   o 91.9.12. IAEA 이사회, 북한에 대해 동 협정의 조속한 서명, 비준 및 이행
                 을 촉구하는 결의 채택

   o 91.9.27. 「부쉬」 미국대통령의 핵감축 선언과 11. 8. 노대통령의 「한반도
                 비핵화」 선언

   o 91.11.27. 북한, 남한에서 핵무기 철수가 개시될 경우 핵사찰에 응하겠다는
                 외교부 성명 발표

   o 91.12.18. 노대통령, 「한국내 핵부재」 선언

   o 91.12.31. 핵문제 협의를 위한 제3차 남북 판문점회담에서 남북한은 「한반
                 도 비핵화에 관한 공동선언」 채택

   o 92.1.1.   김일성, 신년사에서 북한은 공정성이 보장되는 조건에서 핵사찰
                 수락할 것임을 밝힘

   o 92.1.7.   북한, 92.1월말 협정서명후 적절한 절차에 따라 가장 빠른 시기내에
                 비준및 발효, IAEA와 합의하는 시기에 사찰수락 계획 발표

   o 92.1.30. 북한, IAEA와 핵안전협정서명

   o 92.2.19. 제6차 남북 고위급회담에서 「남북한 기본합의서」와 「한반도 비핵
                 화 공동선언」을 발효시킴

- 1 -

o 92.2.25. 오창림 북한 순회대사, 4월초 예정된 최고인민회의에서 핵 안전 협정
          을 비준, 빠르면 6월중 북한내 핵시설 및 관계 연구단지 공개 계획
          발표

o 92.3.19. 남북한간 「남북 핵 통제 공동위원회」 발족

o 92.3.30. 한시해 북한 조평통 부위원장, 4월8일 개최되는 최고인민회의에서 핵
          안전 협정을 비준후 이를 즉시 IAEA에 통보할것임을 밝힘

o 92.3.31. 김일성, 4월8일 개최되는 최고인민회의에서 협정이 비준되면 핵사찰
          은 정해진 순서에 따라 해결될것이라고 언급

o 92.4.4.   황장엽 북한 노동당서기, 북한의 핵사찰 협정 비준과 관련 4.9일
          최고인민회의에서 결정을 내릴것이라고 언급

o 92.4.9.   북한최고인민회의, 핵 안전조치 협정 비준 동의

o 92.4.10. 북한, IAEA에 핵안전 협정비준 사실 통보(협정 발효)

2. 북한의 핵안전협정 발효이후 사찰 실시까지의 절차

  가. 협정 발효

    o 핵안전 협정 발효를 위한 헌법상 요건이 충족되었다는 북한 정부의 서면
      통고(written notification)를 IAEA가 접수한 일자에 협정 발효

  나. 보조약정 체결 및 보고서 제출

    o 북한은 핵안전협정에 규정된 절차의 시행방법과 사찰대상 시설을 구체적
      으로 명시하는 보조약정(subsidiay arrangement)을 안전조치협정 발효후
      90일 이내 발효시켜야 함

    o 사찰대상이 될 모든 핵물질 에 관한 최초 보고서 (initial report)는 협정
      발효 해당월의 마지막날로부터 30일 이내에 IAEA에 제출

    o 기존 핵시설에 관한 설계정보 는 보조약정 체결 협의기간중(협정 발효후
      90일 이내) IAEA에 제출

- 2 -

0158

- IAEA는 제출받은 각 시설별 설계정보 설문서(Design Information Ques-
tionnaire) 내용을 확인후 보조약정 시설부록(Facility Attachment)을
작성

다. 임시사찰(ad hoc inspection)

ㅇ 핵물질에 관한 최초보고서에 포함된 정보내용을 검증하기 위해 IAEA는 임시
사찰 실시
- 임시 사찰을 위한 사찰관 임명은 가능한한 핵안전협정 발효후 30일이내
완결
- 북한은 사찰관 임명수락 요청을 받은후 30일이내에 사무총장에게 결과
통보
- IAEA는 사찰관 수락회보 접수후 최소한 1주일전 북한에 통보후 사찰관
파견

ㅇ 보조약정 체결전 제출된 핵시설 설계정보의 검증을 위해서도 IAEA는 사찰
실시 가능
- 상기 임시사찰과 유사한 절차를 거쳐 사찰관 파견

라. IAEA 사찰관 임명 및 일반 사찰(routine inspection) 실시

ㅇ IAEA 사무총장은 북한에 대해 IAEA 사찰관 임명에 대한 동의를 서면으로
요청

ㅇ 북한은 사찰관임명 동의 요청 접수후 30일 이내에 수락여부를 사무총장에게
통보

ㅇ IAEA는 북한에 사전통보(24시간 내지 1주일전)후 사찰관을 파견함으로써
일반사찰 실시 시작

- 3 -

0159

3. 핵 안전 조치협정 주요내용

    가. 안전조치대상 핵물질 및 시설(전문 및 98조)

       o 핵물질 : 풀루토늄, 우라늄, 토리움 등

       o 핵시설 : 원자로, 전환공장, 가공공장, 재처리공장 등으로서 정량 1kg
           이상의 핵물질이 통상 사용되는 장소

    나. 핵물질에 대한 기록유지 및 보고(제51-69조)

       o 기록유지의 대상, 국제적 측정기준 및 보관기간(최소 5년) 설정

       o 핵물질 계량 기록 보고(계량, 특별 및 추가 보고서등)

    다. 핵시설 설계에 대한 정보(제42-50조)

       o 검증의 편의를 위해 안전조치 관계시설 및 핵물질 형태의 보고

       o 신규시설은 핵물질 반입 전 가능한한 조속히 보고

       o 설계정보내용
        - 시설의 일반적 특성, 목적, 명목, 용량 및 지리적 위치등
        - 핵물질의 형태, 위치 및 유통 현황등

  라. 안전조치의 기점, 종료 및 면제(제11-14조, 제33-38조)

       o 핵물질의 국내수입시부터 안전조치적용

       o 핵물질의 소모, 희석으로 더 이상 이용 불가능하거나 회수 불가능시
        (IAEA와 협의) 또는 당사국 밖으로 핵물질 이전시(IAEA에 사전 통보)
        종료

- 4 -

0160

마. 핵물질의 국제이동(제91-97조)

    o 당사국 밖으로 핵물질 반출시 IAEA에 사전 통고

      - 반출 핵물질의 책임 수령일로부터 3개월 이내 동 물질의 이전 확인 및
        약정 조치 필요

    o 당사국내로 핵물질 반입시 IAEA에 보고

      - 안전조치 대상 핵물질 반입시 반입량, 양도지점 및 도착일시등 보고

바. 안전조치 사찰(제70조-제90조)

    o 임시사찰(ad hoc inspection)

      - 최초 보고서에 포함된 정보 검증

      - 최초 보고일자 이후에 발생한 상황변화에 대한 검증

    o 일반사찰(routine inspection)

      - 핵 안전협정의 내용에 따른 정기사찰

      - 보고서 내용과 기록과의 일치 여부에 대한 통상적 사찰

    o 특별사찰(special inspection)

      - 특별보고서상의 정보를 검증할 필요가 있을 때나(특별보고서는 돌발
        적인 사고, 상황으로 인한 핵물질 손실 발생시에 협정 당사국이 IAEA
        에 제출)

      - 일반사찰 정보와 당사국 제공 정보가 책임이행에 충분치 못하다고
        판단되는 경우에 특별사찰.   끝.

북한의 핵관련 시설 현황

(92.4. 평양방송 및 최정순 원자력공업부 외사국장 기자회견 내용 중심)

1. 실험용 임계로(critical assembly, 영변소재)

   가. 북측 발표내용

   - 목적 : 실험용

   - 건설 및 가동 시기 : 60년대초 구소련으로로부터 도입 가동중

   - 사찰 여부 : 이미 IAEA 사찰을 받고 있음.

   나. 아측 정보 및 평가

   - 동위원소, 중성자의 추출기능이 없는 교육용 기초원자로임.

   - IAEA는 70년대 1회 사찰 실시후 사찰 필요성이 없다고 판단 사찰 중단함.

2. 연구용 실험로(영변소재)

   가. 북측 발표 내용

   - 목적 : 연구용

   - 용량 : 열출력 8천 KW

   - 건설 및 가동 시기 : 60년대초 구소련으로로부터 도입 가동중

   - 사찰 여부 : 이미 IAEA 사찰을 받고 있음.

   나. 아측 정보 및 평가

   - 1965년초 2천 KW로 가동 시작하여, 4천 KW, 8천 KW로 용량을 증가시켜
     왔으며, IRT-2000으로 지칭되고 있음.

   - IAEA의 정기사찰을 받고 있는 제1연구용 원자로일 것으로 판단

0162

3. 5천 KW 시험 원자력 발전소(영변 소재)

　　가. 북측 발표 내용

　　　　- 목적 : 전력 생산용, 난방열 공급용, 물리학적 실험 연구용
　　　　- 용량 : 전기 출력 5천 KW
　　　　- 건설 및 가동 시기 : 86년 자력으로 건설, 가동중
　　　　- 사찰 여부 : 금번 최초보고서에 포함, IAEA사찰을 받을 예정

　　나. 아측 정보 및 평가

　　　　- 플루토튬 생산이 주목적인 것으로 추정되어온 열출력 30KW급 제2연구용
　　　　　원자로를 지칭하는 것으로 판단
　　　　- 가동시 발생하는 사용후 연료 재처리시 년간 7Kg 플루토늄(원자탄 1개
　　　　　제조 분량) 생산 가능 추정

4. 5만 KW 원자력 발전소(영변에 건설중)

　　가. 북측 발표 내용

　　　　- 목적 : 전력 생산용
　　　　- 용량 : 전기 출력 5만 KW
　　　　- 건설 및 가동 시기 : 90년대 중반 완성 및 가동 예정
　　　　- 사찰 여부 : 금번 최초보고서에 포함, IAEA 사찰을 받을 예정

　　나. 아측 정보 및 평가

　　　　- 최대 열출력 200 MW급 원자로로서 84년부터 건설중
　　　　- 가동시 발생하는 사용후 연료 재처리시 18-50Kg 플루토늄(원자탄 2-5개
　　　　　제조 분량) 생산가능 추정

0163

5. 20만 KW 원자력 발전소(영변 근처에서 건설중)

　　가. 북측 발표 내용

　　　　- 목적 : 전력 생산용
　　　　- 용량 : 전기출력 20만 KW
　　　　- 건설 및 가동 시기 : 90년대말 완성, 가동 예정
　　　　- 사찰 여부 ; 금번 최초보고서에 포함, IAEA 사찰을 받을 예정

　　나. 아측 정보 및 평가

　　　　- 태천(평북) 지역에 건설중인 대규모 원자력 발전소로 추정

6. 가타 시설

　　가. 우라늄 정련시설 2개소(평산 및 박천)를 가동중이며, 우라늄 광산(순천)을
　　　　개발중임.
　　나. 신포(함남)에도 40만-60만 KW급의 원자로 4기를 러시아로부터 도입하기 위해
　　　　교섭을 진행중이며, 건설 용지 조사를 하고 있음.
　　다. 핵연료 재처리시설은 갖고 있지도, 개발을 계획하고 있지도 않으나, 핵연료
　　　　사이클 연구를 위한 연구 활동은 하고 있음.　　　　끝.

0164

북한의 핵관련 시설 현황

(92.4. 평양방송 및 최정순 원자력공업부 외사국장 기자회견 내용 중심)

1. 실험용 임계로(critical assembly, 영변소재)

가. 북측 발표내용

- 목적 : 실험용
- 건설 및 가동 시기 : 60년대초 구소련으로부터 도입 가동중
- 사찰 여부 : 이미 IAEA 사찰을 받고 있음.

나. 아측 정보 및 평가

- 동위원소, 중성자의 추출기능이 없는 교육용 기초원자로임.
- IAEA는 70년대 1회 사찰 실시후 사찰 필요성이 없다고 판단 사찰 중단함.

2. 연구용 실험로(영변소재)

가. 북측 발표 내용

- 목적 : 연구용
- 용량 : 열출력 8천 KW
- 건설 및 가동 시기 : 60년대초 구소련으로부터 도입 가동중
- 사찰 여부 : 이미 IAEA 사찰을 받고 있음.

나. 아측 정보 및 평가

- 1965년초 2천 KW로 가동 시작하여, 4천 KW, 8천 KW로 용량을 증가시켜
  왔으며, IRT-2000으로 지칭되고 있음.
- IAEA의 정기사찰을 받고 있는 제1연구용 원자로일 것으로 판단

0165

3. 5천 KW 시험 원자력 발전소(영변 소재)

  가. 북측 발표 내용

    - 목적 : 전력 생산용, 난방열 공급용, 물리학적 실험 연구용
    - 용량 : 전기 출력 5천 KW
    - 건설 및 가동 시기 : 86년 자력으로 건설, 가동중
    - 사찰 여부 : 금번 최초보고서에 포함, IAEA사찰을 받을 예정

  나. 아측 정보 및 평가

    - 플루토늄 생산이 주목적인 것으로 추정되어온 열출력 30KW급 제2연구용
      원자로를 지칭하는 것으로 판단
    - 가동시 발생하는 사용후 연료 재처리시 년간 7Kg 플루토늄(원자탄 1개
      제조 분량) 생산 가능 추정

4. 5만 KW 원자력 발전소(영변에 건설중)

  가. 북측 발표 내용

    - 목적 : 전력 생산용
    - 용량 : 전기 출력 5만 KW
    - 건설 및 가동 시기 : 90년대 중반 완성 및 가동 예정
    - 사찰 여부 : 금번 최초보고서에 포함, IAEA 사찰을 받을 예정

  나. 아측 정보 및 평가

    - 최대 열출력 200 MW급 원자로로서 84년부터 건설중
    - 가동시 발생하는 사용후 연료 재처리시 18-50Kg 플루토늄(원자탄 2-5개
      제조 분량) 생산가능 추정

0166

5. 20만 KW 원자력 발전소(영변 근처에서 건설중)

    가. 북측 발표 내용

        - 목적 : 전력 생산용

        - 용량 : 전기출력 20만 KW

        - 건설 및 가동 시기 : 90년대말 완성, 가동 예정

        - 사찰 여부 ; 금번 최초보고서에 포함, IAEA 사찰을 받을 예정

    나. 아측 정보 및 평가

        - 태천(평북) 지역에 건설중인 대규모 원자력 발전소로 추정

6. 기타 시설

    가. 우라늄 정련시설 2개소(평산 및 박천)를 가동중이며, 우라늄 광산(순천)을
       개발중임.

    나. 신포(함남)에도 40만-60만 KW급의 원자로 4기를 러시아로부터 도입하기 위해
       교섭을 진행중이며, 건설 용지 조사를 하고 있음.

    다. 핵연료 재처리시설은 갖고 있지도, 개발을 계획하고 있지도 않으나, 핵연료
       사이클 연구를 위한 연구 활동은 하고 있음.   끝.

0167

공   란

공   란

공 란

공   란

공   란

공   란

관리 번호	92-376

외 무 부

종 별 : 긴 급

번 호 : AVW-0686   일 시 : 92 0428 2000

수 신 : 장 관(국기, 미이, 정북, 과기처)

발 신 : 주 오스트리아 대사

제 목 : 북한의 최초 보고서및 IAEA 사무총장 방북

1. 당관이 금 4.28 IAEA 사무국측에서 탐문한 바에 의하면 북한 원자력 공업부 최정순 섭외국장이 4.30 모스크바를 거쳐 금주말(5.1-5.3)에 당지에 도착(현재까지 도착일정 미정), 5.4(월)에 IAEA 사무국에 최초보고서를 제출할 것이라하며, IAEA 사무국은 동 보고서를 접수하면 5.4 부터 북한측과 동 내용에 관한 협의를 가질 것이라 함.

2. 또한 IAEA 사무국은 북한의 보고서를 검토한후 5.5(화)경 북한의 안전조치 대상 핵시설의 리스트(IAEA 연례보고서이 수록되는 정도로서 GC(XXXV)/953, 121-133 페이지 참조)를 대외적으로 발표할 예정이라함.

3. 북한이 상기와 같이 최초 보고서를 제출하게 되면 BLIX 사무총장은 5.8(금) 당지를 출발 5.11-16 간 북한을 방문 할 예정이라 하며, 5.16 평양 출발 북경과 동경을 경유 5.22(금) 홍콩에 도착, 홍보관계 세미나 참석후 귀임, 5.25(월) 부터 근무하게 될것이라 함.

(대사 이시영-장 관)

예고:92.6.30 일반.

보총진서문서류(1992.6.30)

국기국 청와대	장관 안기부	차관 과기처	1차보	미주국	상황실	외정실	~~외정실~~	분석관

PAGE 1

92.04.29   04:38
외신 2과   통제관 FM
0174

2. 北韓, IAEA 核 報告書 提出 관련   4/29 신 3

　ㅇ 4.28 IAEA 事務局 關係官에 의하면 北韓 原子力工業部 최정순
　　 섭외국장이 5.4경 表題관련 最初報告書를 IAEA 事務局에 提出
　　 할 것이라 함.

　　- 北韓이 最初報告書를 提出하게 될 경우 블릭스 IAEA 事務
　　　 總長은 5.11-16간 北韓 訪問 예정이라 함.

　　　　　　　　　　　　　　　　　(駐오스트리아大使 報告)

0175

분류번호	보존기간

발 신 전 보

번 호 : **WAV-0615**   920429 1107 WG 종별 :

수 신 : 주 오스트리아   대사. 총영사

발 신 : 장 관 (국기)

제 목 : 북한의 최초보고서

대 : AVW-8686

1. 대호 북한의 최초보고서 제출 내용을 가능한한 입수 송부하고 5.5(화)경 IAEA가 대외적으로 발표할 북한의 안전조치대상 핵시설 ~~명단~~ 목록은 지급 팩스 송신바람.

2. 상기 핵시설 ~~명단~~ 목록에 재처리 시설이 포함되었는지 여부가 관심사인 바, 가능한한 IAEA 발표시까지 이에 대한 사무국측의 평가를 문의하여 지급보고 바람.
(우리의 논평에 참고 요시바람)

3. Blix 사무총장의 방북후 Theis등 수행원의 귀임일정에 관하여 파악 보고 바람. 끝.

예고: 92.6.30. 일반

(국제기구국장 김 재 섭)

보 안 통 제	8C

	92년 4월 2일	국기 과 김구	기안자 성 명 신종영		과 장 8C	심의관	국 장		차 관	장 관	
앙 고 재											

외신과통제

0176

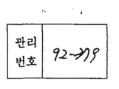

외 무 부

종   별 :

번   호 : AVW-0691   일   시 : 92 0428 2130

수   신 : 장 관(국기,미이,정특)

발   신 : 주 오스트리아 대사

제   목 : 북한 핵사찰 관련 문제

대:WAV-0593

연:AVW-0686

1. 대호 관련 당관 김참사관이 IAEA 섭외국 관계관 KELTSCH 에게 비공식 확인한 바를 하기 보고함.

가. IAEA 이사회 의사규칙(PROVISIONAL RULES OF PROCEDURE OF THE BOARD OFGOVERNORS:GOV/INF/500)의 RULE 11(B)에 의하면 이사회는 의장, 이사 또는 사무총장의 요청으로 하시라도 소집될수 있으며, 현재 IAEA 사무국측은 연호 북한의 최초 보고서 접수후 갖게될 북한측과의 협의와 BLIX 사무총장의 북한 방문에도 불구 북한의 신고에 대해 의혹이 계속 되는 경우, 구체적 대응 방안에 대한 결정은 아직 없으나, 대북한 특별 사찰에 필요한 조치를 강구할 가능성을 배제하고 있지 않다함(GOV/2554, ATTACHMENT 1, PARA 13-16 참조)

나. 동인에 의하면 특별 사찰 실시 시기에 대하여는 사무총장이 필요하다고판단하는 경우 AD-HOC INSPECTION 및 ROUTINE INSPECTION 결과를 기다릴 필요는 없다 함(법 이론상으로는 북한과의 핵안전 조치 협정 발효 동시에 IAEA 의 사찰 권한및 의무가 발생:동 협정 제 2 조 참조)

다. 북한의 현존 및 신규 핵시설에 대한 설계 정보 제출 시한은 북한과 체결되어 있는 현 안전조치 협정상 규정이 적용된다고 보아야 하나(기존 포괄적 안전조치협정 당사국에 대하여도 보조 약정이 개정된후에 2 월 이사회 결정 내용의법적 구속력이 생김), IAEA 측이 북한측에 제의하게될 보조 약정안에는 설계 정보에 관한 지난 2 월 이사회 결정이 반영될 것이라 함. 끝.

(대사 이시영-국장)

예 고:92.12.31 일반.

국기국	장관	차관	1차보	미주국	외정실	분석관	정와대	안기부

PAGE 1   92.04.29   07:35

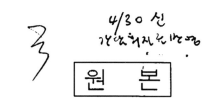

```
관리
번호  92-381
```

외 무 부

종 별 : 지 급

번 호 : AVW-0700   일 시 : 92 0429 2100

수 신 : 장 관(국기,미이,정특)

발 신 : 주 오스트리아 대사

제 목 : IAEA 북한 핵사찰 문제

연:AVW-0686

대:WAV-0615

1.4.29(수) 조창범공사가 IAEA 사무총장 특별 보좌관 VILLAROS(BLIX 사무총장 방북 수행 예정)와 오찬, 표제관련 의견교환한바 분기사항 아래 보고함.

　가.BLIX 사무총장으로서도 금번 북한방문에 따르는 위험을 충분히 인지하고북한측에 의해 악용되지 않도록 신경을 쓰고 있는 바 특히 방문결과 기자회견시등에 자신의 방문이 정치적 레벨의 것이며 핵사찰이 아니라는 점과 북한의 핵 의혹과 관련해서는 곧 있게될 전문 사찰팀에 의한 사찰의 결과를 기다려야 한다 점등을 분명히 함으로서 중립적인 입장에서 북한측 선전에 악용되지 않도록 조심할 것이라함.

　나. 현재로서는 북한에 대한 임시 사찰(AD HOC INSPECTION)을 5.25 부터 약1 주간 (필요시엔 수일 더연장) 실시하는 것으로 잠정계획하고 있다함.

　다. 체북중 세부일정은 아직 확정되진 않았으나 김일성및 김정일 예방, 원자력 관계 고위관리 면담, 핵시설 시찰등이 포함 될것으로 보며 핵시설 시찰대상에 관하여는 기본적으로 북한측 안내 시설은 모두 가볼생각이나 일단 5.4 예정된북한측의 최초보고서및 관련 시설 자료를 본후 결정케 될것 이라함.

　라. 방북결과에 관한 발표는 평양에서의 회견은 보도의 공정성을 믿을수 없으므로 최소한으로 그치고 귀로 북경에서의 본격적인 기자 회견을 계획 중이라함.

　마.BLIX 사무총장은 귀로 북경, 동경, 홍콩(세미나 참석)을 거쳐 5.24 경 비엔나 귀이 예정이나 자신과 THEIS 과장은 북경을 거쳐 바로 5.18-19 경 비에나귀임 예정이라함.

　바. 북한이 제출할 핵시설 자료에 핵 재처리 시설로 의심되는 문제의 시설이

国기국   장관   차관   1차보   미주국   외정실   분석관   정와대   안기부

포함되지 않았을 경우 사무국으로서의 대처 방안과 관련해서 1)일단 북한측의설명을 요구하고 동시설에 대한 자료 제출을 권유토록 하며 2)이에대한 북한측의 반응이 만족 스럽지 못한 경우 IAEA 사찰팀이 동시설을 방문 판단토록 제의하며(우선은 AD HOC INSPECTION 의 일환으로) 3)동 방문결과 신고대상으로 판단되는 경우 북한측의 자료 제출을 다시 권유하며 4)상기 사무국측의 제의와 권유를 북한측이 따르지 않을 경우엔 이사회에 이를 보고하고 특별 사찰을 실시토록하는시나리오를 상정할수 있다함.

사. 또한 특별 사찰 실시가 필요하게 될 경우 그 시기는 6 월 이사회 이후가 될수 밖에 없을 것으로 보며, 이는 특별사찰이 매우 민감하고 중요한 사안인 만큼 현실적으로 BLIX 사무총장이 해외여행중인 기간(5.8-24) 동안에 어려우며 또한 곧이어 실시될 북한에 대한 임시 사찰이 신고대상여부 판단에 활용될수 있을 것임으로 동 임시 사찰기간(5.25-6 월초 잠정)과 그후 사찰결과 분석에 필요한 기간(약 1 주일)등을 고려 해야하기 때문이라함.

2. 상기 면담과정에서 조공사는 BLIX 사무총장의 금번 방북이 시기적으로 적절치 않은 것으로 본다는 점 (북한측 자료제출의 완벽성 여부가 미상이고 본격적인 사찰이 실시되기 전이라는 점에서), 북한측에 의해 악용될 위험이 매우크다는 점, 특히 북한측 안내 시설 시찰엔 성급하게 CLEAN BILL OF HEALTH 을 주는상황이 되지 않도록 신중을 기할 필요가 있다는 점등을 강조해두고, 아울러 최근 남북한 관계와 남북한 핵통제위원회에서의 북한측 태도, 북한사정에 대한 평가등을 참고로 설명해 주었음. 끝.

(대사 이시영-국장)
예 고:92.12.31 일반

	분류번호	보존기간

발 신 전 보

번 호 : WUS-2038   920430 1622 WG   종별 :

수 신 : 주 수신처 참조   대사. //총영사

발 신 : 장 관 (국기)

WJA -1946	WAU -0378
WCN -0444	WAV -0628
WCP -1028	WUN -0997
WRF -1238	

제 목 : IAEA 사무총장 방북 및 대북한 핵사찰

표제관련 주오스트리아 대사관이 현지 미국대표부와 IAEA사무국을 통해 파악한 내용을 아래 통보하니 참고바람.

1. Blix 사무총장 방북 문제

가. Blix 사무총장 및 사무국 입장

o 4.29 오전 Blix 총장은 IAEA 안전조치 강화 방안에 대한 브리핑 실시후, 북한이 최초보고서를 곧 제출할것이며, 자신이 북한정부의 초청으로 북한을 공식 방문할 예정이라고 밝힘.

o Blix 총장 보좌관은 사무총장도 금번 북한 방문에 따른 위험을 충분히 인지하고 북한측에 악용되지 않도록 아래와 같이 신경을 쓰고 있다함.

- 방북후 기자회견시 자신의 방문은 정치적 level의 것이며 북한의 핵 의혹과 관련해서는 곧 있게될 IAEA 사찰팀에 의한 사찰결과를 기다려야 한다는 점을 분명히 할것임.

- 방북결과를 평양에서의 회견으로 발표하는 것은 공정성을 믿을수 없으므로 최소한으로 그치고 귀로에 북경에서 기자회견을 계획 중임.

보 안 통 제	80

앙고재	92년 4월 30일	국제기구과	기안자 성명 신룡익	과 장 80	국 장 전결	차 관	장 관

외신과통제

0180

o 체북중 일정에는 김일성 및 김정일 예방, 원자력 관계 고위관리 면담, 핵시설 사찰등이 포함될 것으로 보나 핵시설 사찰대상은 5.4. 예정된 북한측의 최초보고서 및 관련 시설자료를 본후 결정하게 될 것임.

나. Core Group 공동 입장

o 4.29. 비엔나 주재 Core Group 4개국 대사들은 Blix 사무총장을 방문, 동 사무총장의 방북이 북한측에 의해 이용될 가능성에 대하여 주의를 환기시키고 사무총장의 방북을 북한의 최초보고서 (5.4. 제출예정)에 입각한 ad-hoc inspection 이후로 연기할것을 요청하는 공동 demarche를 할 계획(동건 관련 결과 접수후 추후 통보 예정)

o 또한 북한이 원하는 동 사무총장의 방북을 북한의 최초보고서 성실한 제출, 사찰에 대한 협조 확보등에 충분히 leverage로서 활용하기 위하여는 동 총장의 조급한 방북은 바람직하지 않다는 점을 지적할 것임.

다. IAEA사무국은 5.4. 북한의 최초 보고서 제출시 임시사찰을 5.25부터 약 1주간(필요시 수일 더 연장) 실시하는 것을 잠정 계획하고 있다 함.

2. 북한이 제출할 핵시설 자료에 핵 재처리 시설로 의심되는 시설이 포함되지 않을 경우 IAEA 사무국이 고려하는 대처방안

가. 대처방안 시나리오
1) 일단 북한측의 설명을 요구하고 동시설에 대한 자료 제출을 권유 토록 하며

0181

2) 이에대한 북한측의 반응이 만족스럽지 못한 경우 IAEA 사찰팀이 동 시설을 방문하여 판단토록 제의하며(우선은 AD HOC INSPEC-TION의 일환으로)

3) 동 방문결과 신고대상으로 판단되는 경우 북한측의 자료 제출을 다시 권유하며

4) 상기 사무국측의 제의와 권유를 북한측이 따르지 않을 경우엔 IAEA 이사회에 이를 보고하고 특별사찰을 실시토록 함.

나. 또한 특별사찰 실시가 필요하게 될 경우 6월이사회 이후가 될수밖에 없을 것으로 보며, 이는 특별사찰이 매우 민감하고 중요한 사안인 만큼 현실적으로 BLIX 사무총장이 해외여행중인 기간(5.8-24) 동안에 어려우며 또한 곧이어 실시될 북한에 대한 임시 사찰이 신고대상여부 판단에 활용될수 있을 것임으로 동 임시사찰기간(5.25-6 월초 잠정) 과 그후 사찰결과 분석에 필요한 기간(약 1주일) 등을 고려 해야하기 때문임.

3. 상기 2항관련 상황전개에 따른 본부의 대책(6월이사회 대책 포함)은 추후 통보할 계획임. 끝.

예고 : 92.6.30 일반

(국제기구국장 김 재 섭)

수신처 : 주미국, 일본, 호주, 카나다대사(사본 : 주오스트리아 대사), 북경, 유엔, ~~제네바~~, 러시아 대사

0182

외 무 부

종 별 :

번 호 : AVW-0706

일 시 : 90 2430 2100

수 신 : 장 관(국기,과기처)

발 신 : 주 오스트리아 대사

제 목 : 설계 정보 조기제공

1. 지난 2 월 IAEA 이사회에 채택된 설계정보 조기 제공에 관한 결정과 관련 포괄적 핵안전 협정 당사국에 보내는 IAEA 사무총장의 서한을 별전 FAX 송부함.

2. 상기 서한은 IAEA 사무국이 4 월 초순 회원국들에게 우편으로 발송하였다 하나, 당관이 접수한 사실이 없어 발송 여부등 경위를 사무국측에 확인중이며, 또한 서한 원본을 재작성 송부토록 기요청하였음을 첨언함.

별첨:AVW(F)-081 2 매.

-(대사 이시영-국장)

국기국   과기처

PAGE 1

0183
92.05.01   05:33
외신 2과 통제관 FM

IAEA(국제원자력기구)의 대북한 핵시설 사찰, 1992. 전6권 (V.1 1-4월) 189

5/2 시

EMBASSY OF THE REPUBLIC OF KOREA

Praterstrasse 31, Vienna
Austria 1020 (FAX : 2163438)

No : AVW(F)-081 | Date : 20430 2100

To : 장 관(국가. 과기처)

(FAX No :   )

Subject :

천부

표지포함 3 매

Total Number of Page :   0184

3-1

공   란

공　　　　　란

정 리 보 존 문 서 목 록

기록물종류	일반공문서철	등록번호	2020030307	등록일자	2020-03-31
분류번호	726.63	국가코드		보존기간	영구
명 칭	IAEA(국제원자력기구)의 대북한 핵시설 사찰, 1992. 전6권				
생 산 과	국제기구과/북미2과	생산년도	1992~1992	담당그룹	
권 차 명	V.2 5월				
내용목차	* 5.4 북한, Blix 사무총장에게 핵시설 최초보고서 및 관련 시설 자료 제출 5.5 IAEA 사무국, 상기 관련 Press Release 발표				

0001

관리번호 92-394

5/2 신

원 본

외 무 부

종 별 :

번 호 : AVW-0719

일 시 : 92 0501 2100

수 신 : 장 관(국기,미이,정특)

발 신 : 주 오스트리아 대사

제 목 : 북한의 최초 보고서

연:AVW-0716

1. 당관이 IAEA 관계관에 탐문한바에 의하면 금 5.1(금) 오전까지 연호 최정순은 비에나에 도착하지 않았다함.

2. 동 IAEA 관계관에 의하면 최정순이 도착하면 당지 북한 대표부측이 자신에게 연락토록 되어있다는바, 북한 대표부로 부터 연락이 있으면 당관에 알려주도록 수배하여 놓고 있음을 첨언함. 끝.

(대사 이시영-국장)

예고:92.6.30 일반.

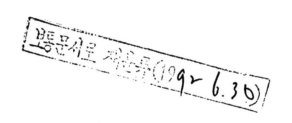

국기국   장관   차관   1차보   미주국   외청실   분석관   청와대   안기부

관리 번호	92-396

원 본

외 무 부

종 별 : 긴 급

번 호 : AVW-0720 일 시 : 92 0503 2100

수 신 : 장 관(국기,미이,정특)

발 신 : 주 오스트리아 대사

제 목 : 북한 요원 도착

연:AVW-0719

1. 금 5.3 IAEA 사무국측으로 부터 비공식 탐문한 바에 의하면 북한으로 부터 요원(신원 미상, 최정순이 아닌 다른 인물이 올것이라는 첩보도 있었음)이 금일 오전 도착했다는 통보를 북한측으로 부터 받았으며 명 5.4 아침부터 IAEA 측과 사전 실무협의를 한후 약속이 되는대로 BLIX 사무총장을 만나 보고서를 제출하게 될것으로 본다함.

2. 본건 추이(보고서 내용, IAEA 측의 반응과 예비적 평가등 포함) 계속 파악, 추보하겠음. 끝.

(대사 이시영-국장)

예고:92.6.30 일반.

국기국 안기부	장관	차관	1차보	미주국	상황실	외정실	분석관	청와대

PAGE 1

92.05.04 05:20

외신 2과 통제관 CE

0003

主要外信隨時報告

北韓핵재처리시설 불신고시 안보리에 제기

일본,미국과 연대해

　　(東京=聯合) 文永植 특파원= 日本 정부는 北韓이 국제원자력기구(IAEA)와　체결한 핵안전협정과 관련, 곧 제출할 것으로 알려진 최초보고에서 핵재처리시설에 대해 신고를 하지 않을 경우 美國과 연대해 유엔 안보리에 문제를 제기하는 방안을　놓고 검토에 들어갔다고 日 니혼게이자이(日本經濟)신문이 4일 보도했다.

　　日정부의 이같은 검토는 「핵재처리에 대한 연구활동을 계속하고 있으나 시설은 가지고 있지 않다」는 북한측의 주장으로 미루어 볼 때 북한측이 최초보고에 관련시설을 포함시키지 않을 가능성이 높기 때문이다.

　　핵개발 의혹을 완전히 불식시키는 것이 日.北韓간 교섭 촉진의　전제가　된다는 입장을 취하고 있는 일본으로서는 국제적으로 북한에 「핵사찰의 조기 완전　실시」를 독촉할 필요가 있는 것으로 판단하고 있다고 니혼게이자이신문은 설명했다.

　　IAEA는 지난 2월 이사회에서 사찰대상국이 신고하지 않는 시설에 대해서도 사찰할 수 있는 권한을 가진다는 점을 확인한 바 있다.(끝)

0004

외　　무　　부

원　본

종　별 :

번　호 : UNW-1277

일　시 : 92 0504 1000

수　신 : 장관 (국기, 정안,기정)

발　신 : 주유엔대사

제　목 : 북한의 핵사찰 리스트

　　5.4(월) NYT 의 북한 최초보고서 제출 관련기사를 별첨 FAX 송부함. 끝

（대사 유종하-국장）

　　첨부: UNW(F)-436

국기국　　외정실　　안기부

PAGE 1

92.05.04　　23:33 ED

외신 1과　통제관

0005

UNW(FD)-436   20504 1000   첨부물 UNW-1777

총 1 PH

THE NEW YORK TIMES INTERN

North Korea to Drop First Veil From Nuclear Sites

By DAVID E. SANGER
Special to The New York Times

PYONGYANG, North Korea, May 3 — Senior North Korean officials said today that they would hand over to the International Atomic Energy Agency on Monday a list of nuclear-related sites ready for inspection, but that the list would not include a plutonium-reprocessing installation that the United States suspects is at the center of an effort to build nuclear weapons.

The announcement today by Song Rak Un, who handles United States affairs for the Foreign Ministry, appeared to represent a direct challenge to the Bush Administration to prove its

charges that the Government is only a few months to a few years away from producing a crude nuclear bomb.

American officials have said that satellite photographs clearly show a building that they believe will process spent nuclear fuel into weapons-grade plutonium. Pyongyang has denied that any such installation exists, though only in recent weeks has it formally agreed to let international inspectors enter the country — a step it held off taking for six years.

"We have made clear several times that we have no intention or need or capability to build nuclear weapons," Mr. Song told American and Japanese

reporters who are completing a week-long tour of North Korea, which is usually closed to journalists. "We have nothing to hide from any people, including you, and our intention is to allow inspection of all facilities we have."

He also said the accounting to the international agency, part of an "inspection regime" approved by North Korea about three weeks ago, would include a list of "all nuclear materials we possess."

But he warned against the application of more political pressure. "There are some people who have suspicions about our following up, and who even speak of military measures against our

country," he said, which he said grew from "an arrogance of domination over other nations."

The report is being submitted several weeks ahead of its deadline, an indication that North Korea may speed a process it has delayed for years.

But officials declined to release the list being sent to the international agency. Nor would they permit journalists or a separate delegation from the Carnegie Endowment for International Peace, also here this week, to visit the installation at Yongbyon, 60 miles north of Pyongyang, that has become the centerpiece of the nuclear dispute.

The director of the International Atomic Energy Agency, Hans Blix, is expected to arrive here in several weeks to make final arrangements for the first inspection, perhaps including a tour of the sites, officials say. The

inspectors are expected to bring with them photographs and other documents supplied by the United States showing which buildings are suspect.

Officials of the agency say they have been pressing to have the inspections under way by June 15, when the board of the international inspection group, part of the United Nations, next meets. They have said in the past that if no progress is evident by then, they will ask the Security Council to take action to force inspections.

Three Bits of Speculation

But in recent weeks North Korea's tone has changed considerably: a videotape that was said to show the interior of some of the reactors was released in April. And now some experts question whether they will find much when inspectors finally arrive.

United States and Japanese officials have offered several theories about Yongbyon, the site that is thought to be a reprocessing center:

¶That North Korea has held off inspections long enough to move or conceal its reprocessing ability.

¶That it failed to get the technology running, and has used the past several months to destroy evidence of its work.

¶That under increasing pressure from the United States and Japan, which have said they would not consider upgrading relations or economic links with North Korea until the issue is resolved, the Government simply abandoned its project.

"There is always the possibility that we were wrong, and that there really is no reprocessing center," on State Department official said recently. "But I don't think that is the case."

0006

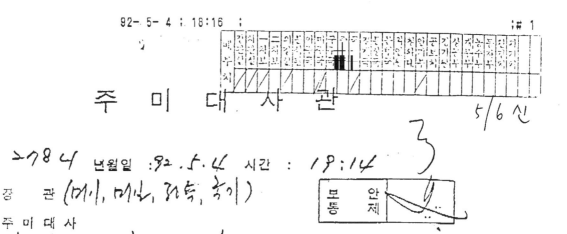

USW(F) : 2784 년월일 :92. 5. 4 시간 : 18:14

수 신 : 장 관 (미이, 미안, 저촉, 축기)

발 신 : 주미대사

제 목 : 북한核보리 축무부 브리핑   (출처 : 7AS)

```
보 안
통 제
```

STATE DEPARTMENT REGULAR BRIEFING   BRIEFER: MARGARET TUTWILER
                    MONDAY, MAY 4, 1992

    Q   On the subject of North Korea, have you seen a list of
nuclear facilities offered by the North Koreans, and do you find it
sufficient?

    MS. TUTWILER: Not yet. It's my understanding that they are
presenting their initial inventory list earlier today in Vienna. We
expect the IAEA to announce the list of facilities and types of
material on the North Korean inventory list. And until we've been
able to examine this information, we would prefer not to comment.

    Q   Back to North Korean nuclear matters please?

    MS. TUTWILER: Yes?

    Q   Are you going to keep full support for the IAEA decision,
which might be made during the -- in the course of the investigation
process, regardless of the result? I mean, whether the IAEA
declared that they were satisfactory or dissatisfactory?

    MS. TUTWILER: Well, that's too hypothetical for me. I can't
prejudge for you, when you say will we give our full support
depending on what the decision is of the IAEA, or the
recommendations. No, I just can't do that for you in a vacuum.

    Q   Until now you have said that the United States fully
supports --

    MS. TUTWILER: We do.

    Q   -- the IAEA. So in the future also will you in the
process of investigations, you are prepared to give full -- full
support for --

          (2784 - 2 - 1)

```
외신 1과
통    제
```

MS. TUTWILER: Will we continue, generically speaking, our full support of the IAEA? Yes, we do, concerning the North Korean situation, absolutely.

Q   Regardless of the result?

MS. TUTWILER: I'm not going to do the regardless of the result. That's the part of your question that's just totally speculative for me.

2784 -2-2

0008

외 무 부

종 별 : 긴 급

번 호 : AVW-0725   일 시 : 92 0504 1600

수 신 : 장 관(국기,미이,정특)

발 신 : 주 오스트리아 대사

제 목 : IAEA 북한 핵사찰 문제(최초보고서)

1. IAEA 사무국에 의하면 당지 북한대표부 윤호진 참사관이 5.4(월) 10:15 BLIX 사무총장을 면담 최초보고서(INITIAL REPORT)와 관련 시설자료 를 제출하였다고 함.

2. 상금 북한측 제출 자료 내용에 관하여 다방면으로 확인 노력중인바, 추보하겠음. IAEA 사무국은 상기 보고서 내용에 관한 일차적인 기술적 검토(1-2 일간)를 마치는대로 동 보고서상의 시설목록에 관해 대외발표(PRESSE RELEASE) 예정이라하며, 현재로선 언론의 문의가 있는 경우 상기 1 항 최초보고서 접수 사실만 CONFIRM 해 줄것이라함. 끝.

(대사 이시영-국장)

예 고:92.12.31 일반.

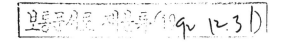

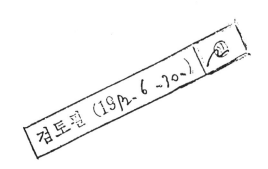

국기국 안기부	장관	차관	1차보	미주국	상황실	외정실	분석관	청와대

PAGE 1   92.05.04   23:54

원 본

외 무 부

종 별 : 긴 급

번 호 : AVW-0726

일 시 : 92 0504 1600

수 신 : 장 관(국기,미이,정특,기정,과기처)

발 신 : 주 오스트리아 대사

제 목 : 북한의 최초보고서등 제출

연:AVW-0725

　　　금(월)　14:50　북한　대표부의　윤호진　참사관이　당관　허남　과학관에게 전화로운참사관이　직접　IAEA　사무국에　금일　상오　표제　핵물질및　시설정보를　제출 하였다고　알려　왔음.

　　　1.　제출내역:IAEA-북한간　체결된　전면　핵안전협정에　따라　7 개　시설과 외부시설(OUTSIDE FACILITY)　1 개를　포함　총 8 개 시설정보

　　　2.　상기　정보엔　시험,　건설및　계획중인　시설의　설계정보도　포함되었다고　함.

　　　3.　상기보고서는　어제 도착한 요원이　가져온것임.

　　　4.　상세 핵물질 내역에 관한 질문에는 답변을　회피하였음.　끝.

　　　(대사 이시영-국장)

　　　예 고:92.6.30 일반.

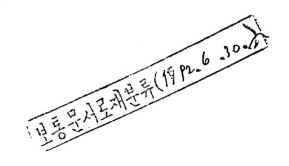

국기국 안기부	장관 과기처	차관	1차보	미주국	상황실	외정실	분석관	청와대

PAGE 1

92.05.05　00:10

외신 2과 통제관 FK

0010

관리 번호 92 -200

외 무 부

종 별 : 긴 급

번 호 : AVW-0727   일 시 : 92 0504 1830

수 신 : 장 관(국기,미이,정특) 사본:주미대사-중계필

발 신 : 주 오스트리아 대사

제 목 : 북한 최초 보고서 제출 <del>고 (92.12.31.)</del>

연:AVW-0725,0726

1. 당지 미국 대표부 LAWRENCE 참사관은 금 5.4(월) 오후 조창범공사에게 전화로 북한대표부 윤호진 참사관이 금일 15:00 경 자신에게 전화하여 연호 북한의 최초보고서및 관련 시설자료 제출 사실을 알려왔다고 함.

2. 동 전화 과정에서 LAWRENCE 참사관이 5.4 자 INTERNATIONAL HERALD TRIBUNE 지 8 면의 평양발 DAVID E. SANGER 기자의 보도(제목:NORTH KOREA EXCLUDESKEY PLANT FROM LIST GONG TO ATOMIC AGENCY)를 지적하면서 금일 제출한 자료의 내용에 관해 문의하였던 바, 윤참사관의 반응은 아래와 같았다고 함.

가. 언론에 보도되는 것을 전부 믿지 말기 바람. 핵안전조치협정에 규정된대로 필요한 모든 자료를 제출하였음.

나. 현재 가동중이거나 건설중인 원자로와 기타 다른 시설을 포함하여 7-8 개 시설에 대한 자료(DESIGN INFORMATION)도 제출하였음.

3. 이에 LAWRENCE 참사관이 핵재처리 시설로 의심되고 있는 시설에 관한 자료가 포함되었는지를 재차 문의해 보았던 바, 윤참사관은 시인도 부인도 하지 않으면서 당지 협정상의 규정을 모두 충족시킨 것으로 본다고 만 대답하였다고 함.

4. LAWRENCE 참사관에 의하면 윤참사관의 언동으로 보아서는 핵재처리 시설로 의심되는 시설에 관한 정보도 부분적으로 포함된것 같은 느낌도 들었다고 하며 IAEA 사무국측으로 부터 탐문되는대로 상호 정보 교환키로 하였음. 끝.

(대사 이시영-국장)

예고:92.12.31 일반.

국기국 안기부	장관 중계	차관	1차보	미주국	상황실	외정실	분석관	청와대

1. 北韓, 核關聯 最初 報告書 IAEA 提出

o 5.4(월) 10:15(한국시간 18:15), 駐오지리 北韓代表部는 IAEA 事務總長에게 核관련 最初 報告書와 關聯施設 資料를 提出함.

- IAEA 事務局은 당초 北韓의 上記 報告書提出 事實을 5.6 또는 7일중 發表할 예정이었으나 다수 회원국들로부터의 報告書 內容 問議 및 言論의 壓力등을 勘案, 이를 앞당겨 5.5 오후 發表함.

- 同 發表文에는 駐오지리 北韓代表部 參事官이 5.4 우리측에 言及했던 8개 시설 資料 관련 情報가 모두 포함됨.

o 上記 관련, 5.4 오후 駐오지리 우리大使는 블릭스 事務總長을 面談한 바, 同 事務總長의 反應은 아래와 같음.

- (核再處理施設 資料 包含여부에 대해) 관련 部署에서 檢討中임.

- (北韓의 同 總長 訪北 惡用가능성 對備 懲源에 대해) 금번 訪問이 北韓 招請에 의한 公式訪問으로서 査察을 위한 訪問이 아니라는 점을 事前에 言論公表 計劃이며, 訪北結果에 대한 公式 記者會見은 5.16(토) 北京에서 가질 예정임.

- (臨時査察 實施時期에 대해) 確實한 時期는 報告書 內容에 따라 決定될 것이나, 6.15 시작되는 IAEA 理事會에서 査察 結果를 報告할 수 있기를 期待함.

  * 北韓 提出 報告書 內譯등 IAEA 發表內容은 別途 報告하겠음.

0012

외 무 부

종　별 : 지 급

번　호 : AVW-0730

일 시 : 92 0504 2100

수　신 : 장 관(국기,미이,정북)

발　신 : 주 오스트리아 대사

제　목 : 북한 최초보고서

　　대:WAV-0639

　　연:AVW-0725

1. 본직은 금 5.4 미, 일등 우방대사들과 계속 표제건에 관하여 정보교환을하고 있는 바 현재까지 알려진 주요 내용 아래와 같음.

　가. 미국 BECKER 대사

-북한측의 금일 오전 보고서 제출후 미측으로서도 백방으로 동 내용 파악에주력하고 있으나 IAEA 사무국 담당관들이 전부 사무실에 없거나 연락이 안되고있음. 계속 파악하여 정보교환키로 함.

-지난주 수요 CORE GROUP 대사들의 블릭스 총장에 대한 공동 DEMARCHE 시 북한이나 언론매체에 의하여 금번 방문이 왜곡되지 않도록 최소한 당지 출발전 금번 방문의 성격(사찰이 아닌 정치적 협의)을 발표할 것을 요청한바 있음.

-블릭스 총장 방북 결과에 대해서는 북경에서 미측이 동총장을 만나 문의할계획은 없는것으로 알고 있으며 전문적 내용 파악의 필요성에 비추어 비엔나에서 타진하는게 바람직하다고 봄.

-현실적으로 6 월 이사회 이전에 특별사찰 절차를 밟는 것은 어렵다고 보여지며 AD HOC 사찰이 실시되면 그 결과를 토대로 6 월 이사회에 대처할수 밖에 없을 것으로 보임.

-한미간에 계속 정보교환과 전략협의를 긴밀히하고 특히 언론을 다루는데 신중을 기하여 공동대처키로 함.

　나. 일본 KUME 대사

-블릭스 총장은 북한 방문후 북경에서 2 박후 일본방문을 계획하고 있으나 예방주선등에 관한 본국정부 회보가 없어 최종 확정된것은 아님.

국기국	장관	차관	미주국	구주국	외정실	분석관	청와대	안기부

PAGE 1

-동 총장 방일시 외무차관, 국련국장및 원자력 관계부서의 고위관리를 만나게 될것으로 알고 있음.

-동 총장이 방북후 동경에 오므로 북경에서 별도로 동 총장에게 방북 결과를 문의할 계획은 없음.

2. 금일 오후 당지 중국 CHEN 대사와 통화한바 당지 북한측으로 부터는 표제건 관련 아무런 정보를 얻지 못하고 있다 하며, IAEA 측으로 부터 본직이 알려준 정보 정도를 파악하고 있을 뿐이라 하였음. 동대사는 수일후 북경 향발하여 블릭스 총장 북경체류중 북경에 있게 될것이라하며, 동 총장은 5.8 당지 출발, 헬싱키에 갔다가 5.11 북경을 경유, 평양에 들어간후 5.16 평에서 북경으로 나와2,3 일 체류후 일본으로 가게될것이라함끝.

(대사 이시영-국장)

예고:92.6.30 일반.

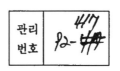

외　무　부

원　본

종　별 : 긴 급

번　호 : AVW-0737

일　시 : 92 0504 2200

수　신 : 장 관(국기,미이,정북,기정,과기처)

발　신 : 주 오스트리아 대사

제　목 : IAEA 사무총장 면담

대:WAV-0639,0637

연:AVW-0730,0663

보통문서로 재분류(19~12-31)

　　　본직은 금 5.4(월) 16:30 BLIX 사무총장을 방문 면담한바 (김의기 참사관및VILLAROS 사무총장 보좌관 동석), 동 면담 내용중 특기 사항을 하기 보고함.

　　　1. 북한이 금일 제출한 최초 보고서이 핵 재처리 의혹 시설에 대한 자료가 포함되었느냐는 질문에 대해 동 사무총장은 북한측으로 부터 상당한 분량의 최초보고서와 설계 정보(동인이말하는 설계 정보가 핵시설에 대한 D.I.Q. 를 의미하느냐는 질문에 대해 그렇다고 답변함)를 접수 하였으나, 현재 관련 부서에서 이를 검토중이며, 수일내에 자신의 북한 방문 출발 이전에 북한이 신고한 핵시설 LIST 를 발표할 예정이므로 현단계에서 그 이상의 상세한 내용을 알려줄수 없을 이해해 달라고 하였음.

　　　2. 본직이 동 사무총장의 방문을 북한이 잔신의 핵 문제에대한 국제적 우려를 회피하기 위하여 악용할 가능성에 대해 재차 주의를 환기 시키고 출발전 방문목적을 밝히는 발표를 할것을 종용한바 동총장은 출발에 앞서 자신의 방북이 북한 정부의 초청에 따른 공식 방문이며, 사찰을 위한 방문이 아니라는 취지의 PRESS RELEASE 를 배포할 계획이라고 말하고, 북한 체재중 개별적인 언론과의 접촉은 가급적 피할 것이나 현지 언론의 독자적인 보도는 어쩔수 없는 것이 아니냐고말하면서 방북 결과에 관한 공식 기자회견은 5.16(토) 북경에서 가질 예정이라하였음.

　　　3.(BLIX 사무총장의 방북 타이밍에 문제가 있음을 지적한데 대하여) 동 총장은 자신의 방북한 방문과 관련 다른 견해가 있을수 있으나 IAEA 회원국인 북한의 초청을 특별히 거절할 이유가 없었다고 말하고, 북한의 보고서를 검토한 결과 만족스럽지 못할 경우 이에 대한 북한측의 해명과 보완을 요청할수 있는 기회도 될수

국기국　　장관　　차관　　1차보　　미주국　　외정실　　분석관　　정와대　　안기부
과기처

있을 것이라는 의견을 피력하였음. 더구나 그동안 북한이 약속대로 협정을 비준하고 시한보다 훨씬 앞서 최초보고서를 제출한 만큼 이미 북한측에 명한 방북 의사를 변경할수 없는 사정일고 부연하였음.

4. 이에 대해 본직은 사무총장이 북한측에 대해 금번 최초보고서 제출에서 사찰에 이르는 과정이 북한측에게 있어 그들의 핵 개발 관련 의혹을 해소 시킬수있는 절호의 기회임을 철저히 인식 시키고, 북한의 핵 개발에 대한 IAEA 와 세계의 우려를 이번에 해소하지 못할 경우 특별 사찰을 비롯한 강력한 수단을 강구할수 밖에 없다느 이사국들과 IAEA 측의 단호한 입장을 북한측에 전달하여 줄것을 요청하였음. BLIX 사무총장은 재처리 의혹 시설 관련 구체적인 증거없이 지하시설이 있을 것이라는 첩보나 언론보도만 가지고는 IAEA 로서 추궁조치를 취하기어렵다는 사정을 이해해 주기 바란다고 하였음. 이와 관련 본직은 남북한간 상호사찰을 위한 협상이 사찰규정을 위요한 북한측 무성의로 그가 아무런 실질적 진전이 없음을 설명하고 이러한 북한태도는 북한이 일응 IAEA 의 일반사찰에는 응하여 국제 압력은 회피하면서도 그들의 핵개발 의혹을 붕식할 의지가 없다는 의심을 사기에 충분한 것임을 지적하였음.

5.IAEA ADOHOC INSPECTION 실시 시기에 관한 문의에 대하여는 보고서 검토후 이를 토대로 6 월 이사회 전에 실시할 예정이나 확실한 시기는 보고서 내용 여하에 따라 결정 될것이라고 하면서, 2 월 이사회 요청에 따라 6 월 이사회에 사무총장이 북한 핵관계 진전상황을 보고해야 하므로 6 월 이사회까지는 임시사찰의 결과를 보고에 포함시킬수 있기를 기대한다고 했음.

6. 본직이 사무총장의 방북결과에 대한 우리정부의 지대한 관심을 설명하고, 북경에서 동총장의 기자회견과는 별도로 아측이 방북 결과를 설명 받을 가능성을 타진한데 대해 동총장은 방문 결과를 공식적으로 평가하기 전에는 누구와도이러한 기회를 갖기를 주저하는 매우 소극적 반응을 보였으며, 자신이 참석하게 될 홍콩 세미나에 한국의 고위관리(MINISTER 라고 표현)가 참석할 것으로 알고 있는바 방북결과 관련 타진이 있을지도 모르겠다고 말하였음(이와 관련 당관에도 알려주기 바람)

7.BLIX 사무총장은 면담중 이름을 잘 기억하지는 못하나 정모라는 사람이 북한에 대한 최초 사찰팀 일원으로 위촉되었다는 아국의 언론보도에 대해 문의해오면서 그것은 전혀 사실이 아니며 그렇게 보도가 될 경우 북한이 그를 사찰관으로

PAGE 2

0016

수락하겠느냐고 반문한바 있음을 참고로 보고함. 끝.

　　(대사 이시영-장관)

　　예 고:92.12.31 일반.

외   무   부

5/6 신

종   별 : 긴 급

번   호 : AVW-0738   일   시 : 92 0504 2200

수   신 : 장 관(국기,미이)

발   신 : 주 오스트리아 대사

제   목 : 북한 최초보고서 제출

    표제 관련 IAEA 보도 안내 자료및 관련 사진을 별전 FAX 송부함.

    별첨:AVW(F)-085 2 매.끝.

    (대사 이시영-국장)

국기국   미주국   구주국   상황실

PAGE 1   92.05.05   05:50
                                                  외신 2과 통제관 FK
                                                      0018

EMBASSY OF THE REPUBLIC OF KOREA

Praterstrasse 31, Vienne
Austria 1020 (FAX : 2163438)

No : *AVW(F)-045* | Date : 20504 2200

To : 장 관 (국가. 미이)

(FAX No :   )

Subject :   첨부

표지포함 3 매

3-1   Total Number of Page :

0019

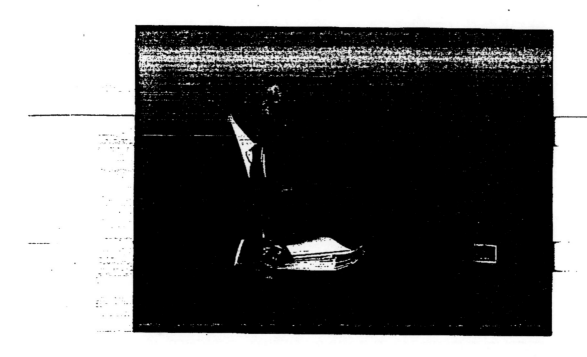

3-2

0020

INTERNATIONAL ATOMIC ENERGY AGENCY
AGENCE INTERNATIONALE DE L'ENERGIE ATOMIQUE
МЕЖДУНАРОДНОЕ АГЕНТСТВО ПО АТОМНОЙ ЭНЕРГИИ
ORGANISMO INTERNACIONAL DE ENERGIA ATOMICA

WAGRAMERSTRASSE 5, P.O. BOX 100, A-1400 VIENNA, AUSTRIA
TELEX: 1-12645, CABLE: INATOM VIENNA, FACSIMILE: 43 1 234564, TELEPHONE: 43 1 2360

IN REPLY PLEASE REFER TO.
PRIERE DE RAPPELER LA REFERENCE:

DIAL DIRECTLY TO EXTENSION:
COMPOSER DIRECTEMENT LE NUMERO DE POSTE:

1992-05-04

NOTE TO EDITORS

Pursuant to the comprehensive Safeguards Agreement signed by the Democratic People's Republic of Korea (DPRK) with the IAEA on 30 January 1992, and ratified by the DPRK on April 9, a representative of the DPRK today delivered to IAEA Director General Hans Blix his country's Initial Report of all nuclear materials subject to the Agreement and their location.

The contents of the Initial Report are now being studied, and the IAEA may issue a press statement later in the week on this subject.

Photographs of the Director General receiving the DPRK inventory from Counsellor YUN Ho Jin of the DPRK Mission in Vienna are available from the IAEA Division of Public Information on request (tel.no: 2360/1275).

3 - 3

0021

관리번호	92 -402

외 무 부

원 본

종 별 : 긴 급

번 호 : AVW-0739

일 시 : 92 0505 1130

수 신 : 장 관(국기,미이,정특)

발 신 : 주 오스트리아 대사

제 목 : 북한의 최초 보고서

연:AVW-0725

대:WAV-0615

1. 금 5.5(화) 오전 IAEA KYD 공보국장에 의하면 IAEA 사무국은 연호 2 항 PRESSE RELEASE 관련 1)북한이 제출한 자료중 핵시설의 목록(LIST OF FACILITIES) 2)BLIX 사무총장의 방북 계획및 일정 3)북한에 대한 사찰 실시시기등 3 가지 사항을 담은 초안을 현재 준비중에 있으며 이를 명 5.6(수) 또는 5.7(목) 배포 예정이라고 함.

2.IAEA 사무국은 핵안전 조치 관련 사항의 비밀보장(SAFEGUARD CONFIDENTIAL) 원칙과 사안의 민감성을 감안하여 충분한 내부 검토를 마치기전에 핵시설 목록등에 관한 정보가 대외적으로 누설되지 않도록 하라는 사무총장의 특명에 따라 관계직원들이 고도의 보안을 유지하고 있으며 공개할 핵시설 목록 준비에도 신중을 기하고 있는 것으로 보임.

3. 관련 내용의 사전 파악을 위해 계속 노력 중인바 추보하겠음. 끝.

(대사 이시영-국장)

예 고:92.6.30 일반.

보통문서로채분류(1992.6.70)

국기국 안기부	장관	차관	1차보	미주국	상황실	외정실	분석관	청와대

92.05.05   18:53

외신 2과 통제관 FM

0022

외 무 부

종 별 : 긴 급

번 호 : AVW-0740

일 시 : 92 05050 1420

수 신 : 장 관(국기,미이,정특)

발 신 : 주 오스트리아 대사

제 목 : 북한 최초 보고서

연:AVW-0739

1. 금 5.5 오전 IAEA 행전 예산위원회의 개회에 앞서 북한대표부 윤호진 참사관으로 부터 당관이 비공식으로 탐지한 북한 보고서이 포함된 7 개 시설 목록은 아래와 같음(동 목록의 정확성은 계속 확인중)

　　가. 8 천 KW 연구용 원자로

　　나. 임계장치(CRITICAL ASSEMBLY)

　　다. 5 천 KW 원자로(가동중)

　　라. 50 MW 원자로(건설중)

　　마. 200MW 원자로(건설중)

　　바. 핵연료 제조공장

　　사. 임계로

　　아. 핵폐기물 처리시설

2. 금일 오전 현재 미국, 일본등 다른 대표부측도 보고서 대용 파악에 주력하고 있으나 전항 이상의 정보를 얻지 못하고 있음.

3. 본건 계속 파악 추보하겠음. 끝.

(대사 이시영-국장)

예고:92.6.30 일반.

보통문서로재분류(1992. 6.30)

국기국 안기부	장관	차관	1차보	미주국	상황실	외정실	분석관	청와대

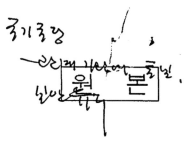

관리 번호 P2-411

외 무 부

종 별 : 긴 급

번 호 : AVW-0741

수 신 : 장관(친전)

발 신 : 주 오스트리아 대사

제 목 : 북한 보고서 제출

일 시 : 92 0505 1530

연:AVW-0739,0740

1. 금 5.5 IAEA 사무국으로 부터 비공식으로 입수한 시설 목록을 아래 보고함.

가.A SUB-CRITICAL FACILITY(KIM IL SUNG UNIV, PYONG YANG)

나.A NUCLEAR FUEL ROD FABRICATION PLANT AND STORAGE(YONGBYON)

다.AN EXPERIMENTAL NUCLEAR POWER REACTOR(5 MW) (INSTITUTE OF NUCLEAR PHYSICS IN YONGBYON)

라.A RADIOCHEMICAL LABORATORY OF THE INSTITUTE OF RADIOCHEMISTRY DECLARED TO BE DESIGNED FOR RESEARCH ON THE SEPARATION OF URANIUM AND PLUTONIUM AND WASTE MANAGEMENT AND FOR THE TRAINING OF TECHNICIANS(UNDER CONSTRUCTION IN YONGBYON)

마.A NUCLEAR POWER PLANT OF 50MW(UNDER CONSTRUCTION IN YONGBYON)

바.A NUCLEAR POWER PLANT OF 200MW(UNDER CONSTRUCTION IN THE NORTH PYONGAN PROVINCE)

사.TWO URANIUM MINES AND TWO PLANTS FOR THE PRODUCTION OF URANIUM CONCENTRATE

아.THREE REACTORS(635 MW EACH) FOR A NUCLEAR POWER PLANT(BEING PLANNED)

2. 상기 목록은 금명간 발표될 PRESSE RELEASE 에 실릴 예정이라는 바, 동 발 표문 초안은 아직 사무총장 최종 결재를 받지 못했다고 하며, 상기 목록은 AVW-0739 2 항과 같이 고도의 보안 상태에 있는 것을 입수한것인 만큼 발표시 까지는 대외 보안에 철저를 기해 주실 것을 건의함. 끝.

(대사 이시영-장관)

예 고:92.6.30 일반.

장관

외 무 부

종 별 : 긴 급

번 호 : AVW-0743   일 시 : 92 0505 1700

수 신 : 장 관(국기,미이,정특,과기처)

발 신 : 주 오스트리아 대사

제 목 : 북한 제출 보고서

연:AVW-0741

1. 연호 2 항 IAEA 사무국 발표문이 금 5.5 오후 발표되었음.

2. 동 발표문속의 시설목록은 연호 보고내용과 일치함.

3. 사무국측은 북한 제출 최초보고서 내용을 문의하는 회원국및 언론 매체의 압력을 감안 당초 발표시간을 앞 당겨 금일 발표하게 되었다 함.

4. 동 PRESSE RELEASE 별첨 FAX 송부하며 동 보고서 상세 내용에 관하여 계속 파악 보고 예정임.

별첨:AVW(F)-086 1 매.끝.

(대사 이시영-국장)

예고:92.6.30 일반.

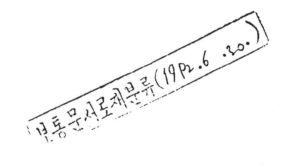

PAGE 1   92.05.06   03:47

— May 1992
PR 92/24
FOR IMMEDIATE RELEASE

INTERNATIONAL ATOMIC ENERGY AGENCY
WAGRAMERSTRASSE 5, P.O. BOX 100, A-1400 VIENNA, AUSTRIA,
TELEPHONE: 1 2360, TELEX: 1-12645, CABLE: INATOM VIENNA,
TELEFAX: 431 234564

PRESS RELEASE FOR USE OF INFORMATION MEDIA • NOT AN OFFICIAL RECORD

DEMOCRATIC PEOPLE'S REPUBLIC OF KOREA (DPRK) SUBMITS INITIAL REPORT TO IAEA UNDER COMPREHENSIVE SAFEGUARDS AGREEMENT IN CONNECTION WITH THE NON-PROLIFERATION TREATY

Following the entry into force on 10 April of the Safeguards Agreement between the DPRK and the International Atomic Energy Agency (IAEA) signed on 30 January, 1992, the Initial Report on nuclear material and design information on nuclear facilities in the DPRK was handed over to the Director General of the IAEA, Dr. Hans Blix, on 4 May.

In addition to the facilities that were already under IAEA safeguards (a research reactor and a critical facility of the Institute of Nuclear Physics) the list includes the following facilities: a sub-critical facility of the Kim Il Sung University in Pyongyang; a nuclear fuel rod fabrication plant and storage in Nyongbyon; an experimental nuclear power reactor (5 MW) of the Institute of Nuclear Physics in Nyongbyon; and a radiochemical laboratory of the Institute of Radiochemistry under construction in Nyongbyon and declared to be designed for research on the separation of uranium and plutonium and waste management and for the training of technicians.

In addition, a nuclear power plant of 50 MW under construction in Nyongbyon and one of 200 MW under construction in the North Pyongan Province are reported, and three reactors (635 MW each) for a nuclear power plant are being planned. Furthermore, two uranium mines and two plants for the production of uranium concentrate are listed. 2+2.

The first IAEA inspection visit under the new comprehensive Safeguards Agreement in the DPRK is expected to take place before mid-June 1992, when the IAEA Board of Governors next meets.

The Director General of the IAEA will pay an official visit to the DPRK in the week of 11-16 May while travelling in the Far East.

0026

외　무　부

원　본

종　별 : 긴급

번　호 : AVW-0747

수　신 : 장관(국기)

발　신 : 주 오스트리아 대사

제　목 : 북한 보고서 제출

일　시 : 92 0505 2200

연:AVW-0743

연호 관련 금 5.5 당관이 파악한 IAEA 사무국측의 일차적 반응은 아래와 같음.

1. 블릭스 사무총장은 연호 PRESSE RELEASE 를 앞당겨 발표함에 제하여 동 발표 내용에 관한 사무국으로서의 논평이나 평가나 판단을 대외적으로 누구에게 일체 하지 않도록 엄명을 내렸다함.

2. 금일 행정예산위 산회후 JENNEKINS 사무차장은 본직에게 아래 언급함.

가. (북한측 보고내용에 사무국이 만족 한가라는 질문에 대하여)

만족 여부를 말할수는 없으나 북한이 방사화학 연구시설을 시설목록에 포함시킨것은 고무적(ENCOURAGED)이며, 동시설이 포함 안됐다면 실망(DISAPPOINT) 했을 것이라고 말하였음.

나. 북한측이 최초보고서 뿐 아니라 시설정보까지 제출 마감 기한전에 제출한 것은 고무적이나, 제출된 모든 데이타를 앞으로 보다 철저히 검토하고 또한 임시 사찰(시설정보도 제출했으므로 DESIGN VERFICATION INSPECTION 도 겸행)을 봉하여 다른 나라의 경우보다도 더 철저하게 검증을 해나가는 어렵고도 시간이 소요되는 과정이 남아있다고 말하였음.

다. 임시 사찰 절차는 THEIS 과장이 블릭스 사무총장을 수행하여 방북 하므로 총장일행 귀임후에야 THEIS 과장 인솔하에 밟게 도리것이며 5 월 하순경 시작할수 있을것으로 봄.

3. 금일 오후 허과학관의 THEIS 과장 접촉시 동인은 사견임을 전제로

가. 시설 목록중 방사화학 연구용 실험소가 재처리 관련 연구내지 시설의 혐의를 받을수 있을 것이므로 본격적인 사찰이 실시될때 그부분에 중점을 두어야 할것으로 생각함.

국기국	장관	차관	1차보	외정실	분석관	청와대	안기부

나. 북한으로서는 핵 재처리시설이 없다는 주장을 해왔고 남북한간 비핵화 선언을 한 이상 설사 재처리시설이 있다하더라도 재처리 시설로 분류할수 없었을것이라 봄.

다. 동인은 금번 사무총장과 북한을 방문한후 귀임하는대로 동인을 포함 6 명의 사찰단을 인솔하고 북한측이 제출한 보고서(핵물질및 시설정보)에 입각하여2 주간내외에 걸친 사찰을 하게 될것으로 예상하고 있음.

라. 현재 동인과 또 다른 한명의 사찰관 임명 동의를 북한에 신청해놓고 있으나 아직 회답이 안온 상태임.끝.

(대사 이시영-국장)

예고:92.12.31 일반.

PAGE 2

0028

5/6 人

I

3

EMBASSY OF THE REPUBLIC OF KOREA

Praterstrasse 31, Vienne
Austria 1020 (FAX : 2163438)

No : *AVW(F) - 086* | Date : 2005 1200

To : 장 관 (국기. 미이. 정특. 과기처)

(FAX No :   )

Subject :
천 낙

표지포함   2 매

Total Number of Page : _____

0029

━━y 1992
PR 92/24
FOR IMMEDIATE RELEASE

INTERNATIONAL ATOMIC ENERGY AGENCY
WAGRAMERSTRASSE 5, P.O. BOX 100, A-1400 VIENNA, AUSTRIA,
TELEPHONE: 1 2360, TELEX: 1-12645, CABLE: INATOM VIENNA,
TELEFAX: 431 234564

PRESS RELEASE FOR USE OF INFORMATION MEDIA • NOT AN OFFICIAL RECORD

DEMOCRATIC PEOPLE'S REPUBLIC OF KOREA (DPRK) SUBMITS INITIAL REPORT TO IAEA UNDER COMPREHENSIVE SAFEGUARDS AGREEMENT IN CONNECTION WITH THE NON-PROLIFERATION TREATY

Following the entry into force on 10 April of the Safeguards Agreement between the DPRK and the International Atomic Energy Agency (IAEA) signed on 30 January, 1992, the Initial Report on nuclear material and design information on nuclear facilities in the DPRK was handed over to the Director General of the IAEA, Dr. Hans Blix, on 4 May.

In addition to the facilities that were already under IAEA safeguards (a research reactor and a critical facility of the Institute of Nuclear Physics) the list includes the following facilities: a sub-critical facility of the Kim Il Sung University in Pyongyang; a nuclear fuel rod fabrication plant and storage in Nyongbyon; an experimental nuclear power reactor (5 MW) of the Institute of Nuclear Physics in Nyongbyon; and a radiochemical laboratory of the Institute of Radiochemistry under construction in Nyongbyon and declared to be designed for research on the separation of uranium and plutonium and waste management and for the training of technicians.

In addition, a nuclear power plant of 50 MW under construction in Nyongbyon and one of 200 MW under construction in the North Pyongan Province are reported, and three reactors (635 MW each) for a nuclear power plant are being planned. Furthermore, two uranium mines and two plants for the production of uranium concentrate are listed.

The first IAEA inspection visit under the new comprehensive Safeguards Agreement in the DPRK is expected to take place before mid-June 1992, when the IAEA Board of Governors next meets.

The Director General of the IAEA will pay an official visit to the DPRK in the week of 11-16 May while travelling in the Far East.

0030

관리번호	92-40ρ

외 무 부

원 본

종 별 : 긴 급

번 호 : AVW-0748

일 시 : 92 0505 2200

수 신 : 장 관(국기,미이) 사본:주미대사-중계필

발 신 : 주 오스트리아 대사 (WUS-2136)

제 목 : 북한 보고서 제출

연:AVW-0741

1. 본직은 금일 오후 사무국 측의 PRESSE RELEASE 발표에 앞서 AVW-0741 로보고한 당관 입수 시설목록을 미측에 알려주고 의견 교환한바, 미측은 방사화학 연구용 시설이 핵재처리 시설에 해당할 가능성이 있다는 일차적 반응을 보이면서 즉시 워싱톤의 케네디 대사에게 보고 하겠다고 했으며, 앞으로 시설정보 내용을 더 파악하여 이를 인공위성에 의한 그간의 북한 핵시설정보와 일일히 대조 분석을 해야 북한 보고의 성실성과 해재처리 혐의 시설에 관련된 평가를 할수 있을 것이라고 하였음.

2. 전항 미측과 협의 과정에서 본직은 핵심 우방간의 긴밀한 정보교환과 전략협의 필요성을 강조 하였으며, 이를위해 명 5.6 오전중 VIC 에서 한, 미, 일, 카나다, 호주및 영국간 협의를 갖기로 하였음.(영국은 미측 희망에 따라 포함). 끝.

(대사 이시영-국장)

예 고:92.12.31 일반.

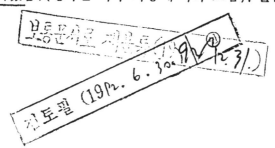

국기국 중계	장관	차관	1차보	미주국	외정실	분석관	청와대	안기부
	성락신							

PAGE 1

92.05.06   05:44

외신 2과 통제관 FM

0031

외 무 부

관리번호 92-413

종 별 : 지 급

번 호 : USW-2276

일 시 : 92 0505 1756

수 신 : 장관 (미이,미일,정특,국기,기정) 사본: 주오지리대사(중계필)

발 신 : 주 미 대사 (WAV-0657)

제 목 : 북한 핵시설 보고

1. 당관 임성준 참사관은 금 5.5. 국무부 KARTMAN 한국과장과 접촉, 북한의핵시설 보고에 관한 IAEA 의 5.5. 자 PRESS RELEASE 에 대한 미측의 평가를 문의한바, KARTMAN 과장은 하기 요지 반응을 보임.

가. 미측으로서도 북한측이 IAEA 에 제출한 보고서 내용을 직접 입수하지 못하여 IAEA PRESS RELEASE 만 가지고는 확실한 내용을 파악하기 곤란함.

나. 그러나 북한측은 가능한한 모든 핵시설을 포함시키고자 노력한 흔적이 보이며, 일견 긍정적인 보고서(BEST CASE INVENTORY)일 가능성도 있다고 생각함.

다. 문제는 국제적 촛점이 되고 있는 핵재처리 시설을 포함시켰는지 여부인바, PRESS RELEASE 내용중 "영변의 방사능 화학연구소"가 재처리 시설을 가리키는 것인지 확인할 필요가 있으며 따라서 미측으로서는 IAEA 와 협조하여 상기 북한 보고서에 핵재처리 시설이 포함되었는지 여부를 조속 확인코자 함.

2. 상기관련, 임참사관은 미측으로서 상기 PRESS RELEASE 에 대하여 공개 논평을 예정하고 있는지 여부를 문의하였던바, 동 과장은 핵재처리 시설 포함 여부를 확인한후 논평 예정이라고함.

3. KARTMAN 과장은 상기 북한 보고서에 재처리 시설이 포함된 것으로 판명되는 경우에는 지금까지 강력하게 거론되어 오고 있는 IAEA 의 특별사찰 실시 여론도 수그러들 우려가 있다고 하면서, 미측으로서도 북한의 조치에 대하여 어느정도 긍정적인 논평을 하여야 할 것이라고 말하였음.

4. 한편, 당관 안호영 서기관이 별도로 접촉한 국무부 OES 의 BURKART 담당관및 군비통제처의 STERN 담당관은 IAEA PRESS RELEASE 에 열거된 "방사능 화학 연구소"는 너무 피상적으로 표현되어 있어 이것이 재처리 시설을 지칭하는 것인지, 아니면 다른 시설(방사능 동위원소 추출시설, PIE 등)인지 불분명하며, 또한북한이 연구용

미주국 안기부	장관 중계	차관	1차보	미주국	국기국	외정실	분석관	청와대

PAGE 1

92.05.06   07:31

외신 2과 통제관 BZ

0032

시설임을 강조하고 있어 미국이 재처리 시설로 의심하고 있는 시설을 포함시킨 것인지
여부는 불확실하다고 하면서, IAEA 로 부터 좀 더 정확한 정보를 입수해야 판단이
가능할 것이라는 반응을 보였음.

5. 북한의 최초 보고 내용에 대해 추가로 입수되는 정보가 있으면 당관에도참고로
회시바람. 끝.

(대사 현홍주-국장)

예고: 92.12.31. 일반

報 告 事 項

1992. 5. 6.
國 際 機 構 局
國際機構課(27)

題 目 : IAEA에 提出된 最初報告書 內容 分析 및 美國反應

1. 5.5. IAEA가 發表한 北韓內 核施設目錄(15개)

시 설 명	수량	규 모	소 재	비 고
연구용 원자로 및 임계시설	2기		영변핵물리학연구소	기사찰중
준임계시설	1기		평양 김일성대학	기존시설
핵연료봉제조 및 저장시설	1기		영 변	기존시설
핵발전 실험원자로	1기	5MW	영변 핵물리학연구소	기존시설
* 방사능 화학실험실	1기	.	영변 방사능 화학연구소	건설중
핵발전소	1기	50MW	영 변	건설중
핵발전소	1기	2백MW	평북 (태천)	건설중
발전용 원자로	3기	각 6백 35MW	(신포)	건설계획
우라늄광산	2개소		(순천등)	기 존
우라늄 정련,생산공장	2개소		(평산 , 박천)	기 존

※ 상기 시설중 '방사능화학 실험실'이 재처리시설로 의심받고 있는 시설일 수
   있다고 추정됨.

2. 科技處의 1次 分析內容

가. 北韓이 밝힌 새로운 施設

: 準 臨界施設, 건설중인 放射能 化學硏究所 및 계획중인 原子力發電所
  (635MW) 3기

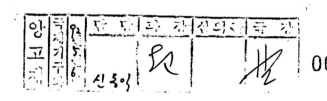

0034

나. 內容分析

ㅇ 건설중인 再處理用 放射能 化學研究所의 시설을 보고했으나, 大規模
施設의 前段階 研究施設(Pilot 규모)은 미신고된 상태임.

- 즉, 지난 5월초 美 카네기재단 일행 訪北時 北韓은 5MW 研究用
原子爐에서 소량의 플루토늄 생산을 인정했는데, 동 플루토늄
分離施設 에 대해서는 言及치 않았음.

ㅇ 김일성대학 準臨界施設은 소규모이나 核燃料로 농축우라늄이 必要한
바, 同 농축우라늄의 공급처가 不明確

3. 美國務部 反應 (5.5. Kartman 한국과장)

ㅇ 北韓側이 可能한 限 모든 核施設을 包含시키고자 노력한 흔적이 보이며,
일단 肯定的인 報告書일 可能性도 있음.

ㅇ '영변의 放射能 化學研究所'가 再處理施設을 가리키는 것인지를 확인할
필요가 있으므로, IAEA와 협조 北韓 最初報告書에 核 再處理施設이 包含
되었는지 여부를 조속 確認豫定

ㅇ 美側 公式論評은 동 報告書에 核再處理施設 포함여부를 확인후 있을 예정

4. 關聯措置事項 및 計劃

가. 北韓 最初報告書에 대한 外務部 當局者의 公式論評은 없이 言論機關에
우리立場 별첨내용과 같이 설명함.

나. Core Group (미, 일, 호주, 카나다) 및 關聯公館에 北韓의 最初報告書
內容과 상기 우리立場을 通報하고, 駐오스트리아大使에게는 最初 報告書
관련 追加情報 把握토록 指示

다. 最初報告書上에 再處理 疑惑施設 包含與否는 IAEA의 報告書 檢討結果와
臨時査察(5.25.부터 약 1주일) 실시결과를 본후 최종 判斷될 수 있을
것이므로, 동 結果에 따라 IAEA 6월 理事會 對策마련 推進計劃

첨부 : 상기 外務部 當局者 論評 1부. 끝.

0035

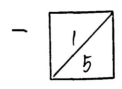

1992. 5. 6.
國際機構局
國際機構課(27)

報 告 事 項

報 告 畢

題 目 : IAEA에 提出된 北韓 最初報告書 內容 分析 및 美國反應

1. 5.5. IAEA가 發表한 北韓內 核施設目錄(16개)

보통문서로 재분류(1992. 6. 30)

시 설 명	수량	규 모	소 재	비 고
연구용 원자로 및 임계시설	2기		영변핵물리학연구소	기사찰중
준임계시설	1기		평양 김일성대학	기존시설
핵연료봉제조 및 저장시설	2기		영 변	기존시설
핵발전 실험원자로	1기	5MW	영변 핵물리학연구소	기존시설
* 방사능 화학실험실	1기		영변 방사능 화학연구소	건설중
핵발전소	1기	50MW	영 변	건설중
핵발전소	1기	2백MW	평북 (태천)	건설중
발전용 원자로	3기	각 6백 35MW	(신포)	건설계획
우라늄광산	2개소		(순천등)	기 존
우라늄 정련 생산공장	2개소		(평산, 박천)	기 존

※ 상기 시설중 '방사능화학 실험실'이 재처리지설로 의심받고 있는 시설일 수 있다고 추정됨.

2. 科技處의 1次 分析內容

가. 北韓이 밝힌 새로운 施設

: 準 臨界施設, 건설중인 放射能 化學硏究所 및 계획중인 原子力發電所 (635MW) 3기

0036

나. 內容分析

    ㅇ 건설중인 再處理用 放射能 化學硏究所의 시설을 보고했으나, 大規模 施設로 간주되는 同 化學硏究所의 前段階 硏究施設(Pilot 규모)은 미신고된 상태임.

    ※ 安企部의 非公式 評價는 상기 放射能 化學硏究所가 核再處理 施設을 말하는 것이라 함.

    ㅇ 김일성대학 準臨界施設은 소규모이나 核燃料로 농축우라늄이 必要한 바, 同 농축우라늄의 공급처가 不明確

3. 美國務部 反應 (5.5. Kartman 한국과장)

    ㅇ 北韓側이 可能한 限 모든 核施設을 包含시키고자 노력한 흔적이 보이며, 일단 肯定的인 報告書일 可能性도 있음.

    ㅇ '영변의 放射能 化學硏究所'가 再處理施設을 가리키는 것인지를 확인할 필요가 있으므로, IAEA와 협조 北韓 最初報告書에 核 再處理施設이 包含되었는지 여부를 조속 確認豫定

    ㅇ 美側은 동 報告書에 核再處理施設 包含여부를 확인후 公式 論評할 예정

4. 關聯措置事項 및 計劃

    가. 北韓 最初報告書에 대한 外務部 當局者의 公式論評은 없이 言論機關에 우리立場을 별첨내용과 같이 설명함.

    나. Core Group (미, 일, 호주, 카나다) 및 關聯公館에 北韓의 最初報告書 內容과 상기 우리立場을 通報하고, 駐오스트리아大使에게는 最初 報告書 관련 追加情報 把握토록 指示

    다. 最初報告書上에 再處理 疑惑施設 包含與否는 IAEA의 報告書 檢討結果와 臨時査察(5.25.부터 약 1주일) 실시결과를 본후 최종 判斷될 수 있을 것이므로, 동 結果에 따라 IAEA 6월 理事會 對策마련 推進計劃

첨부 : 상기 外務部 當局者 說明要旨 1부. 끝.

예고 : 92.6.30. 일반.

북한의 최초보고서 제출에 대한 외무부 당국자 설명요지

92. 5. 6.

1. 우리정부는 국제원자력기구(IAEA) 사무국이 5월 5일에 발표한 바와 같이 북한이 지난 4월 10일 IAEA와 체결한 핵안전조치 협정에 따라 자국이 보유하고 있는 핵물질에 관한 최초보고서를 5월 4일 IAEA에 제출한 것을 다행스럽게 생각한다.

2. 우리는 북한이 제출한 최초보고서가 북한이 보유하고 있는 모든 핵물질과 시설에 관한 정보를 성실히 신고한 것이었기를 기대하며 이에 관한 IAEA의 조속한 (임시) 사찰과 철저한 분석을 통하여 국제사회의 북한에 대한 핵무기 개발 우려가 해소되기를 바란다.

3. 한편 IAEA 사무총장 Blix가 북한의 초청을 수락하여 오는 5.11-16. 방북할 예정인 바, 우리정부는 Blix 사무총장의 방북이 IAEA의 사찰 성격을 갖는 것은 아니라는 것에 유의하면서 북한에게 국제사회의 관심과 분위기를 적의 전달할 수 있는 계기가 되기를 기대한다.

0038

미 카네기재단 방북결과 기자회견 내용

- '92. 5. 5. UPI 북경발 -

《 내 용 》

o 북 원자력공업부 대변인 최정순에 따르면,
  - 1986년 영변소재 5MW 원자로 완공이래 제한된 양의 사용후 핵연료에서 Pu 생산을 시인
  - 상업용 원자력기술개발에 필수적인 핵주기 개발을 목적으로 영변소재 연구실에서 U/Pu 분리실험 수행
  - Pu의 구체적인 양에 대하여는 미언급

o 북 외교부장 김영남에 따르면,
  - 북 소재 모든 원자력시설에 IAEA 사찰판 접근 허용
  - 의심을 받고 있는 영변의 재처리시설도 포함될 것임을 시사
  - 미국과의 정치·경제적 관계 조기 정상화를 위해 북 원자력 프로그램에 대한 두려움을 제거하는데 협력할 준비가 되어있음을 시사

o 미 카네기 재단 일행의 영변 원자력시설 방문 거부
  - IAEA가 최초로 동시설을 방문할 것임을 시사

o IAEA가 확인하여야 할 사항 제시
  - 5MW 원자로로 부터 생산된 사용후핵연료의 량 및 추출된 Pu량
  - 영변소재 연구실의 수행활동

0039

〈대 응〉

o 외무부협조요청

 - 미국 카네기재단의 방북인사 접촉
   · 방북시 관련인사 면담 보고서를 입수하고 육하원칙에 접촉상황을 확인하여
     정치적 배경 및 기술적 사실 여부 확인
   · Pu 추출 등 기술적 내용에 대한 미측입장 청취

 - IAEA 사무총장 및 안전조치 책임자 접촉
   · 사무총장이 방북하기 전에 상기 내용에 대한 의심을 전달하여 방북시 사실
     확인 조치가 필요함을 요청 함.

o 과기처 조치

 - 북의 IAEA 신고내용과 Pu 추출과의 기술적 연계성 분석

 - 외무부와 긴밀협조로 기술적 논증자료 작성

0040

공　　　란

공   란

May 1992
PR 92/24
FOR IMMEDIATE RELEASE

INTERNATIONAL ATOMIC ENERGY AGENCY

WAGRAMERSTRASSE 5, P.O. BOX 100, A-1400 VIENNA, AUSTRIA,
TELEPHONE: 1 2360, TELEX: 1-12645, CABLE: INATOM VIENNA,
TELEFAX: 431 234564

PRESS RELEASE FOR USE OF INFORMATION MEDIA • NOT AN OFFICIAL RECORD

DEMOCRATIC PEOPLE'S REPUBLIC OF KOREA (DPRK) SUBMITS INITIAL REPORT
TO IAEA UNDER COMPREHENSIVE SAFEGUARDS AGREEMENT IN CONNECTION
WITH THE NON-PROLIFERATION TREATY

Following the entry into force on 10 April of the Safeguards Agreement between
the DPRK and the International Atomic Energy Agency (IAEA) signed on 30
January, 1992, the Initial Report on nuclear material and design information
on nuclear facilities in the DPRK was handed over to the Director General of
the IAEA, Dr. Hans Blix, on 4 May.

In addition to the facilities that were already under IAEA safeguards (a
research reactor and a critical facility of the Institute of Nuclear Physics)
the list includes the following facilities: a sub-critical facility of the Kim
Il Sung University in Pyongyang; a nuclear fuel rod fabrication plant and
storage in Nyongbyon; an experimental nuclear power reactor (5 MW) of the
Institute of Nuclear Physics in Nyongbyon; and a radiochemical laboratory of
the Institute of Radiochemistry under construction in Nyongbyon and declared
to be designed for research on the separation of uranium and plutonium and
waste management and for the training of technicians.

In addition, a nuclear power plant of 50 MW under construction in
Nyongbyon and one of 200 MW under construction in the North Pyongan Province
are reported, and three reactors (635 MW each) for a nuclear power plant are
being planned. Furthermore, two uranium mines and two plants for the
production of uranium concentrate are listed.

The first IAEA inspection visit under the new comprehensive Safeguards
Agreement in the DPRK is expected to take place before mid-June 1992, when the
IAEA Board of Governors next meets.

The Director General of the IAEA will pay an official visit to the DPRK
in the week of 11-16 May while travelling in the Far East.

0043

.vORKOR-NUCLEAR 5-5
    NORTH KOREA ADMITS MAKING PLUTONIUM, DENIES WEAPONS USE
    BY DAVID R. SCHWEISBERG
    BEIJING (UPI) -- NORTH KOREA HAS ADMITTED PRODUCING SMALL AMOUNTS
OF A KEY NUCLEAR WEAPONS MATERIAL AT ITS CONTROVERSIAL YONGBYON
NUCLEAR FACILITY, BUT SAID IT WAS FOR ROUTINE CIVILIAN EXPERIMENTS,
A GROUP OF AMERICAN ACADEMICS REPORTED TUESDAY.
    THE NORTH KOREANS, IN MEETINGS DURING THE PAST WEEK, AGAIN DENIED
CHARGES THEY ARE OPERATING A PLANT TO REPROCESS SPENT FUEL FROM
NUCLEAR REACTORS TO EXTRACT THE MATERIAL, PLUTONIUM, IN SUFFICIENT
QUANTITY TO MANUFACTURE NUCLEAR WEAPONS, THE GROUP SAID.
    THE DISCLOSURES WERE REPORTED BY THREE EXPERTS ON ASIAN AND
NUCLEAR ISSUES FROM THE CARNEGIE ENDOWMENT FOR INTERNATIONAL PEACE,
A DAY AFTER THEY ENDED A WEEKLONG TRIP TO NORTH KOREA DURING WHICH
THEY MET WITH SENIOR GOVERNMENT OFFICIALS.
    THE GROUP ISSUED ITS FINDINGS IN A REPORT MADE AVAILABLE TO
WESTERN NEWS AGENCIES IN BEIJING.
    THE ACADEMICS INCLUDED ASIAN AFFAIRS EXPERT SELIG S. HARRISON,
LEONARD S. SPECTOR, FORMER CHIEF COUNSEL TO A U.S. SENATE
SUBCOMMITTEE ON NUCLEAR AFFAIRS, AND JAMES F. LEONARD, DIRECTOR OF
THE WASHINGTON COUNCIL ON NON-PROLIFERATION.
    THE U.S. CENTRAL INTELLIGENCE AGENCY HAS ASSERTED NORTH KOREA'S
FACILITY AT YONGBYON NEAR THE CAPITAL, PYONGYANG, HAS A REPROCESSING
PLANT PRODUCING SIGNIFICANT AMOUNTS OF PLUTONIUM, A KEY MATERIAL IN
NUCLEAR WEAPONS AND SOME CIVILIAN NUCLEAR PROGRAMS.
    AFTER A LENGTHY CONTROVERSY, NORTH KOREA HAS AGREED TO INSPECTION
OF ITS NUCLEAR FACILITIES BY THE INTERNATIONAL ATOMIC ENERGY AGENCY.
BUT SUSPICIONS REMAIN ABOUT PYONGYANG'S INTENTIONS.
    THE GROUP'S REPORT QUOTED CHOE JONG SUN, SPOKESMAN FOR NORTH
KOREA'S MINISTRY OF ATOMIC ENERGY INDUSTRY, AS SAYING THE 5-MEGAWATT
REACTOR AT YONGBYON HAD PRODUCED +ONLY A VERY LIMITED QUANTITY OF
PLUTONIUM-BEARING SPENT FUEL+ SINCE ITS COMPLETION IN 1986.
    MORE
CCCCQQE
=05050747
NNNN

    CHOE SAID SCIENTISTS WERE CONDUCTING REPROCESSING EXPERIMENTS AT
A LABORATORY AT YONGBYON, ACKNOWLEDGING THEY PRODUCED +A LITTLE BIT
OF PLUTONIUM FOR EXPERIMENTAL PURPOSES.+ HE REFUSED TO SPECIFY THE
AMOUNT, SAYING ONLY IT WAS +NEXT TO NOTHING.+
    THE RESEARCH, CHOE SAID, WAS AIMED AT EXPLORING THE NUCLEAR FUEL
CYCLE, NECESSARY FOR CIVILIAN NUCLEAR ENERGY PROGRAMS.
    BUT THE GROUP'S REPORT WARNED THE IAEA WILL NEED TO DETERMINE HOW
MUCH SPENT FUEL THE YONGBYON REACTOR HAS ACTUALLY PRODUCED, VERIFY
THE LABORATORY ACTIVITIES AND +ESTABLISH THE AMOUNT OF PLUTONIUM
INVOLVED.+
    THE REPORT SAID NORTH KOREAN OFFICIALS, INCLUDING FOREIGN
MINISTER KIM YONG NAM, HAD GIVEN +THE MOST EXPLICIT PUBLIC
ASSURANCES+ SO FAR THAT IAEA INSPECTORS WILL HAVE ACCESS TO ANY AND
ALL FACILITIES, INCLUDING THE SUSPECTED REPROCESSING PLANT.
    IT SAID NORTH KOREAN OFFICIALS +APPEARED READY TO COOPERATE+ IN
ALLAYING FEARS OVER THEIR NUCLEAR PROGRAM IN THE HOPE THAT RESOLVING
THE DISPUTE +WOULD PAVE THE WAY FOR THE EARLY NORMALIZATION OF
POLITICAL AND ECONOMIC RELATIONS WITH THE UNITED STATES.+
    HOWEVER, THE OFFICIALS DENIED THE GROUP'S REQUEST TO VISIT
YONGBYON, SAYING IAEA INSPECTORS SHOULD DO SO FIRST.
    THE GROUP ALSO QUOTED NORTH KOREAN OFFICIALS AS SAYING THEY WOULD
BE WILLING TO OBSERVE THE GUIDELINES OF THE MISSILE TECHNOLOGY
CONTROL REGIME, AN INTERNATIONAL AGREEMENT ON RESTRICTING THE SALES
OF CONVENTIONAL MISSILES.
    NORTH KOREA IS SUSPECTED AS A KEY SOURCE OF MISSILE SALES TO A
NUMBER OF COUNTRIES, INCLUDING FLASHPOINT MIDDLE EAST NATIONS.
    UPI
CCCCQQE

0044

北韓, IAEA에 核시설에 대한 추가적내용공개

(빈 로이터.AFP=聯合) 北韓은 4일 북한내 핵시설에 대한 예상보다 상세한 내용을 담은 보고서를 국제원자력기구(IAEA)에 제출, 지금까지 알려지지 않았던 12개소의 핵시설 존재사실을 공개했다고 IAEA가 5일 밝혔다.

북한은 지난 4월 핵안전협정에 서명한데 따른 의무적인 조치로 지난 4일 IAEA에 북한내 核시설 상황에 대한 1차보고서를 제출했는데 북한측은 당초 이 보고서에 영변의 5천KW용량의 실험용원자로 및 인근에 건설중인 각각 5만KW 및 20만KW 용량의 발전소 등 3개 핵시설에 대한 사항을 넣을 것이라고 밝혔었다.

그러나 IAEA 관리들은 이 보고서에는 핵에너지궁장 1개소, 63만5천KW급 발전용원자로의 3基 추가건설계획, 2개소의 우라늄광산 및 1개소의 처리시설등의 보유현황을 포함한 추가적인 세부사항을 포함하고 있다고 말했다.

IAEA의 한 대변인은 "그들은 우라늄광산에 관한 정보 등 우리에게 공개해야 할 것보다 훨씬 많은 내용을 우리에게 전달했다"며 "북한이 매우 협조적"이라고 평가했다.

북한측의 보고서에 어떤 놀랄만한 내용이 포함돼 있느냐는 질문에 이 대변인은 "아직 검토해 보지 않았다"고만 답변했다.

北韓 인민최고회의는 수년동안 지연시켜온 끝에 지난 4월 9일 核안전협정에 비준했는데 IAEA 규정에 따르면 核안전협정 서명국은 비준후 30일 이내로 自國내 핵시설목록을 IAEA에 제출하도록 돼 있다.

한편 한스 블릭스 IAEA사무국장은 오는 11일에서 16일까지 북한을 방문할 예정인데 IAEA 관리들은 이번 방문이 공식적 사찰목적이 아니라 북한측의 초청에 따라 이뤄지는 것이라는 점을 강조했다.

그러나 제네바주재 북한 관리들은 블릭스 국장 및 그의 수행대표단은 그들이 선택하는 어느 곳이든 방문할 수 있을 것이라고 밝혔다. (끝)

(YONHAP) 920506 0351 KST

분류번호	보존기간

발 신 전 보

번   호 : _____   종별 : 지급

수   신 : 주   미   대사. 총영사 ♣♣♣♣   <del>사본</del> 주일본, 호주, 카나다, ~~~~
        (국기)   유엔, 북경, 러시아대사.
                    (사본 : 주 인도네시아~~)

발   신 : 장관

제   목 : 북한의 최초 보고서내용 확인

<del>연 : WUS-2136</del>

1. 주비엔나 북한대표부 윤호진 참사관이 5.4(월) 10:15 Blix
사무총장을 면담, 핵물질에 대한 최초 보고서(initial report)와 관련 시설
목록을 제출하였고, 한데이어 5.5(화) IAEA 사무국은 북한의 최초보고서 내용에
대해 별첨과 같이 press release를 발표하였음.

2. 최초보고서에 포함된 시설정보중 방사능화학실험실 및 핵연료봉
제조 및 저장시설이 새로운 것으로 보이는 바, 동 보고서에 대한 우리의 *해 평가 한 수 있는 것으로 봄.*
<del>검토의견을 추후 통보예정임.</del> *씨, 보다구체적인 내용이라 아이어야안*

3. <del>또한</del> 본부는 북한의 금번 최초보고서 내용에 대하여는 공식논평
하지 않으며 우리측 반응에 대한 문의감 (있을시) 현재로서는 별첨과 같이
설명하고 있음을 참고바람.

첨   부 : 상기 Press release 및 당국자 논평 2매. 끝.

(국제기구국장   김재섭)

예고 : 1992.6.30. 일반.

보안 통제	

앙 고 재	92년5월6일	기 구 과	기안자 성명		과장	심의관	국장		차관	장관	
			신용인								외신과통제

0047

WJA -2018   WAU -0399
WCN -0469   WUN -1042
WCP -1072   WRF -1293
WAV -0662

WUS-2148   920506 1923   DW

관리
번호 72-421

외　무　부

원　본

종　별 : 지 급

번　호 : JAW-2637

일　시 : 92 0506 2300

수　신 : 장 관(국기,미이,아일,정북) 사본:주오지리대사 중계필

발　신 : 주 일 대사(일정)

제　목 : 북한 핵문제

　　작 5.5 IAEA 가 북한이 IAEA 에 제출한 최초보고서에 포함된 핵시설 리스트를 공표한 것과 관련, 금 5.6(수) 당관 김영소 정무과장이 외무성원자력과 오까무라 수석사무관(과장은 독일출장중)에게 일측 반응을 타진한바, 동인의 언급내용 아래 보고함.

　　1. 최초 보고서 제출시기 관련

　　0 당초 일측은 북한이 5월중순이후에 최초보고서를 제출할 것으로 예상하였으며, 포함대상도 북한측이 4월에 밝힌 3개의 원자로(5개의 원자로중 IAEA 사찰을 받고 있는 2개 원자로 제외) 정도일 것으로 예상하였음.

　　0 이와같은 북측이 예상보다 훨씬빨리 16개에 달하는 시설을 보고한것은 (1) 5.11-16 간 예정된 IAEA BLIX 사무총장의 방북에 앞서 보고서를 제출함으로써 북한측이 최선을 다하고 있음을 과시하는 한편, BLIX 사무총장의 방북을 선전재료로 이용하고자 하는점 (2) 5.13-14 간 예정된 제 7 차 일.북수교교섭시, '북한이 이미 최초보고서를 제출하여 핵사찰을 성실히 받을 준비를 하고 있다'고 하면서 핵문제가 해결되고 있다는점을 일측에 강조하고자 하는 것으로 풀이됨.

　　2. 보고서에 포함된 시설관련

　　0 북한측은 핵연료연구와 관련, 4.14 최정순 원자력부 외사국장이 '핵연료 재처리 시설은 갖고 있지도, 개발을 계획하고 있지도 않으나 핵연료사이클 연구를 위한 연구활동은 하고 있다'고 밝혔으나, 금번 보고서에 '핵연료로 부터 플루토늄을 분리하기 위한 핵연료사이클 연구시설을 영변에 건설중'이라고 보고한 점이 눈에 띰. 그러나, 건설중인 동시설이 핵연료재처리 시설인지는 알수없으며, 6 월경 실시예정인 IAEA 임시사찰 실시로 판명이 나게 될것임.

　　0 북한이 핵연료 사이클을 연구하거나, 연구시설을 건설중이라는바, 북한이남.

국기국	장관	차관	1차보	아주국	미주국	외정실	분석관	정와대
안기부	중계							

92.05.07　　00:39
외신 2과 통제관 DV

0048

북간에 합의한 비핵화 공동선언에 의거 핵재처리시설과 우라늄 농축시설을보유하지 않기로 해놓고 무엇때문에 연구를 하고 있는 지 의문이며 북한측의 주장은 앞뒤가 안맞음.

0 또한 일측이 갖고 있는 정보로는 영변에 핵재처리 시설로 보이는 상당이 커다란 콘크리트 시설이 있는 것으로 되어 있는데, 연구를 위해 그와같이 커다란시설이 필요한지도 의문임.

0 (미국 카네기 평화재단 방문단이 방북후 북경에서 '북한당국자가 동방문단 방북시 실험용으로서 소량의 플루토늄을 추출했음을 확인했다'고 밝혔다는 보도에 대해 문의한바) 동 보도대로라면 북한이 재처리를 인정한 것인바, 금번 최초보고서에 플루토늄 추출에 대해 언급치 않은 점도 이상함. 끝

  (대사 오재희-국장)

  예고:92.12.31. 일반

공   란

공 란

공   란

관리
번호 92-423

외 무 부

종 별 :

번 호 : AVW-0765   일 시 : 92 0506 2030

수 신 : 장 관(국기,미이,정특) 사본:주미대사-중계필

발 신 : 주 오스트리아 대사

제 목 : 북한 핵문제 핵심 우방국 협의

연:AVW-0748,0747

     본직은 금 5.6(수) 11:30-12:20 VIC 회의장에서 본직 주재로 북한의 최초 보고서
및 설계정보 제출과 관련 연호(0748) 핵심 우방국과의 협의회를 가졌는바(미국,일본,
영국, 카나다, 호주대사및 관계관 12 명 참석), 특기사항을 하기 보고함.

     1. 본직은 회의 소집 취지와 북한의 최초보고서 및 설계정보 제출과
관련한연호(0747) IAEA 관계관의 예비적 비공식 평가, 임시 사찰계획, 남북한
상호사찰협상 경과를 설명하였으며, 앞으로도 북한 핵문제대처와 관련한 정보교환및
공동 전략협의를 위해 필요시 수시로 이러한 모임을 갖는것이 바람직하다는
의견을 제시했음.

     2.(북한의 보고서 제출과 관련 IAEA 측이 발표한 북한의 핵시설 LIST 에 대한
각국의 예비적 평가내지 의견 개진을 요청한데 대해) 미국측은 아직 본국 정부로 부터
이에대한 검토결과를 통보받지는 않았으나 사적인 견해임을 전제로 미국측으로서
포함되어야 할것으로 기대하던 시설들이 대체로 포함된 것같은 인상을 받았다는
조심스러운 긍정적 반응을 보였음.

     3. 또한 미국및 영국은 IAEA 의 사찰에 의하여 북한의 핵 시설중 재처리 시설의
가능성이 탐지 되더라도 이를 제거하는 문제는 본질적으로 남북한간 합의에입각하여
양자 차원에서 다루어져야 할것이며, 이러한 관점에서 앞으로 실시될IAEA 차원의
사찰과 병행하여 남북한 상호 사찰의 실현을 중시하고 있다고 부연하였음.

     4.6 월 이사회 대책과 관련 북한 핵문제를 별도의제 또는 안전조치와 관련된
의제하의 SUB-ITEM 으로 포함시켜 이를 논의토록 하는것이 바람직하다는 견해가 한국,
미국, 호주등에 의해 개진되었으나, 북한의 핵사찰문제가 예정대로 순조롭게 진행될
경우 사찰과정이 진행중이며 북한을 자극하지 않는게 좋다는 이유로 다른 주요 의제가

국기국   장관   차관   1차보   미주국   외정실   분석관   청와대   안기부
중계

PAGE 1   92.05.07   08:46

                                                                외신 2과 통제관 BZ

                                                                0053

많은 6 월 이사회에서는 의제로 상정하지 않는것이 바람직하다는 사무국측이나 이사국 일부의 움직임도 충분히 있을수 있으므로 앞으로 이에 대비할 필요가 있다는 점에 의견을 같이함.

5. 이와 관련 일반적으로는 임시 또는 일반 사찰의 결과는 핵안전 조치 협정 위반 사례가 발견되지 않는한 사무총장이 개별적으로 상세한 내용을 이사회에보고하지 않고 SIR(SAFEGUARDS IMPLEMENTATION REPORT) 형태로 종합적 서면 보고를 년 1 회 이사회에 제출하는 것이 상례이나 북한의 핵문제에 관한한 사무총장이 2 월 이사회의 결정에 따라 그 이후의 진전사항(비준, 최초보고서및 설계 정보 제출, 임시사찰 실시 사실, 사무총장의 일반적 평가등)을 보고할 의무가 있을것으로 본다는 점에 견해를 같이함.

6. 앞으로 필요시 수시로 금일과 같은 핵심 우방국 회의를 한국이 소집하여필요한 정보교환과 6 월 이사회 대책을 협의하기로 합의하였음. 끝.

(대사 이시영-장 관)

예고:92.6.30 일반.

발 신 전 보

번 호 : WUS-2163   920507 0935 WG   종별 :

수 신 : 주   미   대사. 총영사 (사본 : 주오쓰트리아대사)
             (국기)

발 신 : 장 관

제 목 : 북한의 플루토늄 생산

연 : WUS - 2162

1. 연호 5.5자 UPI 보도내용 관련 카네기 재단 방북팀(S. Harrison 연구원등)의 귀지 귀임시 동인들을 접촉, 표제문제에 대한 북한측의 정확한 발언 내용과 이에대한 평가를 청취후 보고바람.

2. 이와관련 적절한 기회에 상기 보도내용에 대한 미국무부의 평가도 문의후 보고바람. 끝.

(국제기구국장   김재섭)

예고 : 92.6.30. 일반

북미2과장:

		기안자 성명	과장	심의관	국장	차관	장관	
앙고재	92년5월7일 국제기구과	신종억						

보안통제

외신과통제

0055

외　무　부

종　별 :

번　호 : USW-2307　　　　　　　　　　일　시 : 92 0506 1900

수　신 : 장 관(미이,미일,정특,국기,기정) 사본:국방부장관

발　신 : 주 미 대사

제　목 : 북한 핵 리스트 논평

1. 국무부는 북한이 IAEA 에 최초 보고서를 제출한 것과 관련 하기 요지의 PRESS GUIDANCE 을 준비하였다고 알려왔음.

가. (질문)

- 북한이 제출한 보고서의 내용은 ?

(답변)

- 그 내용은 공개하지 않았으나, IAEA 에 의하면 그 내용이 방대 (EXTENSIVE) 하다고 하는바, 우리는 이를 환영 (WELCOME) 하며, 동 보고서 제출이 조속히 이루어진 것도 바람직 (ENCOURAGING)한 것임.

나. (질문)

- 북한 보고서에는 재처리 시설도 포함되어 있는지 ?

(답변)

- 북한 보고서의 성실성을 확인하는데는 상당히 시간이 소요되고 몇차례의 사찰이 필요할 것으로 봄.

- 북한이 '방사능 화학연구소'라고 제출한 것이 재처리 시설일 수도 있으나, 발표된 내용만으로는 불명확 (INADEQUATE) 함.

다. (질문)

- 목적이 무엇이던 사용된 핵연료에서 플루토니움을 추출하는 것은 재처리임. IAEA 가 금번 사찰을 통해 이를 확인해야 할 것임.

- 남.북한은 91.12. 비핵화 공동선언을 통해서 재처리를 포기한바, 남.북한간에 협의중인 사찰제도를 가능한대로 철저 (COMPREHENSIVE) 하게하는 것이 매우 중요함.

라. (질문)

- 첫번째 사찰은 언제 실시되는지 ?

미주국	1차보	미주국	국기국	의정실	분석관	청와대	안기부	국방부

(답변)

- IAEA 사무국은 6월 이사회전에 최초 사찰이 실시될 것이라고 하였음.

- BLIX 사무총장도 내주중 북한을 방문할것이나, 이는 사찰이 아님을 분명히
해야함.

2. 상기 PRESS GUIDANCE 별도 FAX 송부함.끝.

첨부: USW(F)-2846.

(대사 현홍주-국장)

주 미 대 사 관

USW(F) : 2846　　년월일 : 92.5.6. 시간 : 19:00

수　신 : 장　관 (머1, 머1닌, 280복, 3이, 기라)

발　신 : 주미대사 　　　　(사반, 3198복, 정보)

제　목 : 청부물 (USW-2846-1)

보통 / 안제

(출처 : DOS)

2846 - 3 - 1

외신 1과 통제

0058

NORTH KOREA: PROVIDES SAFEGUARDS DATA TO IAEA

Q: WHAT INFORMATION DID THE DPRK PROVIDE TO THE IAEA?

A: -- ACCORDING TO THE IAEA'S PRESS RELEASE, THE DPRK HAS
SUBMITTED ITS INITIAL INVENTORY AND THE DESIGN INFORMATION.

-- ALTHOUGH THE DETAILS OF THE INFORMATION PROVIDED,
BEYOND THAT CONTAINED IN THE IAEA PRESS RELEASE, ARE HELD

IN CONFIDENCE BY THE AGENCY, IAEA'S PRESS RELEASE
INDICATED IT HAD RECEIVED AN EXTENSIVE INITITAL REPORT,
WHICH WE OF COURSE WELCOME. THE PROMPTNESS OF THIS REPORT
IS ALSO ENCOURAGING.

-- UNDER THE TERMS OF ITS SAFEGUARDS AGREEMENT, THE DPRK
IS REQUIRED TO PROVIDE TO THE IAEA BY MAY 30 A COMPLETE
INVENTORY OF ALL NUCLEAR MATERIAL IN ALL OF ITS NUCLEAR
ACTIVITIES, ALONG WITH A LIST OF THE FACILITIES CONTAINING
NUCLEAR MATERIAL.

-- THE DPRK IS ALSO REQUIRED TO PROVIDE DESIGN INFORMATION
ON ALL EXISTING FACILITIES SO THAT ARRANGEMENTS FOR
SAFEGUARDING THE FACILITIES CAN BE FINALIZED BY JULY 9.
DESIGN INFORMATION ON NEW FACILITIES IS REQUIRED AS EARLY
AS POSSIBLE BEFORE THE INTRODUCTION OF NUCLEAR MATERIAL.

Q: DID THE LIST NORTH KOREA PROVIDED INCLUDE ALL SITES?
IN PARTICULAR, DID IT INCLUDE THE REPROCESSING PLANT?

A: -- THE COMPLETENESS OF THE LIST PROVIDED TO THE IAEA
WILL BE FOR THE IAEA TO DETERMINE. BECAUSE NORTH KOREAN
FACILITIES HAVE BEEN OPERATING WITHOUT SAFEGUARDS FOR
SEVERAL YEARS, THIS WILL BE A DIFFICULT TASK.

-- WE HOPE NORTH KOREA WILL COOPERATE FULLY WITH IAEA
EFFORTS TO VERIFY THE DECLARATION'S COMPLETENESS. THIS
WILL LIKELY TAKE SOME TIME AND SEVERAL INSPECTION VISITS.

-- IT IS POSSIBLE THAT WHAT THE DPRK DESCRIBES AS A
"RADIOCHEMICAL LABORATORY" IS WHAT HAS BEEN IDENTIFIED AS
A LIKELY REPROCESSING PLANT, ALTHOUGH THE NORTH KOREAN
DESCRIPTION WOULD SEEM TO BE AT BEST AN INADEQUATE
CHARACTERIZATION OF THE FACILITY.

Q: CAN YOU COMMENT ON THE REPORTS OF PLUTONIUM
PRODUCTION? ARE THERE ANY RESTRICTIONS ON REPROCESSING
ACTIVITIES IN THE DPRK?

A: -- WE KNOW ONLY THAT A NORTH KOREAN OFFICIAL HAS STATED
THAT A VERY SMALL QUANTITY OF PLUTONIUM HAS BEEN
SEPARATED. PROCESSING OF SPENT FUEL TO RECOVER PLUTONIUM
IS REPROCESSING, REGARDLESS OF ITS PURPOSE. IT WILL BE
IMPORTANT THAT IAEA IN ITS UPCOMING INSPECTIONS, DETERMINE
THE QUANTITY OF THE PLUTONIUM PRODUCTION AND ANY
CONTINUING CAPABILITY FOR SEPARATING PLUTONIUM.

-- REPROCESSING IS PRECLUDED BY THE NON-NUCLEAR

2846-3-2

0059

DECLARATION OF DECEMBER 31, 1991 BETWEEN NORTH AND SOUTH
KOREA. IT WILL THUS BE EXTREMELY IMPORTANT THAT THE
BILATERAL INSPECTION REGIME BEING NEGOTIATED BETWEEN THE
NORTH AND SOUTH BE AS COMPREHENSIVE AS POSSIBLE.

Q: WHEN IS THE FIRST INSPECTION?

A: -- THE IAEA SECRETARIAT HAS SAID THAT THE FIRST
INSPECTION WILL TAKE PLACE BEFORE THE NEXT IAEA BOARD OF
GOVERNORS MEETING IN MID-JUNE.

-- WE LOOK FORWARD TO THE DIRECTOR GENERAL'S REPORT OF
PROGRESS ON IMPLEMENTATION AT THAT BOARD MEETING.

-- THE DIRECTOR GENERAL WILL ALSO BE VISITING NORTH KOREA
NEXT WEEK. HOWEVER, THAT VISIT IS NOT/NOT AND SHOULD NOT
BE CHARACTERIZED AS AN INSPECTION AND CANNOT BE EXPECTED
TO CLARIFY THE TECHNICAL ASPECTS OF DPRK COMPLIANCE WITH
ITS SAFEGUARDS OBLIGATIONS.

END TEXT. YY

외 무 부

종 별 :

번 호 : USW-2309 　　　　　　　　　 일 시 : 92 0506 1902

수 신 : 장 관 (미이,미일,정특,국기,기정) 사본: 국방부장관

발 신 : 주 미 대사 　　　　　　 WAV-0677

제 목 : 북한 핵관계 보고서

연: USW-702

1. 당지 CARNEGIE ENDOWMENT 의 SELIG HARRISON 등으로 구성된 연호 시찰단은 4.28-5.4 간 북한 방문을 마치고 북한 핵문제를 중심으로한 1차 보고서(PRELIMINARY REPORT)를 제출한바, 그 요지는 아래와 같음.

가. 면담인사: 김영남 외교부장, 김용순 당국제부장, 권정용 육군참모차장,최정순 원자력 에너지부 국제국장, 최우진 대사, 김형우 당국제부 차장

나. 일반적 인상: 북한은 국제관계 개선을 위해 핵문제에 협력하려는 자세를 보였음.

다. 핵재처리 시설:

- 핵재처리 시설의 존재를 부인하면서, 다른 한편 김영남, 최정순, 김용순등은 북한은 IAEA 사찰관들에게 영변내의 모든 시설에 대한 사찰을 허용하겠다고하였음.

- 또한 최정순은 5 메가와트 원자로에 사용하였던 연료봉으로 부터 극히 소량(NEXT-TO-NOTHING)의 플로토늄을 추출하였음을 밝혔음.

라. 5 메가와트(제2 원자로) 운영현황:

- 최정순은 5 메가와트 원자로는 1986 년 부터 가동하였으나, 여러가지 기술적 문제로 그 작동이 부진하였다고 하면서, 따라서 최초에 장입한 연료봉을 그대로 사용중이며, 소수의 불량(DEFECTIVE) 연소봉만이 새연료봉으로 교체되었다고 하였음.

마. 미사일 수출:

- 김영남은 중동에 대한 미사일 수출 사실을 부인하면서, 북한이 MTCR 에 가입할 의사가 있음을 시사하였음.

- 권정용 중장은 또한 북한이 MTCR 기준치에 근접한 미사일을 보유하고 있다는 사실을 부인하였음.

미주국 종리실	장관 안기부	차관 국방부	1차보	미주국	국기국	외정실	분석관	청와대

2. 북한이 5 메가와트 원자로에 아직도 최초로 장입한 연료봉을 그대로 사용중이라고 주장한 것과 관련, 당관 안호영 서기관은 국무부 KENNEDY 대사실 SAMORE 보좌관및 군비통제처 STERN 담당관과 협의한바, 동인들 반응은 하기와 같음.

- 북한이 5 메가와트 원자로를 자체 기술로 개발, 운영하여 왔음에 비추어, 많은 기술적 문제에 직면하였을 것은 쉽게 짐작할수 있고, 몇년간에 걸쳐 동일한 연료봉을 사용한다는 것도 기술적으로는 가능한 것임.

- 그러나 북한의 경우에는 사용된 연료의 양을 적게 보고하려고 노력할 것이라는 점이 강하게 의심되므로 이러한 북한의 발언도 금후 IAEA 사찰등을 통해 신중히 검토해 나가야 할 것임.

3. 상기 CARNEGIE ENDOWMENT 보고서를 FAX 송부하며, 내주초 HARRISON 등 방북하였던 인사들과 추가 접촉, 보고 위계인바, 본부에서 특히 관심있는 사항이있으면 회시바람. 끝.

첨부:USW(F)-2847.

(대사 현홍주-국장)

예고: 92.12.31. 일반

주 미 대 사 관

기
(오라리)

USF(F) : 2847   년월일 : 92. 5. 6. 시간 : 19:02

수 신 : 장 관 (미이, 미노, 구양록, 국기, 기정)

발 신 : 주미대사

(사본 : 국방부 장관)

제 목 : 첨부물

보 통	안 제

(출처 :   )

(2847 - 7 - 1)

외신 1과	
동 제	

0063

공   란

공   란

공　　　　　란

공   란

공   란

공   란

主要外信隨時報告

外務部 情報狀況室
受信日時　92. 5. 7. 09:40

美, 북한 플루토늄 생산에 주목

　　(워싱턴=聯合) 박정찬특파원=美국무부는 6일 북한이 극소량의 플루토늄을 분리했다고 밝힌데 대해 "그 용도에 관계없이 핵폐기물로 플루토늄을 생산하는 것은 재처리"라고 말하고 "앞으로 핵사찰시 IAEA(국제원자력기구)가 플루토늄 생산량과 앞으로의 생산능력을 측정하는 것이 중요할 것"이라고 말했다.

　　국무부의 한 대변인은 이날 북한의 핵 명세서 제출조치와 빠른 제출시기에 대해 환영하며 "고무적"이라고 말하고 북한측이 최근 밝힌 플루토늄 생산 확인에 대해 이같이 논평했다.

　　이 대변인은 지난해말 남북한간의 비핵화선언에 따라 핵재처리는 금지돼 있다고 상기시키고 "따라서 남북한간의 상호사찰 규정이 가능한한 포괄적인 내용이 되는 것이 매우 중요하다"고 강조했다.

　　이 대변인은 또 북한의 명세서 가운데 명변의 "방사능.연구소" 시설에 언급, "이 시설에 대한 북한측의 설명이 불충분한 것으로 보이지만 북한이 방사능연구소라고 묘사한 것은 재처리 공장일 것이라고 추측해온 시설일 가능성이 있다"고 논평했다.

　　미국내 일부 핵 전문가들은 북한측이 "우라늄과 플루토늄의 분리 연구를 위한 방사능 연구소"라고 제시한 영변 핵시설이 핵연료 재처리 시설일 것이라고 주장하고 있으며 워싱턴 외교 관측통들은 "이 시설의 정체가 무엇인지 좀 더 두고봐야 할 것"이라고 말하고 있다.(끝)

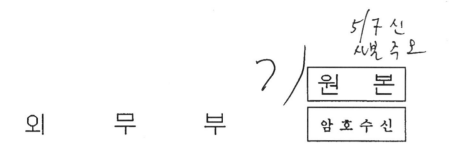

외 무 부

종   별 :

번   호 : JAW-2645   일   시 : 92 0507 1157

수   신 : 장관(국기,정특,미이)

발   신 : 주 일 대사(일정)

제   목 : 북한 핵문제(언론보도)

　　　북한이 IAEA 에 제출한 최초 보고서의 내용 공표와 관련, 당지 주요언론의 분석요지를 하기 보고함

　　　-최초 보고서에 북한 핵개발의 전모가 포함되어 있다고 한다면, 금후 1) 추출한 플루토늄을 원폭제조에 전용할 의도가 있는지 여부, 2) 원폭 1 개의 제조에필요한 플루토늄 8 KG 의 추출이 언제 가능한지 여부, 즉 '의도'와 '규모'의 해명이 촛점이 될것임

　　　-IAEA 에 의한 임시사찰은 핵연료 사이클 연구시설에도 적용되므로 '의도'와 '규모'에 관하여 해명이 가능할것으로 보임

　　　-그러나 북한이 핵의혹 시설을 은폐하고 있다면, 현재의 IAEA 의 권능으로는 이를 적발하는것은 용이하지 않음

　　　-현재 핵사찰은 '계량 관리법'에 의하고 있는 바, 이는 우라늄을 수입에 의존하는 (Accountancy)
국가에 대해서는 유효하나, 북한과 같이 우라늄 자원을 보유하고 있는 국가가 의도적으로 핵물질을 은폐한다면 핵사찰도 한계가 있을것임. 끝

　　　(대사 오재희-국장)

国기국   장관   차관   1차보   아주국   미주국   외정실   분석관   정와대
안기부

공   란

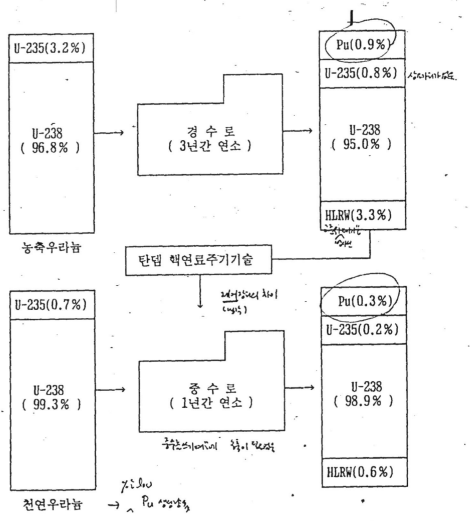

그림: 사용후핵연료의 조성비와 탄뎀핵연료주기

0073

외 무 부

종   별 : 지급

번   호 : USW-2331   일   시 : 92 0507 1850

수   신 : 장 관(미일,미이,국기) 사본: 주아틀란타총영사(직송필)

발   신 : 주 미국 대사   (WAV.-6633)

제   목 : 국무부 한국과장 접촉   (92.12.31)

당관 임성준 참사관은 금 5.7. 국무부 KARTMAN 한국과장을 면담, 제 7 차 남북 고위급 회담 진행등에 관하여 의견 교환한바, 면담요지 아래 보고함.

1. 북한 핵문제

가. 임참사관은 제 7 차 남북 고위급 회담 결과와 특히 JNCC 양측 위원장간 접촉 결과에 관하여 설명하면서, 북한이 외관상으로는 IAEA 에 대한 핵시설 보고와 IAEA 사찰 문제에 상당히 협조적인 태도를 취함으로서 국제사회로 부터 긍정적인 평가를 유도하고 있는 것으로 보인다는 의견을 피력하고, 북한이 취하고있는 태도와 관련 미측의 평가를 문의하였음.

나. KARTMAN 과장은 북한이 제출한 보고서 내용에 관하여 IAEA 측과 긴밀히 연락하고 있다고 밝히고 현재까지 검토된 바로는 북한측이 모든 시설을 포함시킨 것으로 보이며 (SO FAR NO SIGN OF OMISSION), 카네기재단 연구원의 방북결과 에서도 엿볼수 있듯이, 북한이 핵문제에 대하여 공개적인 입장으로 선회하는 듯한 인상을 주고 있는 것은 다행한 것으로 생각하며, SOLOMON 차관보를 위시한 국무부내 관계인사들은 이를 매우 기쁘게 받아들이고 있다고 말함.

다. KARTMAN 과장은 미측으로서는 지금까지 북한 핵문제 해결을 위하여 한. 미 양국이 취해온 대북한 압력 정책이 주요하고 있는 것으로 믿고 있으며, 따라서 현재와 같은 정책을 계속 유지하는 것이 중요하다고 보아, 관련국에도 이러한 미정부의 입장을 계속 주지시키고 있다고 밝히면서, 금일에도 당지 중국대사관 ZHO WEN WEI 참사관과 접촉, 북한 핵문제 해결을 위해서는 IAEA 사찰과 남북한 상호사찰이 함께 실시되어야만 북한이 국제사회의 불신을 해소할 수 있을 것이라고 강조하였던바, ZHAO 참사관은 이미 북한도 그와같은 미측의 입장을 잘알고 있든 것으로 본다는 견해를 보였다고 말함.

검토필

미주국   장관   차관   1차보   미주국   국기국   외정실   분석관   청와대
안기부

라. KARTMAN 과장은 따라서 북한측어 5.12. 예정된 제 4 차 JNCC 회의시에는 남북 상호사찰 규정 교섭과 관련 타협적인 태도로 임할 것으로 본다는 전망을 하면서, 이렇게 핵사찰 문제가 순조롭게 진행되더라도 오랫동안 의혹의 대상이 되어온 북한의 핵개발 문제는 반복적인 핵사찰을 통하여서만 그 의혹이 해소될수 있을 것이며 미국의 그와같은 뿌리깊은 불신은 상당기간 지속될 것임을 시사 하였음.

2. 카터 전대봉령 남북한 방문(대: WUS-1837)

가. 임참사관은 최근 민주당 조순승 의원의 카터센타 방문 사실을 알려주면서 그간 표제건에 관하여 회의적인 태도를 보여온 국무부 입장에 변화가 있는지 여부를 문의하였음.

나. KARTMAN 과장은 북한 핵문제등 남북한 관계가 미묘한 현시점에서 카터 전대봉령의 남북한 방문 발상을 탐탁치 않게 생각하고 있으나, 북한측이 적극적으로 카터 대봉령의 방북을 권유하고 있음에 비추어 한국측이 계속 방한초청에 소극적인 입장을 견지하다 보면, 동 대봉령이 북한 단독 방문에 나설수 있는 가능성을 배제할 수 없다는 의견을 피력하였음. 동 과장은 한국측이 방한초청을 기피함으로써 동 대봉령으로 하여금 남북한 방문을 억제하는 효과를 계속해서 유지할 수 있는지 의문이며, 동 대봉령의 이상주의적 성향에 비추어 경우에 따라서는 북한만 단독으로 방문할 가능성이 있음을 설명하였음.

다. KARTMAN 과장은 동 대봉령측이 남북한 방문에 나서려는 가장 큰 이유는 북한 핵문제 해결에 자신이 나서서 무엇인가 기여하였다는 기록을 남기고 싶은것이므로, 북한이 핵사찰을 받게되므로서 북한 핵문제의 해결에 가닥이 잡혀간다면, 남북한 방문 의욕이 감퇴될 가능성도 적지 않으므로, 우선 핵문제 해결 추이를 보아가면서 대처하는 것도 좋을 것이라는 의견을 피력함.

3. 미군 유해송환(대: WUS-2089)

KARTMAN 과장은 대호 미군 유해 30 구 송환과 관련한 대외발표는 국방부가 5.11. 간단히 (LOW-KEY)행할 것이며, 국무부는 이에따른 질의응답 형식의 PRESSGUIDANCE 를 작성할 예정이라고 언급하였음. 끝.

(대사 현홍주-국장)

예고: 92.12.31. 일반

5/8 신
시험 ~오

USF(F) : 2879   년월일 : 92. 5. 7   시간 : 17:35

수 신 : 장 관 (미, 미안, 정특, 축가, 기정)

발 신 : 주미대사

제 목 : 北韓 IAEA 報告에 대한 國務部 論評 출처 : FNS)

보안통제

STATE DEPARTMENT REGULAR BRIEFING BRIEFER: MARGARET TUTWILER
THURSDAY, MAY 7, 1992

Q   On another subject, could you -- recently you or Richard
or maybe both, when asked about the North Korean nuclear program,
have said that you wanted to see what the report was to the

International Atomic Energy Agency. This has now been -- they've
issued press releases on it and I presume -- in fact I'm pretty sure
by now the US government has taken a fairly good look at what they
submitted -- do you now have some response as to what the US thinks
of what the North Koreans have presented?

MS. TUTWILER: I don't have a US response. I have US views of
the IAEA press release of the other day. As you know, the rules are
that the IAEA issues to everyone through a press release. They do
not deal directly with governments. So our experts I'm sure will be
continuing to review this. But I don't have anything other than our
initial response to that press release, and I believe it was -- two
days ago?

Q   Did you ever make this response?

MS. TUTWILER: I thought we'd done all this. We didn't?

Q   I think you said you didn't have enough information.

MS. TUTWILER: Oh.

As you know, that they have submitted their initial inventory
and design information. Although the details of the information
provided beyond that contained in the IAEA press release are held in
confidence by the agency, IAEA's press release indicated it had
received an extensive initial report which we of course welcome.
The promptness of the report is also encouraging.

(2879 - 2 - 1)

외신 1과
통 제

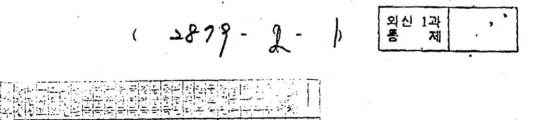

0076

Under the terms of its safeguards agreement, the DPRK is required to provide to the IAEA by May 30th a complete inventory of all nuclear material in all of its nuclear activities (may mean facilities), along with a list of the facilities containing nuclear materials. The DPRK is also required to provide design information on all existing facilities so that arrangements for safeguarding the facilities can be finalized by July 9. Design information on new facilities is required as early as possible before the introduction of nuclear material.

Does that help you?

Q   Do you see anything encouraging in a pattern of this and the agreement signed between North and South Korea? Is there some changing pattern of behavior that you see in the case of North Korea?

MS. TUTWILER: I don't think, Jim, that I'm in a position today to take a guess at that for you. We obviously have all seen changes over the last 18 months in various patterns of behavior. But I'd rather, if you don't mind, defer and let someone who is an expert in this area give you a more analytical analysis of their interpretation of what's going on.

Q   On that point, the US government -- certainly, Mr. Gates and I believe Secretary Baker -- have made a good deal of the belief that the North Koreans are bulding a reprocessing plant, making it possible for them to produce plutonium. One of the things mentioned in the press release and in the North Korean submissions is indeed a plant, or a "laboratory" as they call it, to separate out uranium into plutonium. You probably can't do it now, but could someone either verbally or on paper give us some idea of what the US government thinks of the North Korean report that they indeed do have a facility which, at least on an experimental basis, is doing this, and whether inspection of that facility would alleviate the US concern about it?

MS. TUTWILER: Mmm-hmm. What I'd rather do -- I have something here on a reprocessing plant, but I'd rather get you a fuller answer that more directly asks what you're answering, if that's okay.

2879 -2-2

외 무 부

종 별 :

번 호 : AVW-0778 　　　　　　　　　일 시 : 92 0507 1900

수 신 : 장 관(국기)

발 신 : 주 오스트리아 대사

제 목 : 북한 대표부 대사 기자회견

　　당지 북한대표부 전인찬대사는 금 5.7(금) 09:00 북한의 최초 보고서 제출과 관련 기자회견을 갖고 (내외신 기자 20여명 참석), 별첨 FAX발표문을 배포하였다함.

　　별첨:AVW(F)-092 2매.끝.

　　(대사 이시영-국장)

국기국

PAGE 1 　　　　　　　　　　　　　　　　　　92.05.08　　13:45 WG

　　　　　　　　　　　　　　　　　　　　　외신 1과 통제관

　　　　　　　　　　　　　　　　　　　　　　0078

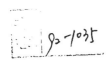

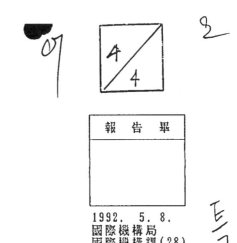

報告畢

1992. 5. 8.
國際機構局
國際機構課(28)

長 官 報 告 事 項

題 目 : 「카네기 재단」시찰단 방북(4.28-5.4) 보고서상 IAEA 사찰관련 사항 분석

1. 사찰대상 공개(김영남 외교부장 및 김용순 노동당 국제부장 언급)

   ㅇ IAEA가 보고 싶어하는 모든것을 볼수 있을것이며, 그들이 원한다면 최초보고서 상에 포함되어 있지 않은 다른 시설도 보여줄수 있음.

   ㅇ 미국이 재처리시설이라고 의심하고 있는 시설에 대해서도 원한다면 다 보여줄 것임.

2. 핵 재처리 시설 문제(최정순 원자력 공업부 섭외국장 언급)

   ㅇ 북한은 재처리 시설을 갖고 있지 않음. IAEA가 원한다면 보고된 것외의 여타 시설도 공개하겠음.

   ㅇ 북한은 1986년 완공된 5MW급 연구로에서 매우 제한된양(very limited quantity) 의 플루토늄을 함유한 사용후 핵연료(plutonum-bearing spent fuel)를 생산하였고, 영변에 있는 방사능 화학실험실 에서 실험용으로 극히 소량(next to nothing)의 플루토늄을 추출한 적이 있음.

   ㅇ 동 재처리 실험은 독자적인 핵 개발 프로그램 마련을 위해 '핵연료 주기(nuclear fuel cycle)'에 대한 자료를 얻기 위해서였음.

3. 플루토늄 추출문제에 대한 미.북한간 쟁점사항

   가. 북한측 주장

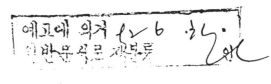

- 1 -

0079

o 86년 완공된 5MW급 연구로는 기술적인 문제로 인해 간헐적으로 가동해왔으므로 아직도 처음에 장입된 연료봉(fuel rod)을 그대로 사용중이며, 소수의 불량(defective)연료봉만 교체 하였음.

o 따라서 상기 플루토늄은 동 연구로에서 꺼낸 불량 연료봉 (damaged fuel rod)에서 추출한 것 임.

나. 미국측 주장

o 「게이츠」미 CIA국장은 북한의 5MW급 연구로는 4년동안 가동되어 왔으므로 이로부터 상당량(substantial quantity)의 사용후 핵연료가 축적 되어 있을 것이며, 영변에 건설되어 왔던 재처리 공장에서 동 사용후 핵연료로부터 플루토늄을 추출할 수 있을 것 임.

o 이와관련 미정부 관계자는 북한이 기술적 문제에 직면, 몇년간에 걸쳐 동일한 연료봉을 사용했다는 것도 가능은 할 것이나, 북한의 경우에는 사용후 핵연료의 양을 적게 보고하려는 의도가 의심 됨.

4. 향후 대북한 IAEA 사찰의 주안사항

o 상기 미.북한간 주장의 차이점에 비추어 IAEA는 대북한 사찰시 5MW급 연구로의 운전기록(operating history)을 상세히 검토하여 그간 얼마나 많은 양의 사용후 핵연료(spent fuel)가 생산되었는지를 밝혀내야 함.
  - 이렇게함으로써 북한이 사용후 핵연료를 비밀리에 저장(stockpiling)하고 있는지에 대한 의심해소 가능

o 또한 IAEA는 최정순 국장이 언급한 플루토늄 추출을 실험한 영변내 방사능 화학 실험실의 활동내용을 검증하고 , 동 실험실 과 실험실내 관련 핵물질이 사찰 대상이 되고 있는지를 확인 해야만 함.

5. 관련 조치사항

o 향후 IAEA 사찰팀이 상기 문제점에 대한 인식을 갖고 대북한 사찰에 임하도록 IAEA 사무국의 협조 요청(주오스트리아 대사에게 지시)   끝.

- 2 -

0080

발 신 전 보

번 호 : _____   종별 : _____

수 신 : 주 오스트리아   대사. 총영사 (사본 : 주미, 인, 호주, 카나다 대사)

발 신 : 장 관 (국기)

제 목 : 북한 핵문제에 대한 IAEA차원의 대책

　　연 : WAV-0667(1), 0677(2)

　　대 : AVW-0765

1. 5.4. 북한의 최초보고서 제출이후 앞으로 Blix 사무총장의 방북, IAEA
임시사찰 실시 및 6월 IAEA 이사회 개최를 앞두고 표제관련 본부의 입장은 아래와
같음.

　　가. 북한의 최초보고서 제출관련 1차적 평가 및 의문점 대처

　　　　1) 최초보고서에 대한 현재까지 우리와 미.일본등의 반응은 대체로
　　　　　 긍정적이나 보고서 내용(핵물질 재고 및 시설목록등)을 확인하기
　　　　　 까지는 상당한 시간과 수차의 사찰이 필요하다고 봄.

　　　　2) 특히 시설목록상의 '방사능 화학연구소'가 그간 재처리 시설로
　　　　　 의심받아온 시설인지와 동 연구소가 북한의 부인에도 불구하고
　　　　　 재처리를 할수 있는 시설인지는 임시사찰을 통해 확인될 수 있을
　　　　　 것임.

　　　　- 대규모의 연구소가 건설되기 위해서는 사전에 소규모(Pilot 규모)
　　　　　 연구시설이 어딘가에 있었을 것이라고 과기처는 의문제기

보 안 통 제	(서명)

앙 고 재	92 년 5 월 8 일	국 리 기 구 과	기안자 성 명 신 종 영		과 장 (서명)		국 장		차 관	장 관	

외신과통제

0081

3) 연호(2), 「카네기 재단」 시찰단 방북시 밝힌바와 같이 북한이

　그간 플루토늄을 추출해 본적이 있다면 영변내 어떠한 실험실에서

　동 추출 실험을 해보았는지?

　- 동 실험실이 보고된 시설목록에 포함되어 있는지와 여기서 추출

　　된 플루토늄양이 핵물질 재고목록에 기록되어 있는지?

4) 최초보고서상에 포함된 시설외에 과연 북한이 보고치 않은 핵시설

　이 있을것인가?

　- 이와관련 최초보고서에 대한 사무국 분석내용을 조속히 파악

　미국이 갖고 있는 정보와 비교 분석해 봄이 필요함 (반면서 북한이 신뢰하지는 않았지만 의혹이 가는 모든 시설을 사찰함이 북한 입장에서도 모든 사항에 시설에 어떠한 증거를 언급하지 않았음)

5) 연호(1)과 상기 의문사항에 대해서는 북한을 방문하게 되는 Theis

　과장과 임시사찰단에게 특별한 관심을 갖고 사찰해줄것을 요청하고

　귀임후 이에대한 확인결과를 우리에게 알려줄것을 부탁 바람.

나. IAEA 차원에서의 대북한 핵개발 의혹 해소 전망

1) Blix 사무총장은 방북후에도 상기 의문점에 대해서 IAEA의 전문

　기술적 사찰결과가 중요함을 강조, 일반적인 내용에 대해서만 결과

　를 공개하고, 자신의 정치적 생명과 관련 sensitive한 문제에 대해

　서는 언급 회피 예상됨.

2) IAEA는 북한 최초보고서상의 정보에 대해서 구체적으로 밝히지는

　않을것으로 예상되나, 북한이 제출한 보고서에 따라 규정된 사찰을

　실시하는 경우 상기 '가'항의 의문점을 어느정도 까지는 해소시켜줄

　수 있을 것임.

0082

- '방사능 화학실험실'의 규모 및 기능(재처리 능력 포함)파악 및

플루토늄추출 (실험)시설의 존재확인이 가능할것으로 전망

3) 그러나 IAEA 사찰 실시과정중 북한이 공개하지 않은 핵 시설이나

핵물질에 대한 의혹이 제거될경우 북한에 대한 핵 개발 의혹은

계속될 것임.

이럴경우 92.2월이사회에서 재확인된 IAEA의 특별사찰 권한에

근거 북한에 대한 특별사찰을 실시하게 될것임.

다. 6월 IAEA이사회 대책

1) 북한이 최근 IAEA가 보고 싶어하는 모든 시설을 보여줄 것이며,

최초보고서 상에 포함되어 있지 않은 여타 시설들도 공개하겠다고

밝힌 만큼 5월하순부터 실시예정인 임시사찰에 매우 협조적일 것

으로 예상(대내외 정치적 선전에도 최대한 활용할것으로 예상)

2) 또한 IAEA 사무국이 임시사찰 결과를 이사회 개최전까지 공개하지

않거나 이사회에 만족할만한 사찰결과를 보고하지 못할경우, 6월

이사회에서는 북한을 대상으로 협정의무 이행문제를 따지기 보다

는 임시사찰 결과에 대한 사무총장과 이사국들간 질의응답만이

이루어질 가능성이 큼.

3) 따라서 상기 2)와 같은 상황발생을 방지하기 위해서는 6월이사회

개최전까지 Blix 총장의 방북결과와 임시사찰 결과를 가능한 조속

히 파악하여 6월이사회에서는 이를 기초로 북한 핵문제에 대한

이사국들간 본격토의가 이루어질수 있도록 해야할것임.

사찰결과 최초보고사상 의문점이 발견될 경우 대북한 제재조치도

강구

4) IAEA 사찰결과 북한의 재처리능력이 확인되는 경우 재처리 시설의
   규모 및 용량을 정확히 파악하여, IAEA차원이 아닌 남북관계 차원
   에서 북한이 '남북한 비핵화 공동선언'에 입각 이를 포기하도록
   유도할수 있는 근거를 마련하는 것임.

   2. 상기 내용을 참고하여 귀직은 귀지 주재 우방이사국 대표들과 향후 북한
핵문제 해결을 위한 공동 대처방안에 대해 긴밀히 협의후 결과 보고바람. 끝.

예고 : 92.6.30 일반

                              (차   관   )

0084

北韓 提出 最初報告書 內容分析 및 向後對策

1992. 5. 9.

外 務 部

> 5.4. (月) 北韓이 國際原子力機構(IAEA)에 提出한 最初
> 報告書上 核施設 內容 分析과 主要國 反應 및 向後
> 對策에 대하여 아래와 같이 報告 드립니다.

1. 最初報告書上 內容 分析

o 총16개 施設(목록별첨)中 準 臨界施設, 建設中인 '放
射能 化學研究所' 및 計劃中인 原子力發電所(635MW급
3기)가 우리측이 그간 몰랐던 새로운 施設임.

2. IAEA 의견

o 上記 '放射能 化學研究所'가 그간 再處理 施設로 指目
되어온 施設임.

o 동시설은 研究用이 아니라 大規模 容量의 再處理 施設
로 보임.

o 北韓은 동 再處理 施設을 設計대로 完工시킬 意向을
시사하고 있어 동 問題의 深刻性을 느낌.

※ 상기 내용은 미측이 IAEA로부터 파악   0085

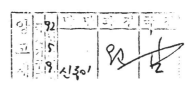

3. 美國 및 日本 反應

　　가. 美國
　　　　o 北韓의 廣範圍한 最初報告書 提出을 歡迎하며, 동
　　　　　報告書에 北韓側이 모든 施設을 包含시킨 것으로 봄.
　　　　o 使用後 核 燃料에서 플루토늄을 抽出하는 것은 再
　　　　　處理인 바, IAEA 査察을 통해 確認해야 함.
　　나. 日本
　　　　o 北韓內 모든 核施設을 對象으로한 無條件的인 核
　　　　　査察 受諾을 促求함.

4. 向後 展望 및 措置計劃

　　o 北韓의 最初 報告書 內容은 '블릭스' 事務總長의 訪北
　　　(5.11-16) 그리고 특히 IAEA 臨時査察 實施(5.25부터
　　　1주일간 예정)를 통해 그 眞僞가 確認되고 核武器開發
　　　疑惑等이 대체로 밝혀질 것임.
　　　- 블릭스 사무총장은 북한측에 재처리 시설 보유의사에
　　　　관해 설명요구 예정
　　o 동 確認 結果에 따라 美國等 友邦理事國들과 協議, IAEA
　　　6月理事會(6.15-19)관련 대책등 대처방안 수립
　　　- 사찰결과 북한이 최초보고서가 성실한 것으로 밝혀질
　　　　경우 6월이사회에서의 대북한 조치는 불요
　　　- 계속 의혹이 있게 될 경우 특별사찰등의 조치 강구

0086

o 査察結果 北韓의 再處理 計劃 및 能力이 確認될 경우 南
   北關係 차원에서 '非核化 共同宣言'에 입각, 北韓의 동
   再處理 施設 拋棄 誘導.

   ※ 북한의 재처리능력이 확인되더라도 사찰을 받으면
      IAEA 차원에서의 포기 조치는 불가

添附 : 北韓의 16個 核施設 目錄.   끝.

0087

북한의 16개 핵시설 목록

시 설 명	수량	규 모	소 재	비 고
연구용 원자로 및 임계시설	2기		영변핵물리학연구소	기사찰중
준임계시설	1기		평양 김일성대학	기존시설
핵연료봉제조 및 저장시설	2기		영 변	기존시설
핵발전 실험원자로	1기	5MW	영변 핵물리학연구소	기존시설
* 방사능 화학실험실	1기		영변 방사능 화학연구소	건설중
핵발전소	1기	50MW	영 변	건설중
핵발전소	1기	2백MW	평북 (태천)	건설중
발전용 원자로	3기	각 6백 35MW	(신포)	건설계획
우라늄광산	2개소		(순천등)	기 존
우라늄 정련 생산공장	2개소		(평산, 박천)	기 존

0088

北韓 提出 最初報告書 内容分析 및 向後對策

1992. 5. 9.

外 務 部

> 5.4.(月) 北韓이 國際原子力機構(IAEA)에 提出한 最初
> 報告書上 核施設 內容 分析과 主要國 反應 및 向後
> 對策에 대하여 아래와 같이 報告 드립니다.

1. 最初報告書上 內容 分析

   o 총16개 施設(목록별첨)中 準 臨界施設, 建設中인 '放
      射能 化學研究所' 및 計劃中인 原子力發電所(635MW급
      3기)가 우리측이 그간 몰랐던 새로운 施設임.

2. IAEA 의견

   o 上記 '放射能 化學研究所'가 그간 核 再處理 施設로
      指目되온 施設임.

   o 동시설은 研究用이 아니라 大規模 容量의 核 再處理
      施設로 보임.

   o 北韓은 동 再處理 施設을 設計대로 完工시킬 意向을
      시사하고 있어 동 問題의 深刻性을 느낌.

   ※ 上記 內容은 美側이 IAEA로부터 把握

0089

3. 美國 및 日本 反應

　　가. 美國

　　　　○ 北韓의 廣範圍한 最初報告書 提出을 歡迎하며, 동
　　　　　 報告書에 北韓側이 모든 施設을 包含시킨 것으로 봄.

　　　　○ 使用後 核 燃料에서 플루토늄을 抽出하는 것은 再
　　　　　 處理인 바, IAEA 査察을 통해 確認해야 함.

　　나. 日本

　　　　○ 北韓内 모든 核施設을 對象으로한 無條件的인 核
　　　　　 査察 受諾을 促求함.

4. 向後 展望 및 措置計劃

　　○ 北韓의 最初 報告書 内容은 '블릭스' IAEA 事務總長의
　　　 訪北(5.11-16), 그리고 특히 IAEA 臨時査察 實施(5.25
　　　 부터 1주일간 예정)를 통해 그 眞僞가 確認되고 核武器
　　　 開發 疑惑等이 대체로 밝혀질 것임.

　　　 - '블릭스' 事務總長은 北韓側에 核 再處理 施設 保有
　　　　 意思에 관해 説明要求 豫定

　　○ 동 確認 結果에 따라 美國等 友邦理事國들과 協議, IAEA
　　　 6月理事會(6.15-19)關聯 對策等 對處方案 樹立

　　　 - IAEA 査察結果 北韓의 最初報告書가 誠實한 것으로
　　　　 밝혀질 경우 6月理事會에서의 對北韓 措置는 不要

　　　 - 계속 疑惑이 있게 될 경우 特別査察等의 措置 講究

0090

o IAEA 査察結果 北韓의 再處理 計劃 및 能力이 確認될
경우 南北關係 차원에서 '非核化 共同宣言'에 입각,
北韓의 동 再處理 施設 抛棄 誘導.

※ 北韓의 核 再處理能力이 確認되더라도 IAEA 査察과
監視를 받으면 IAEA 次元에서의 抛棄 措置는 不可

添附 : 北韓의 16個 核施設 目錄. 끝.

0091

北韓의 16個 核施設 目錄

施　設　名	數量	規　模	所　　在	備　考
研究用 原子爐 및 臨界施設	2기		영변核物理學研究所	旣査察中
準臨界施設	1기		평양 김일성大學	旣存施設
核燃料棒 製造 및 貯藏施設	2기		영　변	旣存施設
核發電 實驗原子爐	1기	5MW	영변 核物理學研究所	旣存施設
放射能 化學實驗室	1기		영변 放射能 化學研究所	建設中
核發電所	1기	50MW	영　변	建設中
核發電所	1기	2백MW	平北 (태천)	建設中
發電用 原子爐	3기	각기 635MW	(신포)	建設計劃
우라늄鑛山	2개소		(순천등)	旣　存
우라늄 精練 生産工場	2개소		(평산, 박천)	旣　存

0092

발 신 전 보

번   호 : _____   종별 : _____

수   신 : 주 오스트리아   대사. /총영사

발   신 : 장 관 (국기)

제   목 : 북한 최초보고서 내용 확인

연 : WAV-0667(1), 0688(2)

대 : AVW-0767

1. 대호 방사능 화학실험실의 처리능력과 관련 과기처의 분석은 아래와
같음.

   가. 일반적으로 사용후 핵 연료(heavy metal)를 재처리할 경우 약 0.3%-
      0.9%의 플루토늄이 나올 수 있으며, 이중에서 핵 무기 원료(Weapon-
      grade material)에 쓸수 있는 Pu239는 60% 미만이 됨.

      - 그러나 핵 연료가 오래 사용되어 연소(burn-up)회수가 많거나 적절
        하게 태워지지 않았을 경우에는 Pu239의 생성이 어려울수도 있음.
        (Pu 239가 Pu240으로 바뀌게 되기 때문)

   나. 북한이 재처리능력이 있다하더라도 자신들이 '방사능 화학실험실'이라
      고 밝힌 장소에서는 단순히 사용후 핵 연료 관리 차원에서 우라늄,
      플루토늄 및 폐기물 분리 실험만을 할 가능성이 큼.

	보 안 통 제	

앙고재	92년 5월 9일 국제기구과 신종익	기안자 성명		과 장	국 장 전결		차 관	장 관		외신과통제

0093

- 특히 「비핵화 공동선언」에 따라 남북한이 재처리 시설을 갖지 않기로 합의한 이상 상식적으로 공개된 장소에서 재처리를 하지 않을 것으로 봄.

2. 연호(2)와 같이 현재 미국은 북한의 최초보고서 내용에 관하여 IAEA와 긴밀히 연락하고 있는것으로 보이는 바, 귀지 미국 및 우방국 대표부와 긴밀히 협의하여 최초보고서 내용의 분석결과 및 연호(1) '3'항의 의문사항 등에 대해서 ~~수시~~ 가능한한 파악 보고 바람. 끝.

예고 : 92.6.30 일반

(국제기구국장   김 재 섭)

0094

외 무 부

종 별 :

번 호 : USW-2401   일 시 : 92 0511 1927

수 신 : 장관(미이,미일,정북,국기,기정) 사본:청와대 외교안보수석

발 신 : 주 미 대사

제 목 : CARNEGIE ENDOWMENT 방북

연: USW-2309

대: WUS-2163

1. 본직은 금 5.11. 4.28-5.4 간 북한을 방문하고 연호 보고서를 발간한 CARNEGIE ENDOWMENT 의 HARRISON 및 SPECTER 연구원을 당관으로 조치, 북한 핵문제를 중심으로한 동인들의 방북 소감을 청취한바, 그 요지를 하기 보고함.

가. 핵시설 공개문제

- 본직은 카네기 재단 일행 방북중 김영남, 김용순, 최정순등이 핵시설 리스트에 등재되지 않은 시설도 IAEA 사찰관들이 볼수 있도록 할 것이라고 시사한 것과 관련, 특별사찰 및 불시사찰에 대해 북측인사들이 보인 반응에 대한 양인의평가를 문의하였음.

- 이에대해 양인은 북한은 모든 시설을 IAEA 6에 공개하겠다고 하면서도 특별사찰이라는 표현은 애써서 사용하지 않았고, 특히 불시사찰(CHALLENGE)은 남측의 제안이라고 비하해서 표현(DENIGRATE)하면서, 이에대한 불만을 표시하는 것으로 관찰되었다고 하였음.

- 이어서 SPECTER 담당관은 북한이 IAEA 사찰관들에게 모든 시설을 공개하겠다고 하고 있으나, 카네기 재단 방문단 방북중이나, 비슷한 시기에 방북하였던 W.P 지 REID 기자를 비롯한 서방시찰단에게 보인 북한의 경직된 태도로 보건데, 북한이 IAEA 사찰단에 대해서만 관대한 태도로 일관하리라고는 상상하기가 어렵다는 의견을 제시하였음.

나. 5 메가와트 원자로 (제 2 호기) 운영 문제

- 본직은 북한이 카네기 재단 방북단에게 제 2 호 원자로에 아직도 최초에 장입한 연료봉을 사용하고 있으며, 여기서 생겨난 소수의 연료봉으로

미주국 안기부	장관	차관	1차보	미주국	국기국	외정실	분석관	청와대
국오지거(대)								

극소량(NEXT-TO-NOTING)의 플루토니움만을 생산했다고 한 것과 관련, IAEA 사찰관들이 이러한 북측 주장의 진위를 증명하는 것이 기술적으로 가능할지를 문의하였음.

- 이에대하여 SPECTER 연구원은 (1) 제 2 호기 경우 운영실적의 정확한 전모를 확인하기는 어려울 것이나 방사능 오염도 측정등으로 대체적인 운영 실적은파악이 가능할 것으로 본다고 하고, (2) '방사능 화학연구소' 경우는 북한이 조작설비를 이동, 은폐하였을 가능성도 있으나, 이러한 행위 자체가 북한의 핵개발을 지연시키는 효과가 있을 것이라는 의견을 제시하였음.

다. 플루토니움 생산

- 북한이 플루토니움 생산을 시인한 것과 관련, 본직이 양인에게 그 배경을문의한데 대하여 양인은 SPECTER 연구관이 북한이 플루토니움을 추출한 적이 있느냐는 점을 꼬집어 질문한데 대하여 최정순이 답변한 것이라고 하였음.

- 이어서 SPECTER 연구관이 플루토니움을 추출한 이유를 질문한데 대해 최정순은 '핵연료 싸이클을 연구하기 위한 것'이라고 답변하였던바, SPECTER 는 이에대해 북한이 5 MW 원자로도 제대로 운영을 못한다고 하면서 핵연료 싸이클 연구를 한다고 나서는 것은 가당치 않은 주장인 것으로 본다는 회의적 평가를 덧 붙였음.

라. 핵문제에 대한 정책 결정

- 본직이 핵문제에 대한 정책 결정과 관련, 김정일의 위치가 어떻게 부각되고 있는지 문의한데 대하여 HARRISON 연구원은 미처 착안하지 못하였던 문제이나, 북한측 인사들이 경제특구 설치등 경제문제에 대해서는 김정일의 역할을 자주운위하였으나, 핵문제에 대해서는 그렇지 않았던 것으로 기억된다고 하였음.

마. 미사일 수출문제

- 본직은 북한이 카네기 재단 방북단에게 미사일 제조및 수출을 부인한 것과 관련, 이에대한 양인의 평가를 문의하였음.

- 이에대해 SPECTER 연구원은 자신은 북한이 미사일 제조를 시인하면서 수출만을 부인할 것으로 생각하였으나, 수출은 물론 제조도 부인하는 것을 보고 북한의 신뢰성에 더욱 큰 의심을 갖게 되었다고 하였음.

2. HARRISON 과 SPECTER 양인은 상기와 같은 방북소감과 함께 방북중 면담한 인사에 대한 느낌을 소개하면서, 특히 김용순은 일견 자신이 있는 태도를 보였으나 면담 모두에 상대방을 개의치 않는 태도로 김일성, 김정일 및 당에 대해 약 30 분에 걸쳐 장광설을 늘어 놓는등의 태도를 보여 87 년 방북시 면담하였던 황장엽 보다도

PAGE 2

경직된 인물이라는 느낌을 받았다고 하였음. 끝.

 (대사 현홍주-차관)

 예고: 92.12.31. 일반

외　무　부

원　본

증　별 :

번　호 : AVW-0800

일　시 : 92 0512 2130

수　신 : 장 관 (국기,미이,정특)

발　신 : 주 오스트리아 대사

제　목 : 북한대사 기자 회견

　　주 오스트리아 북한 대사 박시웅은 5.12 오전 오스트리아 APA 통신과 북한 핵문제 관련 기자회견을 가졌는바 그 요지는 아래와 같음.

　　1.북한이 플로토늄을 생산하고 있다는 보도는 한국,미국및 일본이 예정된 IAEA 의 북한 핵시설에 대한 사찰의 신용을 떨어 뜨리고 독자적인 사찰요구를 뒷받침하기 위해 전세계에 퍼뜨린 거짓말임.

　　2.현재 평양을 방문중이 BLIX 사무총장은 사찰일정에 합의 할것이며, 순조로울 경우 그일정은 5월말 또는 6월초가 될것임.

　　3.북한 핵시설에 대한 사찰과 동시에 한국 미군기지에 대한 사찰도 이루어져야 함. 북한이 남한내 미 핵무기로 부터 끊임없이 위협을 받고있기 때문에 남한내 미군기지에 대한 사찰은 북한에 매우 중요하며, 북한은 이러한 문제를 해결하기 위해 국제적 지지를 얻기 위해 노력할것임.

　　4.북한이 유엔 개별국가 또는 여러국가들에 의해 사찰을 받을 이유가 없으며, 이러한 요구는 IAEA의 위상을 손상시키는 것임

　　5. 사실상의 큰 위험은 일본의 핵 개발이며 일본은 2010년까지 100톤의 플로토늄을 보유한다는 목표하에 대량의 플로토늄을 수입하고 있음.

　　첨부:상기 회견 보도 AVW(F)-100 2매.끝. ─▷ 축위어끌.

　　(대사 이시영-국장)

国旗局　1차보　미주국　외정실　분석관　정와대　안기부

92.05.13　08:07 DQ

외신 1과　통제관 ✓

0098

EMBASSY OF THE REPUBLIC OF KOREA

Praterstrasse 31, Vienna
Austria 1020 (FAX : 2163435)

No : *AVW(F)-100*   Date : 205/2 2100

To : 장 관(국기, 미이, 정특)

(FAX No :   )

Subject :   AVW-0800 의 첨부

포지포함   3 매

Österreich/Nordkorea/Südkorea/USA/Japan/IAEO

Nordkorea weist Berichte über Plutonium-Produktion zurück
Utl.: Botschafter: Südkorea, USA und Japan suchen Grund für
      Diskreditierung der IAEO-Kontrollen - IAEO-Inspektionen
      möglicherweise Ende Mai oder Anfang Juni =

   Wien (APA) - Pjöngjang hat Berichte über die Produktion von
Plutonium in Nordkorea kategorisch zurückgewiesen. Dies sei eine
Lüge, die von Südkorea, den USA und Japan in die Welt gesetzt werde,
um die geplanten Kontrollen der nordkoreanischen Atomanlagen durch
die Internationale Atomenergieorganisation (IAEO) in Mißkredit zu
bringen und den Anspruch auf eigene Inspektionen zu untermauern,
sagte der nordkoreanische Botschafter in Österreich, Pak Si Ung, am
Dienstag in einem Gespräch mit der Austria Presse Agentur. Nordkorea
hat der IAEO eine Liste aller seiner Atomanlagen übergeben und
Inspektionen durch die IAEO akzeptiert. ****

   IAEO-Generaldirektor Hans Blix, der sich gegenwärtig in Pjöngjang
aufhält, werde dort den Zeitplan für Inspektionen vereinbaren, sagte
der Botschafter. Im günstigsten Fall könne es bereits Ende Mai oder
Anfang Juni soweit sein. Pjöngjang verlangt allerdings die
gleichzeitige Inspektion der US-Stützpunkte in Südkorea, um
sicherzustellen, daß die koreanische Halbinsel tatsächlich
atomwaffenfrei sei.

   Nordkorea hatte bereits am Montag in einer Stellungnahme des
Außenministeriums in Pjöngjang seine Forderung bekräftigt, daß die
internationale Inspektion seiner Nuklearanlagen zeitgleich mit einer
Besichtigung der US-Militärstützpunkte in Südkorea erfolgen sollte.
Auf diese Weise könnte zweifelsfrei bewiesen werden, daß sich
wirklich keine US-Atomwaffen mehr auf koreanischem Boden befinden.
Die Behörden in Seoul würden die Atomwaffenfreiheit behaupten,
während sich Washington in dieser Frage in Schweigen hülle. Die
bisherige Weigerung der Amerikaner und Südkoreaner, die Basen
zugänglich zu machen, nährten Skepsis hinsichtlich der
Glaubwürdigkeit der anderen Seite.

   Die Inspektion der US-Stützpunkte in Südkorea ist nach den Worten
von Botschafter Pak Si Ung lebenswichtig für Nordkorea, da sein Land
ständig von amerikanischen Kernwaffen in Südkorea bedroht sei.
Sollten die USA und Südkorea Inspektionen nicht zustimmen, werde sich
Pjöngjang mit internationaler Unterstützung bemühen, dieses Problem
doch noch zu lösen. An der nordkoreanischen Einwilligung zu
IAEO-Inspektionen werde sich aber nichts ändern. Zu Inspektionen von
anderer Seite, etwa unter UNO-Ägide oder durch einzelne Länder bzw.
Ländergruppen, sagte der Botschafter, dafür bestehe kein Anlaß.
Nordkorea sei nicht eine im Krieg besiegte Nation wie etwa der Irak.
Entsprechende Forderungen wären auch eine Beleidigung des Ansehens
der IAEO.

   Berichte über Plutonium-Herstellung in Nordkorea wies der
Botschafter energisch zurück. Es handle sich dabei um Störversuche
Südkoreas, der USA und Japans angesichts der in Gang gekommenen guten
Zusammenarbeit zwischen Nordkorea und der IAEO. Tatsächlich bestehe
gerade bei Japan eine große Gefahr, daß dort eine Atombombe
entwickelt würde, sagte der Botschafter. Das Land importiere große
Mengen von Plutonium und habe sich zum Ziel gesetzt, bis zum Jahr
2010 über 100 Tonnen Plutonium zu verfügen.

                                                              0100

   Nordkorea hatte in der vorigen Woche der IAEO ein ausführliches

Verzeichnis seiner Nuklearanlagen übergeben und dam= den Weg für
internationale Kontrolln freigemacht. Im Dezember 1 hatten
Pjongjang und Seoul einen Vertrag unterzeichnet, der unter anderen
Nuklearwaffen auf der Halbinsel verbietet. Die innerkoreanische
Atomkontrollkommission konnte sich bisher nicht über Modalitäten der
gegenseitigen Inspektionen einigen.
 (Schluß) ti

APA183   1992-05-12/12:03

121203 Mai 92

        1992-05-12/19:20

0101

발 신 전 보

	분류번호	보존기간

번   호 :   WAV-0736   920515 1508 ED   종별: 암호송신

수   신 : 주 오지리   대사. 총영사

발   신 : 장 관 (국기)

제   목 : 북한 핵시설 사찰 일정

　　　5.14 배를린 발 연합통신에 의하면 IAEA 대변인은 6월 첫주중에 최초 대북

핵사찰이 실시될 것이며, 동 사찰에는 북한이 보고하지 않은 미신고 핵시설이 포함

되지 않는다고 밝혔다는 바, 동건 확인, 보고바람.

별첨맛는
첨부 : 연합통신 보도 1부.   끝.

WAVF-0097

　　　　　　　　　　　　　　　　　　　　(국제기구국장   김 재 섭)

		보 안 통 제	
앙고재	92년 5월 15일 국제기구과	기안자 성명 이흥래	과장	심의관	국장	차관	장관	외신과통제

0102

對北 최초핵사찰에 미신고시설은 포함 안돼

IAEA 대변인, 늦어도 6월 첫주 사찰 개시

(베를린=聯合) 洪成杓특파원 = 2주 앞으로 임박한 국제원자력기구(IAEA)의 최초 對北핵사찰에는 북한이 보고하지 않은 미신고 핵시설이 포함되지 않는다고 IAEA 대변인이 14일 밝혔다.

북한은 지난 4일 최초보고서를 제출, 영변에 건설중인 방사화학실험실 등 14개 주요 핵시설을 신고했는데 이둘 이외의 어떠한 시설에 대해서도 IAEA의 사찰에 응하겠다는 의사를 표명하고 있다.

이 대변인은 이번 사찰은 전적으로 최초보고서의 내용을 검증하는데 국한되며 그 이상의 활동은 포함되지 않는다고 말했다.

또 사찰 시기에 대해서는 IAEA 규정상 구체적 일정은 밝힐 수 없으나 6월 1일로 시작되는 6월 첫주중에는 실시될 것으로 믿는다고 밝혔는데 또 다른 관계소식통은 6월 15일 개막되는 IAEA 이사회에 사찰 결과가 보고돼야 하는 만큼 5월 마지막 주중 사찰이 시작될 것이라고 전망했다.

한편 IAEA 대변인은 이사회에 대한 사찰 결과 보고와 관련, 사찰을 통해 문제점이 드러날 경우에만 보고가 이뤄질 것이며 문제성이 없다고 판단되면 사찰 내용은 궁개되지 않을 것이라고 밝혔다.(끝)

외 무 부

71

종   별 : 지 급

번   호 : USW-2492

일   시 : 92 0515 1048

수   신 : 장관(미이,미일,국기,정특,정안,기정)

발   신 : 주미대사

제   목 : 북한핵문제

당관 임성준참사관은 금 5.14 국무부 KARTMAN 과장과 오찬 면담을 가지면서 북한
핵문제 대처방안등에 관하여 협의한바, 요지 아래 보고함.

1. 최근의 와싱턴 시각

O KARTMAN 과장은 북한 핵문제와 관련, 국무부, 국방부, NSC 등 주요 정책입안자들
사이에서는 북한에 대하여 두가지 의심이 있는바, 1) 북한이 IAEA 사찰제도의
취약점을 악용하여 핵개발 계획을 은폐하고 있는것이 아닌가 생각하며 따라서
이와같은 의심은 남북한 상호사찰의 필요성을 더욱 증폭시키고있으며, 2) 북한측이
5MW 원자로의 핵연료봉을 가동이후 계속쓰고 있다는 설명과 관련, 미측의 전문가들은
기사용 연료봉을 은닉하고있지 않는가 하는 의심을 강하게 가지고있는점이라고
설명하였음.

O 동과장은 이어 상기 행정부 인사들은 한국측에 대하여도 일부 의심(SUSPICION)을
가지고있는바, 남북한 문제 처리와 관련한 국내정치적 고려때문에 남북한
상호사찰제도 수립에 소극적이거나 북한측 주장에 타협적인 자세로 임하지 않을까하는
의견이 있다고 말하였음.

O KARTMAN 과장은 남북한 상호사찰의 중요성을 강조하기 위한 EC, 러시아등 관련국
접촉과정에서도 일본의 계속적인 공동보조에 의문을 제기하는 의견뿐 아니라 당사자인
한국도 확고한 자세로 끝까지 이문제를 관철할 것으로 보는가에대한 질문이 있었다고
설명하였음(동 질문은 러시아측과 접촉시 제기되었다함).

2. 금후의 대처방안

O KARTMAN 과장은 현재까지 드러난 남북한 상호사찰 규정안에 대한 평가와 관련,
미행정부, 관련 민간 연구기관들은 한국측의 주장이 합리적일뿐 아니라 지금까지
확립된 군비통제 검증제도에 부합하는 내용이며, 북한측 주장은 상호주의라는

미주국	장관	차관	1차보	미주국	국기국	외정실	외정실	분석관
정와대	안기부							

대원칙을 거부하는등 정치선전용의 불합리한 내용이라는데 의견의 일치를 보이고 있으므로, 한국측으로서는 기존의 주장을 떳떳이 관철시키는 노력을 계속기울이는 것이 중요할것으로 본다는 견해를 표명하였음.

0 동 과장은 금후 남북한간의 교섭과정에서 사찰제도의 가장 근간이 되는 원칙인 상호주의가 훼손되는 타협이 이루어진다면 북한측이 주장하고있는 미군기지에 대한 사찰은 불가능하게될것이라는 생각이 특히 국방부를 위시한 행정부 관련인사들 사이에는 매우 확고한 점을 이해하여야할것임을 밝혔음.

0 따라서 미측으로서는 북한이 IAEA 사찰을 받으면서도 상호사찰에 미온적인 태도를 보일경우에는 지난 1 월 NY 접촉시 통보한 내용을 북한측에 대하여 재강조하는 방안을 강구하여야 할것인바, 그방안으로서 KANTER 차관 서신 발송 또는 또 한차례의 고위급 접촉등을 생각할수있다고 말하였음.

3. 관찰 및 평가

0 미측은 최근 계속되는 JNCC 회의등 남북한 접촉에도 불구하고 북한측이 타협적인 태도를 보이지 않고 있는점에 비추어 북한은 IAEA 사찰을 통하여 국제사회의 불신을 해소시키면서 남북한 상호사찰에 대한 국제여론의 약화를 기도하는 것이 아닌가하는 분석을 하고있음.

0 상기와 같은 국면에 처해 질것에 대비하여 미측으로서는 북한에 대하여 남북 상호사찰 수락을 강도 높은 방법으로 촉구하는 방안을 강구중인것으로 보이는바, 그와같은 방안을 강구함에 앞서 아측과 충분한 사전협의를 가지는것이 긴요할것으로 사료되며, 따라서 미측의 정책수립동향을 면밀히 파악할 필요가 있을것임.끝

(대사 현홍주-국장)

예고:92.12.31 일반

북한의 플루토늄 생산 시인에 대한 입장

- 외교정책자문회의 자료 -

(92. 5. 16)

- 북한이 플루토늄을 생산한 적이 있다고 한 발표에 대해 우려를 금할 수 없음.

- 이러한 사실은 북한 핵개발 의혹 해소를 위한 남북상호사찰 실시의 중요성을
  더욱 증대시키고 있음.

- 북한이 IAEA에 제출한 list 중에서 건설중이라고 밝힌 방사화학시설이 서방측이
  재처리시설로 의심해온 것과 일치하는 것인지는 좀더 확인이 필요함.

- 북한의 플루토늄 생산과 재처리시설 문제는 IAEA 사무총장인 Hans Blix의
  기자회견(92. 5. 16 14:00, 북경 예정) 내용과 6월중 실시 예정인 IAEA
  임시사찰 결과를 보아야만 보다 정확한 입장이 정리될 수 있을 것임.

- 다만, 어떠한 경우든 플루토늄 생산을 위한 재처리는 한반도 비핵화 공동
  선언 제3항에 위반되는 것으로서, 우리측은 지난 5. 12. 핵통제공동위
  제4차 회의시 북측에 해명을 촉구한바 있음.

- 북한이 재처리시설을 보유하고 있거나 건설중인 것으로 드러나면 우리는
  남북상호사찰 실시 결과에 따라 동 시설의 폐기등 시정 조치를 요구할
  것이며, 또한 국제사회의 압력도 계속해 나갈 것임.

0106

외 무 부

관리 82
번호 -632

종 별 :

번 호 : AVW-0836

일 시 : 92 0518 2130

수 신 : 장 관(국기 미아)

발 신 : 주 오스트리아 대사

제 목 : 북한 핵문제 핵심 우방국 협의

대:WAV-0748

연:AVW-0785

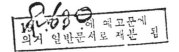

1. 본직은 5.21(금) 오후에 미, 일등 핵심 우방국대사를 초치 BLIX IAEA 사무총장의 북한 방문결과에 대한 북경기자 회견 관련 정보 교환및 평가, 6 월 이사회 의제(북한 문제) 관련 협의와 최근 남북한 핵통제 위원회 회의 경과를 설명하기 위하여 협의회를 가질 예정임.

2. 이와 관련 당관은 대호 북경기자회견 영문 TRANSCRIPT 를 회의 참석대상대표부에 배부하였으며, 당지 미국대표부는 동 기자 회견관련 별전 FAX 와 같이 주 중국 미국대사관이 작성한 자료를 송부하여 왔음(이에 관한 일본측 자료는명일 입수 송부하겠음).

3. 상기 핵심 우방국 협의와 관련 본부의 특별한 의견 있으면 회시하여 주시기바람.

별첨:AVW(F)-110 7 매.끝.

(대사 이시영-국장)

예 고:92.6.30 일반 에 고문에 의거 일반문서로 재분류됨

국기국	장관	차관	1차보	미주국	외정실	분석관	청와대	안기부

0107

92.05.19 08:18

외신 2과 통제관 BX

EMBASSY OF THE REPUBLIC OF KOREA

Praterstrasse 31, Vienna
Austria 1020 (FAX : 2163436)

No : AVW(F)-110	Date 2254 2 30
To : 장 관(중기.미이)	
(FAX No :)	

Subject : 첨부

표지포함 ─── ρ─── 매

Total Number of Page : _____

A ─1

0108

VZCZCHTOS11IEYGZC
OO RUTEMI
DE RUEEEJ #3736/G1 1380011
ZKR UUUUU ZZH ZZK
O 178011Z MAY 92 ZFF4
FM AMEMBASSY BEIJING
TO RUEHC/SECSTATE WASHDC NIACT IMMEDIATE 4547
INFO RUEHME/USMISSION USVIENNA IMMEDIATE 0227
RUEHKO/AMEMBASSY TOKYO 8218
RUEHUL/AMEMBASSY SEOUL 5263
BT
UNCLAS SECTION 01 OF 04 BEIJING 013736

DEPT PASS DOE HEADQUARTERS

USMISSION FOR UNVIE

E.O. 12356: N/A
TAGS: IAEA, KNNP, MNUC, PREL, PARM, KN, KS, CH
SUBJECT: IAEA DG BLIX MAY 16 BEIJING PRESS CONFERENCE
ON THE NORTH KOREAN NUCLEAR PROGRAM

1. UNCLASSIFIED ENTIRE TEXT.

2. SUMMARY: IN A PRESS CONFERENCE ON HIS MAY 11-16
VISIT TO THE DPRK, IAEA DIRECTOR GENERAL HANS BLIX SAID:

-- HIS VISIT DID NOT CONSTITUTE AN IAEA INSPECTION; AN
INSPECTION SHOULD OCCUR WITHIN WEEKS.
-- THE NORTH KOREANS HAD REPROCESSED A "TINY AMOUNT" OF
PLUTONIUM FROM A NUMBER OF DAMAGED RODS OF THE FIVE
MEGAWATT YONGBYON REACTOR.
-- IF FULLY EQUIPPED, THE RADIOCHEMISTRY LAB AT
YONGBYON COULD BE CONSIDERED A REPROCESSING PLANT.
-- IN AN EFFORT TO ENSURE SELF-RELIANCE AND AVOID
FOREIGN SOURCES FOR FUEL AND TECHNOLOGY, THE DPRK HAD
REJECTED THE USE OF LIGHT WATER AND HEAVY WATER
TECHNOLOGIES FOR ITS NUCLEAR PROGRAM.
-- THE DPRK WAS TAKING THE FIRST STEPS TOWARDS OPENNESS
AND BUILDING CONFIDENCE CONCERNING ITS NUCLEAR
INTENTIONS.
-- AS PART OF THE PROCESS OF BUILDING CONFIDENCE, HE
HOPED THAT THE DPRK AND ROK WOULD REACH AN AGREEMENT ON
A BILATERAL INSPECTION REGIME.
END SUMMARY.
3. ON MAY 16, DURING A HALF HOUR PRESS CONFERENCE AT
THE BEIJING HOTEL, IAEA DIRECTOR GENERAL HANS BLIX
DISCUSSED HIS JUST CONCLUDED OFFICIAL VISIT TO NORTH
KOREA. THE AUDIENCE OF OVER SIXTY INCLUDED A LARGE
NUMBER OF SOUTH KOREAN JOURNALISTS, KOREA WATCHERS FROM
THE THE RUSSIAN AND JAPANESE EMBASSIES, SEVERAL OFFICERS
FROM THE SOUTH KOREAN TRADE OFFICE, DPRK EMBASSY
POLITICAL COUNSELOR PAK SOK GYUN, AND POLOFF. BLIX WAS
ACCOMPANIED BY SEVERAL IAEA ADVISERS. NO CHINESE
OFFICIALS WERE PRESENT. THE TEXT OF THE HASTILY DRAFTED
AND PHOTOCOPIED STATEMENT WHICH WAS DISSEMINATED AT THE

1/4 HJS   UNCLASSIFIED   BEIJING 013736/01

0109

𝒫-2

BLIX VISIT NOT AN INSPECTION
_____

4. NOTING THAT HE AND HIS ADVISERS WERE THE FIRST
OUTSIDERS TO VISIT NORTH KOREA'S NUCLEAR INSTALLATIONS,
BLIX BEGAN THE CONFERENCE BY EXPLAINING THAT HE HAD
ARRANGED THE CONFERENCE BECAUSE OF THE GREAT INTEREST IN
THE NORTH KOREAN NUCLEAR PROGRAM. TO CLARIFY, BLIX SAID
HIS VISIT DID NOT CONSTITUTE AN IAEA INSPECTION. IT WAS
AN OFFICIAL VISIT TO FAMILIARIZE THE AGENCY ON THE
DPRK'S NUCLEAR PROGRAM. AN OFFICIAL INSPECTION SHOULD
TAKE PLACE WITHIN A FEW WEEKS TO VERIFY THE DECLARATION
CONVEYED ON MAY 4 BY THE DPRK TO IAEA.

VISIT AGENDA
_____

5. THE DPRK MINISTER OF ATOMIC ENERGY WAS THE HOST OF
THE IAEA DELEGATION. THEY HELD DISCUSSIONS WITH THE
PRIME MINISTER AND FIRST DEPUTY FOREIGN MINISTER AND
VISITED THE YONGBYON NUCLEAR RESEARCH CENTER. AT
YONGBYON, THE DELEGATION SAW A FIVE MEGAWATT
EXPERIMENTAL NUCLEAR POWER PLANT -- IN OPERATION SINCE
1986, A 50 MEGAWATT DEMONSTRATION PROTOTYPE POWER PLANT
UNDER CONSTRUCTION, A RADIOCHEMISTRY LABORATORY UNDER
CONSTRUCTION, SOME OTHER LABS, AND UNDERGROUND SHELTERS.

6. THEY ALSO VISITED A 200 MEGAWATT POWER PLANT UNDER
CONSTRUCTION AT TAECHON. AT PAKCHON AND PYONGSAN THEY
VISITED URANIUM ORE-CONCENTRATION PLANTS, CAPABLE OF
PRODUCING "YELLOW CAKE." IN PYONGYANG, THE DELEGATION
TALKED TO ACADEMICS AND RESEARCHERS AT KIM IL-SUNG
UNIVERSITY AND VIEWED THE CYCLOTRON AT THE INSTITUTE FOR
ATOMIC ENERGY RESEARCH.
NORTH KOREA DESCRIBES ITS NUCLEAR PROGRAM

7. BLIX SAID THE NORTH KOREANS EXPRESSED THE CONVICTION
THAT THEY NEEDED TO RELY ON NUCLEAR POWER FOR
ELECTRICITY. CURRENTLY, FIFTY PERCENT OF THE COUNTRY'S
ELECTRICITY IS GENERATED BY THERMAL POWER; FIFTY PERCENT
BY HYDROELECTRIC POWER. WHEN THEY WERE CONSIDERING
VARIOUS TYPES OF TECHNOLOGY FOR THEIR NUCLEAR PROGRAM,
THE NORTH KOREANS DISCARDED THE IDEA OF USING HEAVY
WATER -- ADOPTED, FOR EXAMPLE, BY CANADA AND INDIA -- AS
TOO DIFFICULT A PROCESS. THEY ALSO DETERMINED THAT THE
LIGHT WATER PROCESS WOULD BE TOO DIFFICULT. IN
ADDITION, A LIGHT WATER REACTOR WOULD REQUIRE IMPORTED
TECHNOLOGY AND IMPORTED ENRICHED URANIUM. RATHER THAN
HAVING TO DEPEND ON FOREIGN SOURCES FOR THE DEVELOPMENT
OF ITS NUCLEAR PROGRAM, THE DPRK OPTED FOR A PROGRAM
WHICH WOULD ENSURE "SELF-RELIANCE." THE NORTH KOREANS
DECIDED TO USE A NATURAL URANIUM AND GRAPHITE PROCESS
BT
#3736

NNNN

1/4 HJS   UNCLASSIFIED   BEIJING 013736/01

                                    8 - 3   0110

-- ADOPTED THIRTY-FIVE YEARS AGO IN THE EFFORT TO
DEVELOP THEIR NUCLEAR PROGRAM. NORTH KOREA PRODUCES
BOTH GRAPHITE AND URANIUM IN SUFFICIENT QUANTITIES FOR
ITS NUCLEAR PROGRAM.

THE REPROCESSING QUESTION

8. ON THE QUESTION OF REPROCESSING SPENT FUEL, BLIX
SAID THE NORTH KOREANS HAD ACTUALLY PRODUCED A "TINY
QUANTITY" OF PLUTONIUM WHICH HAD BEEN DECLARED TO IAEA.
THE NORTH KOREANS HAD INTENDED TO USE THE FUEL IN A
BREEDER REACTOR WHICH WAS STILL IN THE EARLY PHASE OF
STUDY.

INSPECTION SCHEDULE

9. AFTER RATIFYING AN IAEA SAFEGUARDS AGREEMENT ON
APRIL 10, CONTINUED BLIX, THE DPRK ON MAY 4 DEPOSITED
WITH IAEA AN INITIAL DECLARATION OF NUCLEAR FACILTIES
AND MATERIAL. SOME OF THE FACILTIES WERE LISTED IN THE
PRESS STATEMENT (SEPTEL). OTHER INFORMATION PROVIDED BY
THE DPRK WOULD BE HANDLED ACCORDING TO IAEA PROCEDURE
AND BE TREATED AS CONFIDENTIAL.

IS EVERYTHING ON THE DPRK LIST?

10. ANSWERING HIS OWN RHETORICAL QUESTION ON THE
COMPLETENESS OF THE DPRK LIST AND CONFIDENCE, BLIX
REMARKED THAT IN A CLOSED SOCIETY SUCH AS NORTH KOREA IT
WAS EASIER TO HIDE INFORMATION THAN TO DISCLOSE IT.
CONFIDENCE, HOWEVER, COULD ONLY COME FROM AN INCREASING
OPENNESS OF SUCH A SOCIETY. NORTH KOREA'S DECLARATION
WAS A FIRST STEP IN OPENNESS. AN INSPECTION WOULD BE
THE NEXT STEP IN THE PROCESS OF OPENNING UP. THE NORTH
KOREANS HAD MADE FURTHER OVERTURES BY OFFERING TO IAEA
FOR INSPECTION THE ORIGINAL OPERATING RECORD FOR THE
FIVE MEGAWATT PLANT. THEY HAD ALSO INVITED IAEA
OFFICIALS TO VISIT ANY SITE ON OR NOT ON THE DPRK LIST
OF NUCLEAR FACILITIES.

11. AFTER AN INSPECTION, OPINED BLIX, IT WOULD BE
EASIER TO ANALYZE THE "COHERENCE" OF THE DPRK NUCLEAR
PROGRAM, I.E., SEE HOW THE PARTS OF THE PROGRAM MATCH OR
FIT TOGETHER.

ANOTHER STEP TOWARD OPENNESS: THE NORTH-SOUTH KOREA
BILATERAL INSPECTION REGIME

12. CONCLUDING HIS STATEMENT, BLIX EXPRESSED HOPE THAT
AN AGREEMENT BETWEEN NORTH AND SOUTH KOREA ON A
BILATERAL INSPECTION REGIME WOULD COME TO FRUITION. HE
SAID A BILATERAL AGREEMENT WOULD BE HELPFUL IN THE
PROCESS OF ATTAINING OPENNESS.

BLIX'S VIEW OF THE DPRK NUCLEAR PROGRAM

13. WHEN ASKED, BLIX SAID THE NORTH KOREANS HAD CHOSEN

A SOMEWHAT "OLD FASHIONED" NUCLEAR REACTOR FOR THEIR
PROGRAM. THE BRITISH, FOR EXAMPLE, ABANDONED THE
NATURAL URANIUM PROCESS FOR THE LIGHT WATER PROCESS
AFTER A FEW YEARS BECAUSE OF THE RELATIVE EFFECTIVENESS
OF THE LATTER PROCESS. THE DPRK HAD DECIDED TO
SACRIFICE EFFECTIVENESS FOR SELF-RELIANCE BECAUSE THEY
COULD NOT BE CERTAIN OF THE ASSURANCE FROM A FOREIGN
SOURCE ON THE SUPPLY OF FUEL AND TECHNOLOGY.

14. WHEN ASKED LATER IN THE CONFERENCE ABOUT THE
PEACEFUL PURPOSE OF THE DPRK NUCLEAR PROGRAM, BLIX
EXPLAINED THAT ONCE THE DPRK RATIFIED A SAFEGUARDS
AGREEMENT AND PROVIDED A LIST OF NUCLEAR FACILITIES AND
MATERIAL, A GREAT DEAL OF INFORMATION WAS MADE AVAILABLE
ABOUT THE DPRK NUCLEAR PROGRAM. NORTH KOREA INVITED
BLIX AND HIS ADVISERS TO NORTH KOREA IN ORDER TO
FAMILIARIZE IAEA WITH THE DPRK PROGRAM. THE IAEA
DELEGATION HAD BEEN ABLE TO TAKE A "FAIR AMOUNT" OF
PHOTOS AND VIDEO FOOTAGE. IN A SHORT PERIOD OF TIME A
GREAT DEAL OF SECRECY HAD BEEN SHED. IT WAS TIME NOW TO
ASSESS THE COMPLETENESS AND CONSISTENCY OF THE NORTH
KOREAN NUCLEAR PROGRAM. IT WOULD TAKE TIME, HOWEVER,
BEFORE CONFIDENCE COULD DEVELOP.

15. ON THE
TIMEFRAME FOR COMPLETION OF THE FACILITIES
UNDER CONSTRUCTION, BLIX SAID THE FIFTY MEGAWATT PLANT
SEEMED TO BE ON SCHEDULE FOR COMPLETION IN 1995 AND THE
200 MEGAWATT, COMMERCIAL-TYPE PLANT, FOR 1996. NOTING
MEDIA REPORTS ON THE 200 MEGAWATT FACILITY LACKING
ELECTRICAL COMPONENTS, BLIX SAID HE SAW A SWITCHYARD AND
PYLONS THERE. NO LINES, HOWEVER, HAD BEEN CONNECTED.
BT
#3736

NNNN

2/4   UNCLASSIFIED   BEIJING 013736/82

0112

16. ON THE TREATMENT HIS DELEGATION RECEIVED IN
PYONGYANG, BLIX REPLIED THAT IAEA HAD BEEN TAKEN TO ALL
OF THE FACILITIES IT HAD ASKED TO VISIT, AND A FEW
MORE. THEY USED A HELICOPTER ON THE THIRD DAY OF THE
VISIT IN ORDER TO COVER ALL THE FACILITIES PLANNED FOR
THE DELEGATION'S SCHEDULE. BLIX SAID HE HAD NO REASON
TO COMPLAIN -- THE NORTH KOREANS WENT OUT OF THEIR WAY
TO ACCOMMODATE HIM AND HIS COLLEAGUES.

MORE ON REPROCESSING

17. ON THE AMOUNT OF NUCLEAR WASTE BEING PRODUCED, BLIX
REPLIED THAT THE FIVE MEGAWATT REACTOR STILL HAD ITS
ORIGINAL CORE, BUT A NUMBER OF RODS HAD BEEN DAMAGED. A
"TINY" AMOUNT OF PLUTONIUM HAD BEEN REPROCESSED FROM
THESE RODS.

18. WHEN ASKED WHETHER THE LAB AT YONGBYON WAS INTENDED
FOR REPROCESSING, BLIX DESCRIBED IT AS "NOT A SMALL"
BUILDING -- ABOUT 160 METERS LONG. THE NORTH KOREANS
CALLED IT A LABORATORY BECAUSE IT WAS INTENDED FOR USE
IN TESTING. IT WAS ABOUT EIGHTY PERCENT COMPLETE IN
TERMS OF CIVIL ENGINEERING, AND FORTY PERCENT COMPLETE
IN TERMS OF EQUIPMENT. IT HAD ONLY BEEN USED FOR--
TESTING IN 1990 WHEN THE PLUTONIUM HAD BEEN PRODUCED.
NO WORK WAS GOING ON AT THE LAB DURING THE IAEA VISIT.
MORE EQUIPMENT HAD BEEN ORDERED. WITH ALL THE EQUIPMENT
DELIVERED AND IN PLACE, OPINED BLIX, THE FACILITY COULD
BE CONSIDERED A REPROCESSING PLANT.

19. PRESSED ON THE LAB'S PURPOSE, BLIX SAID HE DID NOT
LIKE TO SPECULATE. THE LAB HAD BEEN DECLARED A TESTING
FACILITY; ITS PLANNED PURPOSE WAS FOR TESTING. HE
REITERATED THE NORTH KOREAN EXPLANATION THAT
REPROCESSING HAD BEEN ENVISIONED FOR EVENTUAL USE WITH A
BREEDER REACTOR, AND THE CLAIM THAT ONLY A TINY AMOUNT
OF PLUTONIUM HAD BEEN PRODUCED IN 1990. HE ENDED HIS
REPLY WITH THE COMMENT THAT IF THE FACILITY WERE
COMPLETE AND IN OPERATION IT COULD BE CALLED A
REPROCESSING PLANT.

20. ASKED ABOUT NORTH KOREAN INTENTIONS CONCERNING
COMPLETION OF THE LAB, BLIX SAID THEY HAD NOT EXPRESSED
THEIR INTENTIONS. WHEN ASKED WHETHER THE "TINY AMOUNT"
OF PLUTONIUM WAS ENOUGH TO MANUFACTURE A BOMB, BLIX --
DECLINING TO SPECIFY THE AMOUNT -- REPLIED IT WAS FAR
FROM THE AMOUNT REQUIRED FOR A BOMB. HE DECLINED TO
ANSWER A QUESTION ON THE FACILITY'S FUTURE CAPABILITY TO
PRODUCE WEAPONS-GRADE PLUTONIUM. ON WHETHER EQUIPMENT
HAD BEEN REMOVED FROM THE LAB, BLIX REPLIED HE COULD NOT
MAKE SUCH A DETERMINATION DURING HIS VISIT. IAEA
INSPECTORS, HOWEVER, WOULD GO THROUGH THE FACILITY IN
DETAIL.

MORE ON THE NORTH-SOUTH KOREA BILATERAL INSPECTION REGIME

21. WHEN ASKED ABOUT THE IMPORTANCE OF NORTH-SOUTH
KOREAN MUTUAL INSPECTIONS, BLIX SAID IAEA WOULD DO WHAT

3/4   UNCLASSIFIED   BEIJING 013736/03

0113

IT COULD TO CONTRIBUTE TO THE PROCESS OF OPENNESS. THE
MORE OPENNESS, THE BETTER FOR THE PROCESS OF BUILDING
CONFIDENCE. BLIX SAID HE TOLD THE NORTH KOREANS NOTHING
WAS STOPPING THEM FROM BEING OPEN WITH OTHERS. HE
EXPRESSED HOPE THAT AN AGREEMENT WOULD BE REACHED
BETWEEN NORTH AND SOUTH KOREA THROUGH THE PROCESS OF
NEGOTIATIONS.

22. WHEN ASKED IF SOUTH KOREAN INSPECTORS WOULD BE PART
OF THE IAEA INSPECTION TEAM, BLIX REPLIED IAEA HAD
INSPECTORS BOTH FROM THE DPRK AND ROK. THE HALF DOZEN
INSPECTORS WOULD BE SELECTED ACCORDING TO THE COMPETENCE
NEEDED TO EVALUATE THE NORTH KOREAN FACILITIES. NO
DECISION HAD BEEN MADE ON THE MAKE-UP OF THE INSPECTION
TEAM.

LESSONS FROM THE IRAQ EXPERIENCE
----
23. ON THE LESSONS LEARNED FROM THE IRAQ EXPERIENCE,
BLIX REPLIED THAT THE SITUATION OF NORTH KOREA WAS
DIFFERENT FROM THAT OF IRAQ. NORTH KOREA, FOR EXAMPLE,
HAD
DECLARED ITS RADIOCHEMICAL LABORATORY AND THAT IT
HAD SUCCEEDED IN REPROCESSING SPENT FUEL INTO
PLUTONIUM. THE IAEA DID LEARN FROM THE IRAQ EXPERIENCE
THAT IT NEEDED TO DEVISE METHODS TO GIVE GREATER
ASSURANCE THAT NON-DECLARED SITES WOULD BE DISCOVERED.
TOWARDS SUCH ASSURANCES, THE IAEA BOARD OF GOVERNORS HAD
UNDER CONSIDERATION NEW MEASURES THAT WOULD REQUIRE MORE
BT
#3736

NNNN

3/4   UNCLASSIFIED   BEIJING 013735/03

0114

INFORMATION UNDER SAFEGUARDS AGREEMENTS. UNDER EXISTING
SAFEGUARDS AGREEMENTS, IAEA DID HAVE THE RIGHT TO CARRY
OUT SPECIAL INSPECTIONS IF THERE WAS REASON TO BELIEVE
SOMETHING HAD BEEN HIDDEN.

24. IAEA, CONTINUED BLIX, WOULD HAVE THAT ABILITY
REGARDING NORTH KOREA. IT HAD ALSO OBTAINED FROM NORTH
KOREA THE STANDING INVITATION FOR AN IAEA INSPECTION
TEAM TO VISIT AT ANY TIME -- A COMMITMENT WHICH EXTENDED
BEYOND PRESENT SAFEGUARDS DUTIES.

SOVIET SCIENTISTS TO NORTH KOREA OR ELSEWHERE?
----

25. ON THE QUESTION OF THE "EXPORT" OF FORMER SOVIET
SCIENTISTS TO NORTH KOREA AND ELSEWHERE, BLIX SAID HE
HAD NO HARD EVIDENCE TO SUPPORT MEDIA REPORTS ON THE
MATTER. IN FACT, SOME COUNTRIES WERE CONSIDERING
SETTING UP INSTITUTES WITHIN THE FORMER USSR TO EMPLOY
SCIENTISTS IN THEIR LOCAL AREAS.
WAS ANYTHING MOVED BEFORE THE BLIX VISIT?
----

26. ASKED ABOUT THE CONTENTS OF THE UNDERGROUND
SHELTERS HE VISITED, BLIX SAID THE VERY EXTENSIVE, LARGE
CAVITY SHELTERS UNDER THE HILLS WERE EMPTY EXCEPT FOR
VENTILATION SYSTEMS. THE NORTH KOREANS TOLD BLIX THEY
FEARED ATTACK AND WERE PREPARED TO MOVE PEOPLE,
EQUIPMENT AND DOCUMENTS TO THE SHELTERS WHEN NECESSARY.
ADMITTING HE HAD ONLY VISITED A FEW, BLIX REITERATED HE
HADN'T SEEN ANYTHING IN THE SHELTERS.

TALKS ON THE PRC NUCLEAR PROGRAM?
----

27. ASKED ABOUT HIS TALKS IN BEIJING AND CHINA'S PLANS
FOR ANOTHER NUCLEAR POWER PLANT, BLIX SAID HE WOULD BE
MEETING THE AFTERNOON OF MAY 16 WITH HIS CHINESE HOSTS.
THE IAEA HAD EXTENSIVE RELATIONS WITH CHINA, HE
REMARKED. ON A PREVIOUS STOP IN CHINA, BLIX VISITED TWO
NUCLEAR POWER PLANTS. THE PRC, HE COMMENTED, WAS
PROCEEDING SLOWLY AND CAUTIOUSLY WITH ITS NUCLEAR
PROGRAM, IN CLOSE COOPERATION WITH IAEA. IAEA WAS
PREPARED TO ASSIST CHINA TO ENSURE THE SAFETY OF THE
NUCLEAR FACILITIES.
ROY
BT
#3736

NNNN

4/4   UNCLASSIFIED   BEIJING 013736/04

0115

외 무 부

원 본

종 별 : 지급

번 호 : AVW-0838

일 시 : 92 0519 2200

수 신 : 장 관(국기,미이,정특)

발 신 : 주 오스트리아 대사

제 목 : IAEA 임시 사찰

대:WAV-0752

1. 표제관련 금 5.19 IAEA 사무국측에 탐문한 바에 의하면 THEIS 를 단장으로 한 제 1 차 임시사찰단(단장 포함 6 명정도)이 5.23 당지를 출발 5.25 부터 북한을 방문 할것이라함(THEIS 는 북한과 독일간에 외교관계가 없으나 북한측의 호의적 고려로 사찰팀에 포함되었다함)

2. 동 사찰팀의 북한 체류기간은 사찰 활동의 진행 경과에 따라 다소 유동적일수 있으나, 6.15 이사회 이전에 사찰 결과 평가를 마쳐야 하는 사정을 고려 6월 첫번째 주중에는 귀임할 것이라 하며, 제 1 차 임시 사찰단의 사찰 결과를 평가한후 필요하면 곧이어 제 2 차 임시 사찰단을 파견할수 도 있다함(BLIX 사무총장은 1 차 사찰의 결과를 6.10 까지 보고토록 지시하였다 함)

3. 제 1 차 임시 사찰단은 국제적으로 관심을 끌고 있는 북한의 핵재처리 관련사항에 대한 검증 외주로 사찰을 진행할 예정이라함.

4. IAEA 의 관계관에 의하면 사찰 결과를 보아야 확실한 것을 알수 있겠으나 IAEA 의 비공식 견해로는 현 단계에서 북한이 말하고 있는 방사 화학 연구소를 실험, 연구 시설 수준으로 평가하고 있으나 추가 설비를 갖추는 경우 핵재처리시설이 될수 있다고 보고 있다함. 또한 북한이 1990 년 동 연구소에 추출하였다고 신고한 플루토늄 량은 그램(G) 단위라고 함.

4. IAEA 사무국은 북한의 핵문제에 특별한 관심이 있는 이사국들에 대해 임시사찰 결과를 6 월 이사회 이전에 비공식으로 설명하는 방안을 검토하고 있으며, 구체적인 방식(개별적 혹은 집단적)은 BLIX 사무총장이 귀임후에 결정할 것이라함.

5. 현재로선 임시사찰 일정에 관한 공식발표 계획은 없으나 사찰일정에 관하여서만 언론의 문의가 있을시 사찰팀이 금주말 출발 내주초부터 사찰을 실시한다는 사실을

국기국	장관	차관	1차보	미주국	외정실	분석관	정와대	안기부

PAGE 1

92.05.20   08:36

외신 2과 통제관 BX

0116

확인해주고 있다함.

   6. 임시사찰 결과의 대외발표 여부 문제는 BLIX 사무총장의 귀임후 내부 협의를 거쳐 결정될 것이라고 함.

   7. 본직은 BLIX 총장 귀임후 5.25 중 동인과의 면담을 신청하고 있음을 첨언함.

   8. 상기 5 항의 개략적 사찰 일정 정도이외엔 대외보안에 각별 유의하여 주시기바람. 끝.

   (대사 이시영-국장)

   예고:92.6.30 일반

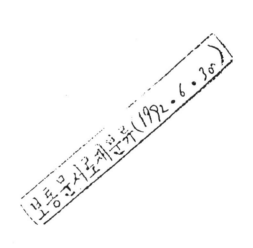

분류번호	보존기간

발 신 전 보

WAV-0775   920521 1906 CO

번   호 :＿＿＿＿＿＿＿＿＿＿＿＿＿   종별 :＿＿＿＿

수   신 : 주 오스트리아   대사./총/영사

발   신 : 장   관 (국기)

제   목 : 북한 핵문제

     Blix 사무총장의 북한 방문후 5.16. 북경 기자회견에서 북한이 연구 초기단계 (early phase of study)에 있는 증식로(breeder reactor) 용으로 사용하기 위하여 미량의 플루토늄을 추출하였다 하는 북한의 입장을 발표하였는 바, 이와관련 하기사항을 ~~귀관~~ 참고로 ~~하기~~ 바람.

    1. 증식로(또는 고속증식로)를 사용하고 있는 나라는 불란서와 영국이며 일본은 시험중에 있음.

    2. 증식로는 지금까지 고안된 원자로중 가장 효율적인 형태로서 고도의 기술을 필요로 함.

    3. 증식로를 운용하기 위하여서는 연료로 사용하는 플루토늄과 우라늄이 혼합된 핵 연료와 냉각용 Sodium (화학기호로 Na) 취급기술이 필수적임.

    4. 현재 북한이 증식로 연구의 초기단계에 있다할 경우 증식로를 이용하기까지에는 10여년이 더 소요될 것인 바, 이에 불구하고 북한이 플루토늄만 먼저 추출하는 기술 연구를 추진하여 왔다는 것은 납득하기 어려움. 특히 평화적인 원전 발전 목적으로 증식로 사용을 염두에 두었다면 소디움을 취급하는 기술 발전도 동시에 추진되었어야 할것임.

                          (국제기구국장 김 재 섭)

보 안 통 제

앙고재	92년5월21일	기안자 성명	과 장	심의관	국 장	차 관	장 관
	기과	센동식					

외신과통제

0118

관리 번호	92-484

외 무 부

종 별 :

번 호 : AVW-0858   일 시 : 92 0521 2130

수 신 : 장 관(국기,미이,정부,과기처) 사본:주미,주일대사-중계필

발 신 : 주 오스트리아 대사

제 목 : 북한 핵문제 핵심 우방국 협의

연:AVW-0836,0838,0809

대:WAV-0769

본직은 금 5.21 16:00-17:50 VIC 회의장에서 본직 주재로 핵심 우방국 협의회를 갖고 BLIX 사무총장 북한 방문 결과 평가, 6 월 이사회 대책에 대한 예비적의견교환, 최근 남북한 핵문제 협상 동향 평가등을 협의하였는바(미국, 일본, 호주, 카나다, 영국등 대사및 관계관 참석), 동 북가사항을 하기 보고함.

1.BLIX 사무총장 북한 방문 결과 평가

가. 본직은 우선 금번 BLIX 사무총장의 북한 방문의 결과와 관련, 북한의 방사화학 연구소가 핵 재처리 의혹 시설과 동일한 것으로 확인되고, 동 연구소가 통상적인 연구, 실험시설의 규모를 훨씬 초과하며, 소량의 플루토늄 생산 사실이 판명되는등 북한 핵개발 계획에 관하여 보다 많은 정보가 외부에 알려지는 기회가 된면이 있는 반면, 북한측은 BLIX 의 방문을 최대로 활용 자신의 핵개발 단계가 서방측이 우려하는 바와 같은 수준이 아니며, 핵개발 계획이 평화적 목적을위한 것임을 BLIX 총장의 입을 통해 국제사회에 인식시키는 동시에 제반 핵시설과 지하대피 시설까지 공개하는등 핵개발이나 핵시설의 은폐 의혹을 해소 시키는데 이용하려한 면이 있음을 지적하였음.

나. 일본은 대호(0769) 조찬 회동시 엔도대사가 BLIX 사무총장에게 타진한 내용을 소개하면서 북한측은 아직 연구단계에 있는 BREEDER REACTOR 에 사용할 플루토늄 생산을 위해 현단계에서 그 정도 규모의 재처리시설이 왜 필요한가에 대해 동 사무총장을 충분히 납득시키지 못하였다 하며, 또한 방사화학 연구소가 순전히 연구, 실험만을 위한 것인지 또는 앞으로 상당규모의 생산시설로 확장시키기 위한 전단계의 것인지를 북한측이 분명히 밝혀주지 않았다고 함. 또한 일본측은 북한이 동 시설의 건설을 중단했는지 혹은 일시적으로 공사를 중지한 것인지와 관련 동 총장에 의하면

국기국 과기처	장관 중계	차관	1차보	미주국	외정실	분석관	정와대	안기부

북한측이 나머지 설비를 주문해 놓은 상태라고 한것으로 미루어 건설을 중단한 것은 아닌것으로 보인다고 하였음.

다. 미국은 금번 BLIX 사무총장의 북한방문을 통해 그동안 의혹의 대상이 되어온 북한의 핵재처리 시설이 확인된 것에 안도(RELIEVE)하고 있으며, 또한 핵재처리 관련 사항이 일부 알려지게 됨으로써 임시 사찰단이 북한 핵시설중 어떤 부분에 초점을 맞추어 사찰할 것인지를 판단하는 것을 용이하게 해준 면은 성과라고 볼수 있다고 하고, 임시 사찰의 최대 관건은 5MW 실험용 발전 원자로로 부터 그동안 얼마만큼의 연료(SPENT FUEL)을 꺼내어 어떻게 사용 했는지 그과정을 검증해내는 것이라고 말하였음.

라. 미국은 또한 방사화학 연구소에서 SPENT FUEL 을 분해하여 플루토늄을 분리할수 있었다는 것은 기술적 견지에서 동 시설이 연구, 실험시설 단계를 넘어선것으로 보아야 한다는 견해를 밝혔음.

마. 호주는 북한이 IAEA 에 상당히 충실한 보고서를 조기에 제출하고, 또한 BLIX 총장 방문시 핵재처리 시설 방문등을 허용함으로써 북한이 자신의 핵문제에 대한 국제적 의혹을 어느정도 해소 시킨면이 있는 것으로 평가하고 있다고 언급함.

2. 사무총장의 6 월 이사회 보고 문제

가. 사무총장의 북한 방문 및 임시 사찰 결과를 이사회에 어떻게 보고 할 것인가에 대하여는 일반적으로 이사회 보고에는 사찰 경과에 대한 사실 보고만 할뿐 사찰 결과에 관한 자세한 내용은 IAEA 가 헌장상 안전조치 관련 사항에 대한비밀 유지 의무(SAFEGUARDS CONFIDENTIAL)가 있어 보고를 안하는것이 통례이며따라서 금번 대북한 임시 사찰과 관련해서도 사찰 내용은 보고에 포함되지 않을것으로 본다는 것이 공통된 견해였음.

나. 사무총장으로부터 북한 방문및 사찰 결과에 대한 브리핑을 사전에 받는문제에 관하여도 미국및 영국은 공동으로 공식적인 브리핑을 요청할 경우 전항과 같은 이유에서 사무국이 이에 응하기 어려울 것이므로 각자 개별적으로 비공식으로 설명을 유도하는 것이 보다 효과적일 것이라는 견해를 표명함.

3. 6 월 이사회 잠정의제

가. 6 월 이사회시 북한 관련 의제 문제와 관련하여 본직은 북한문제에 관한별도 의제의 필요성을 재차 강조하였던바(연호 0809 참조), 이에 대해 참석자들은 별도 의제가 바람직하기는 하나 현재와 같은 의제 표현하에서도 ANNOTATION 에 따라 북한

핵문제에 초점을 마춘 실질적인 토의에 지장이 없는 만큼 이미 배포되어 기정사실화된 잠정의제를 수정하기 위해 절차적 문제로 풍파를 불러 일으킬 경우의 부담과 불필요한 RISK 를 피하는것이 바람직하다는 의견을 보였음.

나. 동문제와 관련해서 금일 회의에선 핵심 우방국들이 사무구측과 공동으로 사전 교섭을 추진하되 (1)의제 5(SAFEGUARDS) SUB-ITEM(D) 하에 (I),(II),(III) 로 구분 북한을 명기하는 방안,(2) 5(D)항 말미에 WITH SOUTH AFRICA AND DPRK 를 추가하는 방안, 또는 (3) 의제 표현은 현재대로 두되 북한문제의 중점 토의가 가능하도록 사무총장으로 하여금 북한문제에 대한 보고를 의제 5(D) 토의시다른 문제와는 분리하여 별도 보고토록 하고 이를 토대로 북한 문제만을 대상으로한 집중 토의가 일어나도록 사전 약속토록하는 방안을 사무국측에 제시하고,사무국으로 하여금 그중에서 가장 바람직한 방안을 선택하도록 맡기는 방향으로 대처키로 의견을 모았음.

다. 상기에 따라 명 5.22 에 사무국측에 6 개국이 공동으로 DEMARCHE 하기로 합의하였음.

4. 남북한 핵문제

가. 우리측은 남북한 핵문제 협상 현황을 브리핑 해주었는바 IAEA 차원의 사찰과정과 병행하여 남북한 상호사찰의 중요성이 지적되었음.

나.6 월 이사회에서 북한 핵문제 토의시 우리측이 사찰 결과에 관하여 언급하는 과정에서 북한의 핵 재처리 의혹시설에 관하여 지적할 경우 북한이나 일부 77 그룹 인사국들로 하여금 이는 IAEA 가 관여할 일이 아니며 일본등의 핵 재처리 개발 현황에등을 들어 부당한 간섭이며, 차별대우라는 반론을 제기할 구실을 줄수도 있다는 점이 지적되었음.

다. 특히 미국은 IAEA 이사회가 남북한 차원의 핵문제를 거론하는 FORUM 이될 경우 초래될 가능성이 있는 반작용을 우려하는 입장을 보이면서 이점에서의현지 분위기를 본국에 건의할 생각이라고 하였음.

5. 대북한 제1차 임시 사찰단 구성

가. 미국측에 의하면 연호(0838) 제 1 차 임시 사찰단으로 규모는 7 명(우크라이나, 러시아, 오스트리아, 가나, 방글라데시, 항가리, 독일 국적)이될것이라 하며, IAEA 측이 북한측에수락을 요청한 벨지움및 알젠틴 국적의 사찰관은 국교가 없다는 이유로 북한측에 의하여 일차 거부된 상태라함.

나. 북한이 수락한 사찰관의 질적 수준에 관한 일본의 우려에 대하여 미측은 THEIS

가 재처리시설 전문가로서 이분야의 경험이 많기때문에 북한의 재처리 관련 사찰에 지장이 없을 것으로 보며, 현재로서는 최선의 팀구성으로 보고 있다함.

6. 참석국들은 모두 금일과 같은 협의가 6 월 이사회를 앞두고 더 필요해질것이라는데 의견을 같이 했음. 끝.

(대사 이시영-국장)

예고:92.6.30 일반.

관리
번호 92
-669

외 무 부

종   별 : 지급

번   호 : AVW-0865   일   시 : 92 0522 2305

수   신 : 장 관(국기,미이, 정특) 사본:주미대사

발   신 : 주 오스트리아 대사

제   목 : BLIX 사무총장 북한 방문결과

연:AVW-0858

금 5.22(금) 조창범공사는 VILLAROS 사무총장 특별보좌관(BLIX 사무총장 방북 수행)과 면담(미국 LAWRENCE 참사관, 호주 SCHICK 참사관 동석), 표제관련 의견 교환한바, 특기사항 아래 보고함.

1. BLIX 사무총장은 방북기간중 면담한 북한측 고위인사들에게 그간 북한의 핵개발에 대한 국제적 의혹이 강했던 점에 비추어 북한이 자발적으로 북한의 핵시설 현황에 관한 상세한 정보를 국제사회에 모두 공개토록 하는것이 북한의 이익에도 도움이 될것이라고 적극 권고하였던바 IAEA 로서는 SAFEGUARD CONFIDENTIAL 원칙상의 제약을 감안), 북한 원자력 공업부장은 이를 대체로 수긍하는 태도(WELL ACCEPTED)를 보였다함.

2. 특히 북한 연형묵 총리 면담시에도 상기와 같이 권고하였던바, 연은 이에대해 경청하는 태도(TAKE NOTE)를 보이면서 '정치적인 이점(POLITICAL WISDOM)을 알겠다. 우선 남북한간의 협상 진전상황을 주시해보자, 북한 한쪽만 진전 노력을 하고 있다'라는 반응을 보였다고 함.

3. 동인의 관측으로는 북한이 6 월 이사회 즈음엔 IAEA 로서는 현장상 SAFEGUARD CONFIDENTIAL 원칙 때문에 공개할수 없는 북한의 핵시설에 관한 상세한 정보를 북한 스스로 대외적으로 모두 밝힐 가능성도(이사회 발언등을 통해) 적지않은 것으로 본다함.

4. 금번 방북결과를 토대로 자신으로서는 북한 핵문제의 실체에 관해 하기 3가지 시나리오를 가상하고 있다함.

가. 북한이 이미 핵무기를 개발하고 이를 숨겨두고 있거나, 또는 핵무기 제조에 충분한 핵물질을 이미 확보하고 숨겼을 가능성. 이는 하기 사항을 고려한 것임.

국기국	장관	차관	1차보	미주국	외정실	분석관	청와대	안기부
중계								

-북한이 이미 핵 재처리 능력이 있다는 점

-북한측이 보여준 문제의 핵 재처리 시설의 규모(HUGE REPROCESSING PLANT 로 표현)는 북한측이 주장하고 있는 연구용 재처리 실험실 이외에 그 중간단계의PILOT PLANT 단계를 거친후에나 건설될수 있는 것이며, 그 중간단계없이 연구용 실험실에서 여사한 규모의 재처리 시설 건설로 옮겨간다는 것은 기술적으로 전혀 납득할수 없는것(JUST SILLY)이라는 점.

-따라서 북한이 아주 멍청이이거나 또는 이미 PILOT PLANT 를 건설하고 이를 감추고 있을 가능성이 있다는 점.

나. 북한이 김일성의 특별지시에 따라 핵무기 개발계획을 크게 시작하긴 했으나 동 과정에서 기술적인 어려움때문에 결국 목표달성을 할수없어 중단하였으며 그러나 이를 아무도 김일성에게 사실대로 보고 할수없~~(었)~~

~~앗~~기 때문에 계속 연구하고 있는척하고 있는 상태일 가능성.

다. 상기 2)항의 상황하에서 북한내의 SOMBODY INTILLIGENT 가 꾀를내어 이를 대외관계에 있어 BARGAINING CHIP 으로 최대한 이용하고 결국 김일성에게 명분을 찾아 보자는 생각일 가능성

라.VILLAROS 특별보좌관 자신으로서는 상기 3)항의 상태일 가능성이 많은 것으로 보며 특히 북한이 앞으로 재처리 시설을 내세워 이를 남북한 관계및 대외관계에 BARGAINING CHIP 으로 적극 이용하게 될것이라는 느낌을 받았다고 함.

5. 북한측에 대해 문제의 재처리 시설은 남북한 비핵화 공동선언과 저촉되지 않느냐고 물었던바 비핵화 공동선언은 산업시설 규모(AT INDUSTRIAL LEVEL)만을 금지하는 것이라고 대답했다고 하였음.

6. 북한 방문중 북한이 IAEA 에 신고한 시설은 모두 보았으며 지나가다 발견한 터널 내부도 보았음(미국의 공격시 대피용이라고 설명) 사진촬영이 일체 허용되지 않았는바, 자신이 터널입구등 구조를 백지에 스케치 했는데 안내원 2 명이 달려와서 이를 못하게 하였다고 함.

7. 북한측 인사들은 외부세계 사정에 관해 너무도 모르고 있는 인상이었으며, 특히 북한측의 BREEDER REACTOR 의 연구설명에 대해 현황을 문의했더니 김일성대학 학자 5 명이 5 년 계획으로 연구중이라고 했다는 바, 이는 실제 서방의 연구경험에 비추어 전혀 납득이 가지 않는 설명이었다고 함

8. 금번 방북 결과및 사찰 실시 경과등과 관련하여 6 월 이사회전에 전 이사국들에

대한 브리핑을 위한 특별 회의 개최문제를 한때 검토하였으나 이를 않기로 하였으며 이는 6 월 이사회 전까지의 시간상 제약및 현재로선 북한만을 특별히 취급해야할 필요가 없다는 판단 때문이라고 하였음.

9. 한편 동인은 6 월 이사회시 사무총장의 북한문제에 관한 보고의 내용에 관해서는 사무총장의 귀임후 협의하여 준비될것이나 사무총장으로서는 사안의 민감성을 감안 어느측으로 부터도 반작용이 없을 내용의 보고가 되도록 신중을 기할것일고 하였음. 끝.

(대사 이시영-국장)

예고: 1992, 6, 30, 일반 예고문에 의거 일반문서보 재분류 됨

외 무 부

종   별 :

번   호 : AVW-0881   일   시 : 92 0526 2230

수   신 : 장 관(국기,<u>미의</u> 정특) 사본:주미대사 중계필

발   신 : 주 오스트리아 대사

제   목 : BLIX IAEA 사무총장 면담

     대: WAV-0774

     연: AVW-0865,0864,0858,0836,0820

     본직은 5.25 16:00-17:00 BLIX 사무총장을 방문, 동인의 북한 방문결과 및 6월
이사회 대책등에 관하여 면담 하였는 바, 면담 내용중 특기사항을 하기 보고함.

     ① 북한 방문 결과 평가

     <가> BLIX 사무총장은 자신의 북한 방문이 북한으로 하여금 그들의 핵개발 계획의
면모를 외부에 공개함으로써 이에 대한 <u>투명성</u>을 갖도록 촉진하는 계기가 된 것으로
본다고 하면서, 연호(0820) PRESS RELEASE 내용에 대하여는 자구 하나하나를 북한측과
합의하였다 하고, 북한측이 이미 신고된 시설뿐만 아니라 IAEA 가 보기를 원하는 모든
장소와 시설에 대한 IAEA 직원의 방문(<u>신고 대상이 아니므로 사찰이 아님</u>)을
허용하겠다고 약속한 것을 긍정적으로 본다고 하였음. (미신고 시설에 대한 방문을
사찰관에게 허용한다는 것인지 문의한데 대해 동 사무 총장은 자신은 사찰관의 방문을
희망하였으나 북한측이 사찰관 대신 OFFICIAL 로 수정하였으며, 원하는 시설과 장소를
방문, 시찰 --<u>VISIT AND SEE</u>- 할수 있을 것이라고 말했다 함)

     <나> 동총장은 금번 방문중 IAEA 측이 원하는 모든 시설을 방문할수 있었으며 영변
핵시설 인근에 있는 지하 대피시설은 지나가는 길에 북한측이 보겠느냐고 제의하여
방문하게 된것이며, 신고되지 않은 몇몇 시설(동위원소 관련 포함)을 방문하는 기회에
이들 시설도 보고에 포함됨이 바람직하므로 사찰단의 사찰시사찰 대상에 포함시키도록
권고했다고 함.

     <다> 북경 기자회견 내용에 대하여는 일부 언론보도에 정확성이 결여 되어있어 IAEA
측이 작성한 기자회견의 TRANSCRIPTS 를 준비중이며 완성되는대로 본직에게 보내
주겠다고 하였음.

국기국 중계	장관	차관	1차보	미주국	외정실	분석관	청와대	안기부

②북한의핵 재처리 시설

<가> 본직이 관심의 초점이 되고있는 방사화학 실험시설에 관하여 문의한데 대하여 BLIX 총장은 북한측이 LABORATORY 라고 부르는 동 시설 방문시 맨윗층에 3개의 고준위 방사물질 처리 공간(HOT CELL)이 있었는바, 2 개는 설비가 되있고 1 개는 설비가 없었던 것으로 보였다고 하며, 북한측은 상기한 3 개의 HOT CELL 이외의 다른 HOT CELL 을 보유하고 있지 않다고 하였다함.

<나> 북한측은 자체적인 핵연료 주기 연구를 1975 년부터 가동하였다고 하였으나, 현 규모의 PLANT 수준 재처리 시설 건설에 앞서 필히 거쳐야 할 PILOT PLANT 단계 서설이 없는 점에 대하여는 납득할 만한 설명을 하지 못했다 함.

<다> 또한 북한측은 동 연구소가 핵연료 주기 연구에 필요한 실험을 위한 연구 시설일뿐 플루토늄 생산을 위한 재처리 시설임을 인정하지 않았으며, 앞으로 동 시설을 어떻게 운영할지에 대하여 분명히 밝히지 않았으나, 최초보고서이 신고된 플루토늄량(GRAM 수준)의 검증을 위하여 5MW 실험용 원자료의 운영 기록대장을 IAEA 사찰시 제시할 용의를 표명했다 함.

<라> 동 사무총장은 김일성 예방 가능성을 예상했었으나 평양 도착후 비로소 일정상 면담 대상을 알게 되었으며, 연형묵 총리 면담(1 시간 40 분)및 강석주 부부장 면담시 북한이 핵재처리 계획을 계속 추진하는 경우 다른 나라들로 부터 강한 반발을 불러 일으킬 것이라는 점을 지적한데 대하여 이들은 동 지적의의미를 인식하고 있는 것으로 보였으나, IAEA 의 사찰하에두어 안전조치 적용을 받는다면 문제될 것이 없다는 인식을 갖고 있는 것으로 보였으며 재처리 시설의 건설을 포기하겠다는 시사는 없었다 함. 이에 대하여 동 사무총장은 IAEA 의 전면 사찰을 받는 등 북한이 자발적으로 TRANSPARANCY 를 높이는 것이 북한의 이익과 핵발전을 위해 유리하다는 점을 강조하였다 함.

<마>BLIX 사무총장은 핵재처리에 비해 우라늄 농축을 위한 독자적인 기술개발이 훨씬 어려우며, 또한 농축 우라늄및 중수의 공급 확보가 어려운 상황에서 북한측이 자체 기술에 의존하여 원자력 개발을 추진함에 있어 효율성이 낮은 천연 우라늄및 GRAPHITE 사용하는 낡은 방식을 채택한 사정은 납득할수 있었으나 경제, 기술적 측면에 비추어 현단계에서 전력의 자력 공급 계획의 일환으로 핵재처리 시설을 건설하는 정당성은 납득하기 어려웠다는 견해를 피력하였음.

<바> 북한측은 경수로 개발에 관하여 많은 관심을 표명하고, IAEA 측의 .

PAGE 2

협조가능성을 타진하였으나, 이는 공급 가능 국가와 북한간의 문제로 IAEA 가 협조할 입장에 있지 않음을 지적했다 하며 다만 원자력 안전(SAFETY) 분야및 원전계획 수립 분야에 있어서 기술협력을 제공할 의사는 표명하였다 함.

③ 6 월 이사회대책

<가> 본직은 북한이 IAEA 에 보이고 있는 태도에 비하여 남북 핵협상에서는 아무런 성의를 보이고 있지 않음에 대한 우려를 표명하고 지금까지 IAEA 를 통한대북 압력이 일응 주효하고 있음을 감안하여 6 월 이사회시 계속 북한에 대한 적절한 외교적 압력을 늦추지 말아야 하며 그래야 북한이 IAEA 차원 뿐만 아니라남북 차원에서도 상호사찰에 긍정적으로 임해 올것임을 강조하였음. 따라서 6 월 이사회시 북한 핵개발 문제의 집중적인 별도 토의가 필요하며, 이를 위해서는가의제 속에 북한 문제가 가시적으로 표현되어야 할것이라고 말하고 연호(0858)로 보고한 방안과 관련 사무총장의 협조를 요청하였음.

<나> 이에 대하여 동 총장은 잠정의제 5(D)하에 남아, 북한을 명시적으로 표시하는방법을 검토할 것이며, 다만 가의제 문제를 포함 6 월 이사회시 북한문제 등의 보고 방법에 대해 아직 구체적으로 검토하지 않았으나 우리측 입장을 충분히 고려하겠다고 하였음.

<다> 6 월 이사회시 북한문제 보고 관련, 본직은 정상적 상황하에서는 SAFEGUARDS CONFIDENTIAL 에 따라 사찰 결과 상세 내용을 이사회에 보고하지 않는 것이 통례인줄 아나 북한의 경우는 작년 이래 다수 이사국의 강력한 관심 표명이 있었고 2 월 이사회가 사무총장에게 보고 의무를 부과했으므로 한국과 다수 이사국의 희망을 감안한 내용 있는 진전 보고를 해야 할 것임을 강조한바, 동 총장은 여러가지 측면과 함께 고려하겠다고 하면서 본직의 요청과 이사국들의 관심을 감안 자신의 금번 여행 결과를 사찰단 귀임후 6 월 이사회 전주 경 비공식으로 이사국들의 모임을 갖고 브리핑(북한측 촬영 비데오 상영포함)을 할 예정이라고 하였음.

<라> 끝으로 본직이 아세아 그룹 의장으로서 6 월 이사회 대비 사무국측과 긴밀한 협조 용의를 피력한데 대하여 동 사무총장은 특히 핵물질및 핵관련 장비와 비핵물질 수출입 신고 문제와 관련 인도, 파키스탄등 77 그룹내의 반대 움직임에 대하여 언급하고, 한국측의 각별알협조를 요청하였음.

<마> 앞으로 6 월 이사회에 대비 사무국측및 핵심우방, 그리고 여타 주요 이사국과 긴밀한 대책 협의를 계속하고, 결과 수시보고 하겠음. 끝.

PAGE 3

0128

(대사 이시영-국장)

예 고:92.12.31 일반.

외 무 부 기

종 별 :

번 호 : AVW-0885　　　　　　　　　　　일 시 : 92 0527 2030

수 신 : 장 관(국기,미이,정특)

발 신 : 주 오스트리아 대사

제 목 : IAEA 사무총장 북한 방문 관련 브리핑

　　연:AVW-0881

　　IAEA 사무국은 BLIX 사무총장의 최근 북한 방문을 포함 이사회 관심사항에 대한 비공식 브리핑을 6.10 15:00 실시할 것임을 별전 FAX 과 같이 회원국에 대해 회보하였음.

　　별첨:AVW(F)-122-1 매.끝.

　　(대사 이시영-국장)

국기국　　미주국　　구주국　　외정실

0130

PAGE 1　　　　　　　　　　　　　　　　　　92.05.28　　04:41

　　　　　　　　　　　　　　　　　　　　　외신 2과　통제관 FK

EMBASSY OF THE REPUBLIC OF KOREA

Praterstrasse 31, Vienna
Austria 1020 (FAX : 2163438)

기

No : AVW(珠)-122	Date : 2052정 2030

To : 장 관 (국기, 미이, 정특)

(FAX No :   )

Subject :

천 복

표지포함 2 매

2 - 1

Total Number of Page : _____

0131

INTERNATIONAL ATOMIC ENERGY AGENCY
AGENCE INTERNATIONALE DE L'ENERGIE ATOMIQUE
МЕЖДУНАРОДНОЕ АГЕНТСТВО ПО АТОМНОЙ ЭНЕРГИИ
ORGANISMO INTERNACIONAL DE ENERGIA ATOMICA

WAGRAMERSTRASSE 5, P.O. BOX 100, A-1400 VIENNA, AUSTRIA
TELEX: 1-12645, CABLE: INATOM VIENNA, FACSIMILE: 43 1 234564, TELEPHONE: 43 1 2360

IN REPLY PLEASE REFER TO:
PRIÈRE DE RAPPELER LA RÉFÉRENCE:

DIAL DIRECTLY TO EXTENSION:
COMPOSER DIRECTEMENT LE NUMERO DE POSTE:

NOTE BY THE SECRETARIAT

The Director General proposes to hold an informal briefing for Permanent Missions on various matters of interest to the Board of Governors, including his recent visit to the Democratic People's Republic of Korea.

The informal briefing will take place in the Agency's Boardroom, fourth floor of building C at the Vienna International Centre

on Wednesday, 10 June 1992, starting at 3 p.m.

27 May 1992

0132

4371296

2 - 2

외 무 부

종 별 :

번 호 : AVW-0909

일 시 : 92 0602 2030

수 신 : 장 관(국기,미이)

발 신 : 주 오스트리아 대사

제 목 : IAEA 사무총장 북경기자 회견

연:AVW-0881

연호 본직과 BLIX 사무총장간의 면담시 약속에 따라 BLIX 총장이 본직에게 보내온 북경 기자회견의 전문(TRANSCRIPT)를 별전 송부함.

첨 부:AVW(F)-129 13 매.끝.

(대사 이시영-국장)

국기국	장관	차관	1차보	미주국	분석관	청와대	안기부

0133

PAGE 1

92.06.03   08:49

외신 2과 통제관 BX

0001

외 무 부

종   별 : 지 급

번   호 : AVW-0367   일   시 : 92 0306 2100

수   신 : 장관(국기,미이,과기처장관(친전),통일원장관,국방장관,안기부장,

발   신 : 주오스트리아대사   청와대외교안보수석)미,일,영,불,노,북경,유엔, 이사힝대사

제   목 : 북한의핵시설 답사 구상(JENNEKEN 사무차장 오찬면담)

연:AVW-0331 및 0148(92.1.30)

1. 본직은 금 3.6(금) JON JENNEKENS IAEA 사무차장과 안전조치 A 국 WILLITHEIS(독일인) 과장을 오찬에 초청하고 북한의 핵사찰 문제를 아래와같이 협의하였음 (허남과학관 동석)

2. JENNEKENS 차장에 의하면 BLIX 사무총장은 금일 오전 동차장과의 협의에서 연호에 언급된 북한 방문 복안을 바꾸어 아래와같은 단계를 구상하고 있다함(하기에 관해 미국과협의를 거쳤는가를 본직이 물은데 대하여 그러하지 않다고 답하였음)

가. 사무총장의 연호(0331)기자회견과는 달리, 북한이 핵안전 협정에 비준하기 전이라도, IAEA 사무국은 북한으로부터 초청이 있는 경우에는 다목적(답사)팀(A MULTI-PURPOSE TEAM)을 북한에 파견하는 방향으로 적극 검토함.

나. 북한의 협정서명시 사무총장이 연호(0148)와 같이 말한것과는 달리, 북한이 핵안전협정에 비준한후에는 북한의 핵시설 재고신고(INITIAL REPORT)를 받기전이라도, 사무총장이 북한을 방문하는 방향으로 추진함. 검토필(1992. 6. 30.)

3. 상기 2 항은 북한의 핵문제를 다루는 IAEA 사무국의 방침전환을 나타내는 것으로서 그 배경과 동기는 아래와 같다고 요약될수 있음(본직과 BLIX 사무총장및 JENNEKENS 차장간의 그동안 접촉이 그 근거임)

가. 지난 2.7-12 기간중 JENNEKENS 사무차장을 단장으로하는 4 인의 사무국요원이 이란의 핵시설을 답사하였을때 이란 정부가 보여준 협조를 북한도 답습하도록 종용하여, 북한의 핵시설에 관한 대충의 윤곽이라도 파악할수 있을것이라는 기대

나. 지난 2.24(월) 이사회 개막일 오전 당지의 워싱턴 포스트 특파원 MICHAEL WISE 와 JENNEKENS 차장이 IAEA 건물내에서 접촉하였을때, 동 특파원은 이란의 경우처럼 북한에 다목적(답사)팀(사찰이나 조사라는 말을 사용해서는 아니된다고 할

국기국	장관	차관	1차보	2차보	미주국	외정실	분석관	청와대
안기부	국방부	과기처	통일원	중계				

0002

예고문에 의거 재분류(19   .   .   .)
직위   성명

외신 2과   통제관 BN

정도로 당분간은 MULTI-PURPOSE TEAM 이라고 부르고 있음)을 협정의 비준전이라도 보낼 용의가 없는가 하고 동 차장에 질문을 제기한바 있음.

다. 상기 질문에 관련하여, 동 차장은 동일(2.24) 오후 당지 북한대표부 윤호진 참사관에게 동 답사팀의 수락에 관한 반응을 타진하였는데, 지난 2 월 이사회기간중 북한측은 부정적인 반응을 보였음.

라. 상기 가-다. 에 언급된 것이 그 배경이고, 그동기로서는 북한이 4 월에협정을 비준한후 제출할 핵시설 재고신고가 어느정도 정직하고 완전할 것인가의 의구심에 관련하여 동 재고신고가 사실과 너무나 거리가있고 불완전할 경우에초래될 문제점을 사전에 방지하기 위해, 다목적 팀이 협정의 비준전에라도 북한을 방문하고, 재고신고의 제출전이라도 사무초장이 북한을 방문해야 한다는 발상에 비롯된것으로 보임.

마. 한편, 사무초장은 자신의 정치적 고려에서 북한의 핵문제를 어느정도 MANEUVER 하고 있다고도 볼수밖에 없음(이에 관해서는 본직과 미국무성의 핵담당KENNEDY 대사가 2.28 오찬면담에서 그 경계필요성에 동감을 표시하였음)

4. 본직은, IAEA 고위간부의 북한 방문이 북한의 지연전술에 이용되는것을 방지해야 한다는 지금까지의 주의를 JENNEKENS 차장에게 상기시키면서, 답사대상시설등에 관한 정보와 북한방문의 조건을 사전에 명시하치 않는한 결국 북한의선전과 지연전술에 상기 답사팀이 이용될수밖에 없을 것임을 지적하였음.

5. 이에 대하여 동 차장은 IAEA 측이 북한에서 보고싶은 핵시설을 선택(SELECT, CHOOSE, PROPOSE-안보리 결의 687 처럼 DESIGNATE 하지는 않음) 한바에 따라 북한이 이에 동의하고(LOCATION), 답사반의 인원수를 IAEA 가 정하며, 북하내에서 이동의 자유를 보장받는등 조건을 붙일것이라고 말하였음.

6. 상기 5 항에 관련하여 본직은 북한내의 핵시설을 선택하려면 관련 정보를 IAEA 가 가져야하는데 그런 정보가 있는가 하고 본직이 물은데 대하여, 그는 조심스럽게 정보가 좀(SOME)있다고 답하면서, 답사반의 인원수로는 4 인 정도를 생각하고 있다고 말하였음.

8. 사무총장의 본 답사구상은, 상기 2 항에 언급된바와 같이 미국과 협의하지 않은 것으로 되어 있으나, 실제로 북한방문이 실현되고 그 성과를 기대할수 있기 위해서는 미국을 배제하고는 이런 구상이 가능하지않다고 보아야 하며, 북한이 은폐전술의 일부로서 모종의 신호를 보내고 있다고 보아야 하는데, 그 귀추는 현재로서 예단하기가 어렵게 되어있음.

9. 한편, WAV-0289 제 1 항에 관련하여 당관이 AVW-0345 제 2 항으로 보고한 것과는 다르게, 금일 오찬시 THEIS 과장은 본직에게 3.20 경 북한에 도착하여일주일간 체재하는 동안 시험용 원자로 이외에, 다른 시설을 볼수 있기를 희망하고 기대한(I HOPE, I EXPECT TO LEARN)고 조심스럽게 말하면서, 그는 사찰관의자격이 아니고 그 휘하에 있는 사찰관 FYOCLOR GRINEVITCH(우크라이나인)를 따라 동행하는 형식이나 북한이 의외로 그의 방문에 협조적인 자세로 나오고 있다고 말하였음(본건의 보안상 당관 관계관에게는 지난 3.2 이를 부인한 것으로 보임)

10. 금일 오찬에서 IAEA 측은 현재 진행중인 남북한간의 핵관련 회담의 진전을 물으면서 북한이 남북한간의 상호사찰과 IAEA 사찰을 어떻게 연계 시키면서다루어 나갈 것인지를 문의한데 대하여, 본직은 금일 현재까지의 남북한 접촉으로 볼때 북한이 그 핵시설을 전면 개방할 의사는 없는 것으로 보며, 계속 지연전술과 위장은폐 전술로 시간을 버는데 급급할 것이라고 설명하면서, THEIS 과장의 북한 방문과 남북한 핵통제위원회의 발족을 SYNCHRONIZE 시키면서 선전에 증폭시킬것이고, 남북한의 상호사찰과 IAEA 의 국제사찰을 그 편의에 따라 번갈아 가면서 또는 함께 절차상의 지연전술에 이용할 것임을 경계해야 한다고 말하였음.

11. 북한이 원자탄을 개발하고 있는 이상은, 남북대화의 차원에서나 IAEA 차원에서 그 실체를 벗기게 될것이라고 보는것은 상식이 아니라고 보아야 하기 때문에 북한이 시간을 버는것을 방지하기 위한 유일한 외교적 대책은 유엔안보리를 봉한 조치밖에 없다는 견해를 본직은 계속 견지함.

12. 본직의 이임에 즈음한 BECKER 미국대사 주최 3.11(수) 오찬 회동(BLIX 사무총장과 핵심 우방국대사등 참석)등을 봉한 협의를 거쳐, 본건 진전사항 내지추가 정보가 있으면, 추보위계임.끝.

예고:92.12.31 일반.)

GLGL
o0221 ASI/AFP-AE82-----
r i NKorea-IAEA   04-22 0233
IAEA chief to inspect North Korean nuclear facilities: report

SEOUL, April 22 (AFP) - The secretary-general of the International Atomic Energy Agency (IAEA), Hans Blix, will inspect North Korea's Yongbyon nuclear facilities next month at the invitation of the government, a press report here said Thursday.

South Korea's national Yonhap news agency quoted an IAEA spokesman in Berlin as saying Blix had accepted an invitation to visit Pyongyang and its Yongbyon facilities to the north in mid-May.

If the visit takes place, it will be the first time IAEA officials are allowed to examine North Korea's nuclear facilities other than its laboratory reactors, the report said, quoting other IAEA officials.

A South Korean official said the government was checking the report through its embassy in Vienna, headquarters of the IAEA. He added that it was unclear whether or not Blix and his delegation would conduct a full-fledged inspection as required by the nuclear safeguards accord or a partial inspection.

North Korea signed a nuclear safeguards accord with the IAEA in January, and has said inspections of its facilities could begin as soon as late May or June.

South Korea, which suspects the North of dragging its feet on the inspection issue to buy time to complete a nuclear weapon, has urged the North to allow the inspections before June.
bw/ml
AFP 221108 GMT APR 92

2

0005

H. Blix 사무총장 방북관련 보고내용

o 92.4.2. <u>Blix 사무총장</u> , 북한의 방북초청을 이미 수락하였으나 그 시기는 북한의
<u>협정발효후 5월후반부를 고려</u> 하고 있다고 함.

(가급적 북한의 최초보고서 제출이 사무총장 방북 이전에 되기를 희망)

- 이시영대사, 북한측이 지연 술책의 일환으로 사무총장의 방문을 북한의 핵문제
  에 대한 국제적 압력을 회피하기 위한 수단으로 활용할 수 있다는 점에 대해
  주의 요청.

o 4.2. <u>Kyd 사무국 공보국장</u> , 사무총장이 92.5.21-22간 <u>홍콩에서 개최</u> 되는 <u>세미나</u>
(IAEA Seminar on Nuclear Information and Communication)에 참석후, 북한이
동 세미나 개최이전에 최초보고서(핵시설 대상 목록 포함)를 제출하게 되면
<u>의어서 방북할 가능성</u> 이 있다함.

o 4.6. <u>Jennekens 사무차장</u> , 사무총장의 북한 방문시기에 대하여 <u>5월하순(제3주</u>
<u>또는 제4주중)이 될 가능성</u> 이 많다고 보고 있으며, 사무총장 방문 이전에 북한
이 최초보고서와 설계정보를 제출해주기를 희망하고 있다함.

o 4.10. <u>Kennedy 미국무부대사</u> , <u>북한의 핵물질 및 시설관련 자료가 제출된후에나</u>
<u>사무총장의 방북이 가능</u> 하며 사무총장의 방북이 북한측에 의해 악용되지 않도록
조심해야할 것임에 공감표명

o 4.10. <u>Blix 사무총장</u> ,전인찬 북한대사가 사무총장에게 5월중 방북 초청을 확인
했다하며, 동 총장은 <u>북한의 최초보고서를 받은후 방북하게 될것으로 기대</u> 하고
있다고 언급

- 4.10. IAEA 사무국은 북한의 협정 발효관련, IAEA가 6월중 사찰실시를 기대
  한다고 밝힘.

0006

o 4.15. Lawrence 주비엔나 미국대표부 참사관 , Blix 사무총장의 방북은 북한측에
의해 악용될 위험이 크기때문에 기본적으로 북한이 사찰을 받기 전까지는 방북
하지 않는것이 바람직하다는 미측 입장 을 밝힘 .

- 이에도 불구 사무총장이 방북할 경우 방북이전에 북한의 최초보고서와 관련
  시설 자료를 최대한 받아내어 조기사찰에 활용해야 함 .
- 사무총장의 방문성격 은 정치적 레벨 의 방문이어야 하며, 기술적인 fact-find-
  ing Mission 이나 inspection과는 관계가 없는것 임 .
- 또한 사무총장의 북한 방문중 북한측으로부터 신고받지 않은 시설 (제처리시설
  포함) 을 방문하는 것은 위험함 .

o 4.21. Kyd 미공보국장 , 사무총장이 최근 북한 당국의 초청을 수락 5월 중순경
북한 방문 , 핵연구센터가 있는 엽변 핵기지를 시찰한다고 밝힘 (베를린발 연합
통신보도)

- 동 내용의 사실여부 확인중

분류번호	보존기간

발 신 전 보

WAV-0566　920422 1145 WG

번　　　　호 :　　　　　　　　　　　　　　　　종별 : 지급

수　　　　신 : 주 오스트리아　　대사.//총영사

발　　　　신 : 장 관 (국기)

제　　　　목 : IAEA 사무총장 방북

연 : WAV-0523

대 : AVW-0603, 0629

1. 금일(4.22)자 국내 조간신문은 'Blix 사무총장이 5월중순 북한을 방문, 핵 연구 센터가 있는 영변 핵 기지를 사찰할것이다'라고 4.21. IAEA 대변인 발표를 인용 보도했는 바(별첨 Fax 참조), 동 내용의 사실 여부를 IAEA 사무국에 확인보고 바람. (동 계획이 사실인 경우 IAEA 사찰단의 사무총장 동행 방북 여부도 파악 바람.)

2. 또한 Blix 총장의 5월중 방북이 북한으로부터 최초보고서외에 관련 시설 정보(재처리 시설로 의혹 받고 있는 시설 포함)를 모두 제출 받지 못한 상태에서 이루어지는 경우, 대호 2.의 문제점을 해결하기 위한 대처방안에 대비 귀지 미국대표 부와 협의후 보고바람. 끝.

첨부 : 상기 fax 1부.

예고 : 92.6.30 일반

일반문서로재분류(1992.)

(국제기구국장　김 재 섭)

앙고재	92년 4월 22일	국제기구과	기안자 성명 신종기	과장	심의관	국장	차관	장관	보안통제

외신과통제

0008

외 무 부

번 호: 년월일: 92. 4 22   시간:

수 신: 주 외리   대사(총영사)

발 신: 외무부장관(국기)

제 목: IAEA 사무총장 방북

총 2 매 (표지포함)

보 안 통 제	PL
외신과 통 제	

0010

92.4.22(수)
한국 1면

IAEA사무총장 訪北초청 수락

내달중순 寧邊核 시찰

IAEA 대변인밝혀

【베를린=聯合】국제원자력기구(IAEA)의 한스 블릭스 사무총장이 북한의 초청을 받아 오는 5월중순 북한 핵연구센터가 있는 寧邊 핵기지를 시찰한다고 IAEA대변인이 21일 밝혔다.

IAEA의 킨드 홍보국장은 블릭스 사무총장이 최근 북한당국의 초청을수락, 平壤과 寧邊을 방문키로 했으며 세부일정은 확정되지 않았으나 시기는 5월중순이 될 것이라고 말했다.

이와 관련, 다른 IAEA 관계자들은 블릭스 사무총장이 5월21~22일 홍콩에서 개최되는 핵문제세미나 참석을 전후해 訪北케될 것이라고 예상했으며 사무총장을 동행할 사찰단이 구성될 수도 있다고 전했다.

블릭스사무총장등의 寧邊 시찰은 연구용 원자로를 제외한 북한 핵기지시설을 최초로 살펴보는 것이다.

킨드 홍보국장은 또 북한이 핵물질 명세서를 법정시한인 5월말 보다 앞당겨 5월중순 이전에 제출하기로 약속했다고 확인했다.

북한은 현재 IAEA전문가들과의 협의하에 명세서를 작성하고있다.

0010

관리 번호	92- 151

외 무 부

종 별 : 지 급

번 호 : AVW-0645 일 시 : 92 0422 2000

수 신 : 장 관(친전)

발 신 : 주 오스트리아 대사

제 목 : IAEA 사무총장 방북

1. 금 4.22 IAEA 사무국측으로 부터 탐문한 표제 관련 정보를 아래 보고함.

가. 블릭스 사무총장측은 북한측에 대하여 5.4(월) 부터 시작되는 주중(늦어도 5.7 까지) 최초 보고서와 관련 설계정보를 제출할 경우 5.14-18 사이에 방북할수 있을 것임을 북한측에 제의, 북한측의 회답을 기다리고 있는 중이라함. 이에따라 북한측은 상기 일정에 맞추어 최초보고서 제출을 서둘르고 있는 것으로알고 있다함.

나. 동 사무총장으로서는 가급적 동인의 총콩 세미나(5.21-22) 참석 일정과연계하여 먼저 북한을 방문하고 이어 홍콩을 방문한후 늦어도 5.25 까지는 비엔나에 귀임해야 하는 일정 형편이라고 함(곧 이어 다시 6.3 리오데자네이로 개최 유엔 환경회의 참석 계획이 있다함)

다. 동 사무총장 방북시 수행원으로는 사무총장 특별 보좌관(SPECIAL ASSISTANT) 2 명 (PIERRE VILLAROS 및 TADENSZ WOJCIK) 및 THEIS 과장을 내정하고 있다함.

라. 북한측 최초 보고서 제출 이후 북한측에 대한 사찰을 실시하게 될때 THEIS 과장을 단장으로 한 수명의 사찰팀이 파견될 예정이라 함.

2. IAEA 사무국으로 부터 입수한 북한 사찰관 명단(북한측이 기동의)은 아래와 같음.

사찰관명및 국적
ABOU-ZAHRA 이란
ACQUAH 가나
CHIMEDBAZARYN 몽고
GRINEVITCH 우크라이나
HASSAN.A 방글라데시
HEINONEN 핀랜드

검토필(19 92. 6. 30.)

장관

HUDEC 첵코

KRPO 유고

MADUEME 나이제리아

PYKHTIN 러시아

RUKHLO 러시아

SARINGER 오스트리아

SYED HUSSIN 말레시아

사찰관 보조

OMAR 탄자니아

③ 상기 정보가 대외적으로 알려질 경우 사무국으로 부터의 정보 수집이 마비될 것이 우려되니 각별 보안 조치 건의함끝.

예고:92.12.31 일반.

관리 번호	92-363

외　무　부　　　원　본

종　별 :

번　호 : AVW-0647　　　　　　　　　일　시 : 92 0422 2000

수　신 : 장관(국기,미이)

발　신 : 주 오스트리아 대사

제　목 : IAEA 사무총장 방북 관련 보도

대:WAV-0566

1. 대호 보도 내용 관련 4.22 IAEA KYD 공보국장에게 확인한바 대호와 같은IAEA 대변인의 발표사실은 없다 함.

다만, 일부 기자들의 전화문의에 대해 BLIX 사무총장이 북한측의 방문 초청을 받고 이를 원칙적으로 수락 5월중 북한측의 최초보고서 제출이 있은 후에 방북할수 있을 것이라고 답변하고 영변 핵시설 시찰 문제에 관해서는 언급한바 없다함.

2.KYD 공보국장으로서도 BLIX 사무총장 방북문제의 민감성을 감안 언론을 다루는데 신중을 기하고 있다 하며, 앞으로 언론대책과 관련 당관과도 긴밀한 협조를 유지키로 하였음. 끝.

(대사 이시영-국장)

예고:92.6.30 일반.

일반문서로재분류(1992. 6.30)

국기국	장관	차관	1차보	미주국	분석관	정와대	안기부

PAGE 1　　　　　　　　　　　　　　　　　　　　　92.04.23　07:58

외신 2과　통제관 BZ
0013

IAEA(국제원자력기구)의 대북한 핵시설 사찰, 1992. 전6권 (V.3 Blix 사무총장 북한 방문, 5.11-16 : 기본문서) 339

원 본

외 무 부

종 별 : 긴 급

번 호 : AVW-0686

일 시 : 92 0428 2000

수 신 : 장 관(국기,미이,정특,과기처)

발 신 : 주 오스트리아 대사

제 목 : 북한의 최초 보고서및 IAEA 사무총장 방북

1. 당관이 금 4.28 IAEA 사무국측에서 탐문한 바에 의하면 북한 원자력 공업부 최정순 섭외국장이 4.30 모스크바를 거쳐 금주말(5.1-5.3)에 당지에 도착(현재까지 도착일정 미정), 5.4(월)에 IAEA 사무국에 최초보고서를 제출할 것이라며, IAEA 사무국은 동 보고서를 접수하면 5.4 부터 북한측과 동 내용에 관한 협의를 가질 것이라 함.

2. 또한 IAEA 사무국은 북한의 보고서를 검토한후 5.5(화)경 북한의 안전조치 대상 핵시설의 리스트(IAEA 연례보고서이 수록되는 정도로서 GC(XXXV)/953, 121-133 페이지 참조)를 대외적으로 발표할 예정이라함.

3. 북한이 상기와 같이 최초 보고서를 제출하게 되면 BLIX 사무총장은 5.8(금) 당지를 출발 5.11-16 간 북한을 방문 할 예정이라 하며, 5.16 평양 출발 북경과 동경을 경유 5.22(금) 홍콩에 도착, 홍보관게 세미나 참석후 귀임, 5.25(월) 부터 근무하게 될 것이라 함.

(대사 이시영-장 관)

예 고:92.6.30 일반.

<국기국 | 장관 | 차관 | 1차보 | 미주국 | 상황실 | 외정실 | 외촌실 | 분석관>

국기국　　장관　　차관.　　1차보　　미주국　　상황실　　외정실　　~~외촌실~~　　분석관
정와대　　안기부　　과기처

관리번호 92-380

외 무 부

종   별 : 지 급

번   호 : AVW-0695

일   시 : 92 0429 1800

수   신 : 장 관(국기,미이,정특)

발   신 : 주 오스트리아 대사

제   목 : IAEA 사무총장 북한 방문

연:AVW-0686

1. 당지 미국대표부 BECKER 대사가 금 4.29(수) 아침 본직에게 알려온 바에의하면 CORE GROUP 4 개국 대사들은 오늘 오후 5 시에 BLIX 사무총장을 방문, 동 사무총장의 북한방문이 북한측에 의해 이용될 가능성에 대하여 주의를 환기 시키고, 북한 방문을 북한의 최초 보고서에 입각한 AD-HOC INSPECTION 이후로 연기 할 것을 요청하는 공동 DEMARCHE 를 할것 이라고함.

2. 동 대사는 BLIX 사무총장으로하여금 북한이 원하는 동 총장의 북한 방문을 북한의 최초 보고서의 성실한 제출, 사찰에 대한 협조 확보등에 충분히 LEVERAGE 로서 활용하기 위하여는 동 총장의 조급한 북한 방문은 바람직하지 않다는 점을 지적 할것이라하였음.

3. BLIX 사무총장은 금일 오전 IAEA 안전조치 강화와 효율성 증진 방안에 대한 INFORMAL BRIEFING 을 시행했는바, 동 브리핑이 끝난후 참석자들에게 북한이 최초 보고서를곧 제출할 것이며, 자신이 북한 정부의 초청으로 북한을 공식 방문할 예정이라고 밝혔음.(INFORMAL BRIEFING 내용에 관하여는 별도 보고 하겠음)

4. 상기 1 항 결과에 관한 CORE GROUP 우방과의 협의후 BLIX 총장이 당지 출발에 앞서 본직이 동 총장을 만나 정부 입장을 밝히고자 함. 끝.

(대사 이시영-국장)

예 고:92.6.30 일반.

보통문서로재분류(1992.6.10)

국기국   장관   차관   1차보   미주국   외정실   분석관   청와대   안기부

공   란

IAEA 사무총장 방북 결과 파악을 위한 면담 추진

〈최근 동향〉

o 북의 핵물질 최초보고서 제출
  - 일   시 : '92. 5. 4 (월)
  - 제 출 자 : 원자력공업부 최정순 섭외부장
  - 참고사항 : IAEA는 '92. 5. 5 (화) 경 북의 핵시설리스트 공개 예정

o IAEA 사무총장 방북
  - 일   정
    · '92. 5. 8   IAEA 출발 - 북경 경유
    · '92. 5. 11 - 16   방 북
    · '92. 5. 17 - 20   북경 경유 - 일본 방문
    · '92. 5. 21 - 22   홍콩 원자력홍보 세미나 참석
    · '92. 5. 25   귀 임
  - 수행원
    · 특별 보좌관 2명 (T. Wojcik, P. Villaros)
    · 안전조치 극동아시아 담당과장 1명 (Willi Theis)

〈대응 방안〉

o 대 외무부 협조요청
  - 주 오지리대사관 : 북이 IAEA에 제출하는 최초 핵물질보고서 내용 조속 입수
  - IAEA 사무총장 방문국 (중국, 일본, 홍콩) 대사관
    : 주재국 관계기관을 통해 정보 및 상황입수

o 당처 조치사항
  - 홍콩세미나에 원자력실장은 참석시켜 IAEA 사무총장과 면담 추진

0017

a New World Harbour Hotel

TENTATIVE PROGRAMME

HONG KONG SEMINAR ON NUCLEAR INFORMATION AND COMMUNICATION

Organized by the International Atomic Energy Agency
with the assistance of the Hong Kong Government and the
Hong Kong Nuclear Investment Company

21 - 22 MAY 1992

HONG KONG

21 MAY 1992

8:30 - 9:30	Registration
9:30 - 9:40	Welcome by Sir William Stones, Chairman, Hong Kong Nuclear Investment Co. Ltd.
9:40 - 9:45	Inaugural Address by Mrs. Anson Chan, Secretary for Economic Services, Hong Kong Government
9:45 - 10:15	Energy, Economics, Environment and Nuclear Power Dr. Hans Blix, Director General, IAEA
10:15 - 10:45	Questions and Answers
10:45 - 11:15	Coffee Break
11:15 - 11:45	Radiation and Health Mr. Björn Wahlström, Head of Radiation Protection, Loviisa Nuclear Power Plant, Finland
11:45 - 12:15	Questions and Answers
12:15 - 12:30	IAEA Video "How Nuclear Reactors Work"
12:30 - 14:00	Lunch - Hong Kong Convention Center
14:00 - 14:30	Nuclear Reactor Safety Mr. Bob Skjoeldebrand, Former Special Assistant to the Director General of the IAEA
14:30 - 15:00	Questions and Answers
15:00 - 16:00	Panel - Nuclear Fuel Cycle and Waste Management
	International Perspective - Ms. Candace Chan, Division of Nuclear Fuel Cycle and Waste Management IAEA
	China's Nuclear Waste Management - Mr. Jiang Xin Xiong, General Manager of China National Nuclear Corporation. Questions and Answers
16:00 - 16:30	Coffee break

0018

16:30 - 17:00	Emergency Preparedness/Internationally Accepted Practices Mr. Ephraim Asculai, Division of Nuclear Safety, IAEA
17:00 - 17:30	Questions and Answers
18:00	Reception Hosted by the International Atomic Energy Agency at the Hong Kong Convention Center

22 MAY 1992

9:30 - 10:00	The Daya Bay NPP - The French Experience Pierre Tanguy, General Inspector for Nuclear Safety, Electricité de France
10:00 - 10:30	Questions and Answers
10:30 - 11:00	Coffee Break
11:00 - 11:30	Nuclear Plant Surveillance and Monitoring in China Mr. Zhou Ping, Director of National Nuclear Safety Admin. or Emergency Response/Contingency Planning Mr. Wu Xi Yuan, Deputy Director, The Guangdong Provincial Nuclear Power Emergency Response Committee
11:30 - 12:00	Questions and Answers
12:00 - 13:30	Lunch
13:30 - 14:00	Non-Proliferation Ambassador Tetsuya Endo, Japan
14:00 - 14:30	Questions and Answers
14:30 - 15:00	Nuclear Power and Public Communication HKNIC Nuclear Information Programme
15:00 - 15:30	Questions and Answers
15:30 - 16:00	Coffee Break
16:00 - 16:30	IAEA OSART findings at Daya Bay - Mr. Ashley Erwin, Division of Nuclear Safety, IAEA
16:30 - 17:00	Chairman Summary - Final Questions and Answers for the Panel
17:00 - 18:00	Press conference
19:00	Dinner hosted by HKNIC

23 MAY 1992

Trip to Daya Bay NPP (Optional)

0019

* * * * * * * * * * * * *

관리 번호	92-309

원 본

외 무 부 3

종   별 :

번   호 : AVW-0716

일   시 : 92 0430 2130

수   신 : 장 관(국기,미이,정특)

발   신 : 주 오스트리아 대사

제   목 : IAEA 사무총장 북한 방문 (Core Group Demarche 결과)

연:AVW-0695, 0700, 0686

보통문서로 재분류(199 . 1 . 31)

1. 연호 CORE GROUP 4 개국 대사들의 BLIX 사무총장에 대한 공동 DEMARCHE 결과에 관하여 4.30 당지 미국및 호주, 캐나다, 일본대표부로 부터 각각 청취한 요지를 아래 종합 보고함.

가. CORE GROUP 대사들은 연호와 같이 금번 BLIX 사무총장의 북한 방문이 시기적으로 적절치 않다는 점을 지적하고 그래도 방문할 계획이라면 북한측 시설 시찰이나 방문 결과 언론대책에 신중을 기하는등 북한측에 의해 악용되지 않도록조심해야 할것이라는 공동의 우려를 전달하였다함.

나. 이에 대한 BLIX 사무총장은 연호 일정과 같이 자신의 방북 계획이 이미결정된 단계이기 때문에 변경은 어렵다고 하면서, 자신으로서도 금번 방북에 따르는 위험을 잘알고 특히 언론대책등에 있어 금번 방문 성격이 북한측의 공식 초청에 따른 POLICY LEVEL 의 FAMILIARIZATION 방문이며 사찰이 아니라는 점을 분명히 하는등 역작용이 없도록 신중을 기할 것이라고 하였다 함.

다. 또한 BLIX 사무총장은 그간 공식 방문 초청을 받은 많은 회원국들(핵문제로 민감한 국가를 포함)을 기방문한 바 있어 IAEA 수장으로서 북한만을 여타 회원국과는 차별적으로 대우 하는 인상을 주고 싶지않다고 하면서 오히려 시기적으로는 최초 보고서를 받았으나 사찰은 아직 실시되지 않은 시점에 방문하는 것이 일차적인 사찰이 실시된 후에 방문함으로서 동 사찰 결과에 IAEA 가 만족, 북한의 핵 의혹이 해소되었다는 인상을 주게되는 위험을 필할수 있는 장점도 있다고 언급하였다 함.

라. 아울러 BLIX 사무총장은 5.4 북한이 최초보고서를 제출할때 관련 시설 자료도 제출할 것으로 기대하나 자료 제출의 범위는 기다려 보아야 겠다고 하고, 북한이 그간 공언대로 협정을 비준하고 규정상의 자료제출 기한보다 훨씬 앞선성의를 보이고 있는

국기국	장관	차관	1차보	미주국	외정실	분석관	청와대	안기부

PAGE 1

92.05.01   06:41

외신 2과   통제관 BZ

0020

것은 자신의 금번 방북 계획이 얻어낸 성과로 본다고 하면서 자신의 금번 방문 계획을 스스로 합리화 할려고 애쓰는 흔적이 역력했다고 함.

마.BLIX 사무총장은 또한 자신의 여행 일정을 연호와 같이 밝히면서 북한 체재기간(5.11-16)중 도착일과 출발일을 제외한 4 일중 1 일은 김일성, 김정일등북한측 인사와의 면담에, 그리고 3 일은 핵시설등 시찰에 이용될 것이라 하고 북한측이 안내하는 핵시설은 핵사찰이 아니라는 전제하에 가급적 모두 가볼 생각이라고 하였다 함.

바.CORE GROUP 측이 금번 수행원중에 사찰 전문가인 THEIS 과장이 포함된것은 외부에 대해 금번 방문이 사찰의 성격이라는 오해를 줄수 있음으로 적절치 않치 않느냐고 문제를 제기해 본데 대하여 BLIX 사무총장은 THEIS 과장은 앞으로의 사찰실시에 대비한 사전 협의 활동으로 활용코저 하는 의도라고 말했다 함.

2. 한편, 당지 외교가에서 BLIX 사무총장의 금번 방북 계획의 배경엔 사무총장 자신과 IAEA 사무국측의 이해관계도 관련되어 특히 93 년 임기 만료를 앞두고 3 선을 위한 분위기 조성을 위하여 사무총장으로서 국제적인 HIGH PROFILE 을유지하는 것이 도움이 될것이라는 점, 과번 이락 사건으로 IAEA 핵사찰제도의 CREDIBILITY 가 실추되고 최근 핵비확산 문제와 관련한 유엔의 역할이 부각되면서 유엔을 중심으로 한 새로운 핵통제기구의 필요성이 일부 거론되는 등 IAEA 의존립이 도전 받는 상황하에 IAEA 가 활발한 역활을 하고 있다는 인상을 부각 시킬 필요가 있다는 점등이 고려된 것이라는 평가도 있음.

3. 본직은 5.4(월) 16:30 BLIX 사무총장과 별도 면담 예정으로 있는바 특별한 지시사항 있으면 회시바람. 끝.

(대사 이시영-국장)

예고:92.12.31 일반.

2. IAEA 事務總長 北韓 訪問 관련

5/2 선

o 비엔나所在 國際原子力機構(IAEA) 4개 友邦國(美.日.濠.加) 代表部는, 表題관련 自國 大使들이 4.29 블릭스事務總長에게 행한 共同交涉 結果를 4.30 우리側에 아래 要旨로 알려옴.

- 상기 4개국 大使들은 블릭스事務總長의 <u>5.11-16 訪北</u>이 시기적으로 적절치 않다는 점을 指摘하고, 금번 訪北이 北韓側에 惡用될 가능성에 대한 憂慮를 傳達함.

- 이에 대해 블릭스事務總長은 금번 訪北計劃이 이미 決定되어 변경이 어렵고, 자신도 訪北에 따르는 危險을 잘 알고 있으므로 금번 訪問의 성격이 北韓側의 公式招請에 따른 現地視察 訪問이지 <u>査察</u>이 아니라는 점을 言論에 분명히 하는등 逆作用이 없도록 愼重을 기할 것이라고 言及함.

(駐오스트리아大使 報告)

＊同件 관련 駐오스트리아大使는 5.4 블릭스 事務總長과 別途 面談, 우리 政府 立場을 傳達 예정임.

0022

발 신 전 보

번 호 : ~~AVW-0657~~ ~~00I 1342 0U~~　종별 : _____

수　신 : 주 오스트리아　대사. /총영사

발　신 : 장　관 (국기)

제　목 : IAEA 사무총장 북한 방문

대 : AVW-0716

대호 3항관련 본부입장을 아래 통보하니 5.4. 사무총장 면담시 ~~참고~~ 석의포명 바람.

~~1. 북한은 현재 남북한 상호사찰 실시 문제에 대해 성의를 보이고 있지 않음. 또한~~ 4.14. 최정순 원자력공업부 섭외국장은 북한이 제출할 최초보고서에 3개 원자로만을 포함시킬 것이라고 밝히면서 의심받고 있는 재처리시설의 존재를 부인하였음에 비추어 우리는 북한에 대한 핵개발 의혹을 계속 갖지 않을 수 없음.

2. 이러한 상황에서 사무총장이 북한을 방문하는 것은 그간 우리를 포함한 다수국가들이 우려를 표명했듯이 북한의 ~~정치적~~ 선전에 악용될 가능성이 크다고 봄. 특히, 북한이 5.4. 최초보고서 제출시 핵재처리 시설로 의심받고 있는 시설을 포함시키지 않았을 경우에는 더욱 그러함.

3. 그럼에도 불구하고 사무총장이 북한을 예정대로 방문한다면 이번 기회에 전세계가 갖고 있는 북한의 핵 개발 문제에 대한 의혹을 북한측에 전해주고, 이를 해소하기 위해서는 재처리시설로 의심받고 있는 북한내 시설에 대한 조속한 사찰이 필요하다는 것을 분명히 해 주길 바람.

보 안 통 제	

앙고재	92년 4월 1일	국제기구과	기안자 성명 신동익	과 장 신대순	국 장	차 관	장 관

외신과통제

0023

4. 만약 북한이 계속해서 의심받고 있는 시설에 대한 설계정보 제출을 거부한다면, IAEA 이사회에서 특별사찰 실시를 결정할 수 밖에 없다는 것을 북한측에 전달해 주기 바람.

5. 북한의 핵문제에 대해서는 우리가 직접 당사자이기 때문에 사무총장의 북한 방문후 귀로에 북경에서 기자회견 브리핑 일정과는 별도로 우리측에 방북결과에 대한 설명이 있기를 바람. 끝.

예2: 92.6.30.

(차   관   )

0024

발 신 전 보

번   호 : WAV-0639   920501 1541 FO   종별 : _____

수   신 : 주 오스트리아   대사. /총영사

발   신 : 장 관 (국기)

제   목 : IAEA 사무총장 방북

대 : AVW-0716

연 : WAV-0637

Blix 사무총장이 대호 일정대로 북한을 방문하는 경우 사무총장 일행의
귀로에 방북결과를 조기에 파악해보는 방안과 관련 아래 사항에 대하여 IAEA 사무국
및 귀지 Core Group 대표부와 협의후 보고바람.

　　가. Blix 총장의 북경체재중 기자회견외의 다른 기회에 북경주재 Core 그룹
　　　　대사관 직원이나 우리대표부 직원이 사무총장 보좌관이나 Theis 과장을
　　　　접촉할 수 있는 방법

　　나. 북경에서의 사무총장 기자회견이 언제 예정되어 있는지?

　　다. 기타 미국등 Core그룹 국가들이 사무총장 방북결과에 대해 사무총장의
　　　　귀지 귀임전에 접촉하여 파악해보려는 계획이 있는지 여부와 사무총장의
　　　　동경체재시 주요일정. 끝.

예고 : 92.6.30 일반

(국제기구국장 김 재 섭)

앙 고 재	92 년 5 월 1 일	국 제 기 구 과	기안자 성명		과 장		국 장		차 관	장 관		외신과통제
			신종익		℔					붑		

0025

	분류번호	보존기간

발 신 전 보

번 호 : WAV-0651   920504 1400 DW   종별 :

수 신 : 주 ~~수신처 참조~~ 대사. /총영사

발 신 : 장 관 (국기)

제 목 : IAEA 사무총장 방북

연 : 수신처 참조

연호 1. "나"의 표제관련 Core Group 공동 demarche 결과를 아래 통보하니 참고
바람.

가. CORE GROUP 대사들은 연호와 같이 금번 BLIX 사무총장의 북한방문 (5.11.
~16로 예정)이 시기적으로 적절치 않다는 점을 지적하고 그래도 방문할 계획이라면
북한측 시설시찰이나 방문 결과의 언론대책에 신중을 기하는등 북한측에 의해 악용되지
않도록 조심해야 할것이라는 공동의 우려를 전달하였다 함.

나. 이에 대한 BLIX 사무총장은 자신의 방북 계획이 이미 결정된 단계이기
때문에 변경은 어렵다고 하면서, 자신으로서도 금번 방북에 따르는 위험을 잘알고
특히 언론대책 등에 있어 금번 방문 성격이 북한측의 공식 초청에 따른 POLICY LEVEL
의 FAMILIARIZATION 방문이며 사찰이 아니라는 점을 분명히 하는등 역작용이 없도록
신중을 기할 것이라고 하였다 함.

보 안 통 제	B

앙 고 재	92 년 5 월 4 일	국 제 기 구 과	기안자 성명	과 장	국 장	차 관	장 관	외신과통제
			신중영		전결			

0026

다. 또한 BLIX 사무총장은 그간 공식 방문 초청을 받은 많은 회원국들(핵문제로 민감한 국가를 포함)을 기방문한 바 있어 IAEA 수장으로서 북한만을 여타 회원국과는 차별적으로 대우 하는 인상을 주고 싶지않다고 하면서 오히려 시기적으로는 최초보고서를 받았으나 사찰은 아직 실시되지 않은 시점에 방문하는 것이 일차적인 사찰이 실시된 후에 방문함으로서 동 사찰 결과에 IAEA 가 만족, 북한의 핵 의혹이 해소되었다는 인상을 주게되는 위험을 피할수 있는 장점도 있다고 언급하였다 함.

라. 아울러 BLIX 사무총장은 5.4 북한이 최초보고서를 제출할때 관련 시설 자료도 제출할 것으로 기대하나 자료 제출의 범위는 기다려 보아야 겠다고 하고, 북한이 그간 공언한대로 협정을 비준하고 규정상의 자료제출 기한보다 훨씬 앞서성의를 보이고 있는 것은 자신의 금번 방북 계획이 얻어낸 성과로 본다고 하면서 자신의 금번 방문 계획을 스스로 합리화 할려고 애쓰는 흔적이 역력했다고 함.

마. BLIX 사무총장은 또한 자신의 북한체재기간(5.11-16)중 도착일과 출발일을 제외한 4 일중 1 일은 김일성, 김정일등 북한측 인사와의 면담에, 그리고 3 일은 핵시설등 시찰에 이용될 것이라고 하고 북한측이 안내하는 핵시설은 핵사찰이 아니라는 전제하에 가급적 모두 가볼 생각이라고 하였다 함.

바. CORE GROUP 측이 금번 수행원중에 사찰 전문가인 THEIS 과장이 포함 된것은 외부에 대해 금번 방문이 사찰의 성격이라는 오해를 줄수 있음으로 적절치 않치 않느냐고 문제를 제기해 본데 대하여 BLIX 사무총장은 THEIS 과장은 앞으로의 사찰실시에 대비한 사전 협의 활동으로 활용코저 하는 의도라고 말했다 함. 끝.
예고 : 92.6.30 일반

(국제기구국장 김 재 섭)

수신처 : 주미(WUS-2038), 일본(WJA-1946), 호주(WAU-0378), 카나다(WCN-0444),
        북경(WCP-1028), 유엔(WVN-0997), 러시아(WRF-1238)

WUS-2111   920504 1637   WG

WJA -1988   WAU -0392
WCN -0463   WCP -1058
WUN -1024   WRF -1269

0028

외 무 부

관리
번호 92
-575

종 별 : 긴 급

번 호 : AVW-0737   일 시 : 92 0504 2200

수 신 : 장 관(국기,미이,정특,기정,과기처)

발 신 : 주 오스트리아 대사

제 목 : IAEA 사무총장 면담

대:WAV-0639,0637

연:AVW-0730,0663

본직은 금 5.4(월) 16:30 BLIX 사무총장을 방문 면담한바 (김의기 참사관및VILLAROS 사무총장 보좌관 동석), 동 면담 내용중 특기 사항을 하기 보고함.

1. 북한이 금일 제출한 최초 보고서이 핵 재처리 의혹 시설에 대한 자료가 포함되었느냐는 질문에 대해 동 사무총장은 북한측으로 부터 상당한 분량의 최초보고서와 설계 정보(동인이말하는 설계 정보가 핵시설에 대한 D.I.Q. 를 의미하느냐는 질문에 대해 그렇다고 답변함)를 접수 하였으나, 현재 관련 부서에서 이를 검토중이며, 수일내에 자신의 북한 방문 출발 이전에 북한이 신고한 핵시설 LIST 를 발표할 예정이므로 현단계에서 그 이상의 상세한 내용을 알려줄수 없을 이해해 달라고 하였음.

검토필(19○○.6.30.)(서명)

2. 본직이 동 사무총장의 방문을 북한이 자신의 핵 문제에대한 국제적 우려를 회피하기 위하여 악용할 가능성에 대해 재차 주의를 환기 시키고 출발전 방문목적을 밝히는 발표를 할것을 종용한바 동인은 출발에 앞서 자신의 방북이 북한 정부의 초청에 따른 공식 방문이며, 사찰을 위한 방문이 아니라는 취지의 PRESS RELEASE 를 배포할 계획이라고 말하고, 북한 체재중 개별적인 언론과의 접촉은 가급적 피할 것이나 현지 언론의 독자적인 보도는 어쩔수 없는 것이 아니냐고말하면서 방북 결과에 관한 공식 기자회견은 5.16(토) 북경에서 가질 예정이라하였음.

3.(BLIX 사무총장의 방북 타이밍에 문제가 있음을 지적한데 대하여) 동 총장은 자신의 바ㄴ한 방문과 관련 다른 견해가 있을수 있으나 IAEA 회원국인 북한의 초청을 특별히 거절할 이유가 없었다고 말하고, 북한의 보고서를 검토한 결과. 만족스럽지 못할 경우 이에 대한 북한측의 해명과 보완을 요청할수 있는 기회도 될수

국기국   장관   차관   1차보   미주국   외정실   분석관   청와대   안기부
과기처   0029

PAGE 1   92.05.05   05:50
                                                              외신 2과   통제관 FK

있을 것이라는 의견을 피력하였음. 더구나 그동안 북한이 약속대로 협정을 비준하고 시한보다 훨씬 앞서 최초보고서를 제출한 만큼 이미 북한측에 명한 방북 의사를 변경할수 없는 사정일고 부언하였음.

4. 이에 대해 본직은 사무총장이 북한측에 대해 금번 최초보고서 제출에서 사찰에 이르는 과정이 북한측에게 있어 그들의 핵 개발 관련 의혹을 해소 시킬수있는 절호의 기회임을 철저히 인식 시키고, 북한의 핵 개발에 대한 IAEA 와 세계의 우려를 이번에 해소하지 못할 경우 특별 사찰을 비롯한 강력한 수단을 강구할수 밖에 없다느 이사국들과 IAEA 측의 단호한 입장을 북한측에 전달하여 줄것을 요청하였음. BLIX 사무총장은 재처리 의혹 시설 관련 구체적인 증거없이 지하시설이 있을 것이라는 첩보나 언론보도만 가지고는 IAEA 로서 추궁조치를 취하기어렵다는 사정을 이해해 주기 바란다고 하였음. 이와 관련 본직은 남북한간 상호사찰을 위한 협상이 사찰규정을 위요한 북한측 무성의로 그가 아무런 실질적 진전이 없음을 설명하고 이러한 북한태도는 북한이 일응 IAEA 의 일반사찰에는 응하여 국제 압력은 회피하면서도 그들의 핵개발 의혹을 불식할 의지가 없다는 의심을 사기에 충분한 것임을 지적하였음.

5. IAEA ADOHOC INSPECTION 실시 시기에 관한 문의에 대하여는 보고서 검토후 이를 토대로 6 월 이사회 전에 실시할 예정이나 확실한 시기는 보고서 내용 여하에 따라 결정 될것이라고 하면서, 2 월 이사회 요청에 따라 6 월 이사회에 사무총장이 북한 핵관게 진전상황을 보고해야 하므로 6 월 이사회까지는 임시사찰의 결과를 보고에 포함시킬수 있기를 기대한다고 했음.

6. 본직이 사무총장의 방북결과에 대한 우리정부의 지대한 관심을 설명하고, 북경에서 동총장의 기자회견과는 별도로 아측이 방북 결과를 설명 받을 가능성을 타진한데 대해 동총장은 방문 결과를 공식적으로 평가하기 전에는 누구와도이러한 기회를 갖기를 주저하는 매우 소극적 반응을 보였으며, 자신이 참석하게 될 홍콩 세미나에 한국의 고위관리(MINISTER 라고 표현)가 참석할 것으로 알고 있는바 방북결과 관련 타진이 있을지도 모르겠다고 말하였음(이와 관련 당관에도 알려주기 바람)

7. BLIX 사무총장은 면담중 이름을 잘 기억하지는 못하나 정모라는 사람이 북한에 대한 최초 사찰팀 일원으로 위촉되었다는 아국의 언론보도에 대해 문의해오면서 그것은 전혀 사실이 아니며 그렇게 보도가 될 경우 북한이 그를 사찰관으로

수락하겠느냐고 반문한바 있음을 참고로 보고함. 끝.

(대사 이시영-장관)

예 고:92.12.31 일반.

북韓, IAEA 사무충장에 寧邊핵시설 궁개키로

기타 시설 방문도 전면 허용

(東京=聯合)文永植특파원=北韓은 5일 한스 블릭스 국제원자력기구(IAEA) 사무충장의 북한 방문시에 寧邊 핵시설을 궁개할 예정이라고 밝혔다고 교도(共同)통신이 보도했다.

북한의 李哲 국제기구대표부 대사는 이날 제네바에서 기자회견을 통해 『오는 11일부터 16일까지 북한을 방문하는 블릭스 충장에게는 2명의 핵문제 전문가가 동행한다』고 말하고 『그들에게 영변 핵시설을 포함 북한내 모든 핵관련 시설의 방문이 허용될 것』이라고 밝혔다.

북한이 IAEA의 정식 사찰과는 관계 없이 블릭스 사무충장을 초청한 것은 美國과 日本의 뿌리 깊은 핵무기 개발 의혹을 바꾸려는 데 목적을 두고 있는 것으로 풀이되고 있다.(끝)

0032

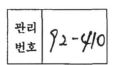

외 무 부

원 본

종   별 : 긴 급
번   호 : AVW-0744   일   시 : 92 0505 1700
수   신 : 장 관(국기,미이,정특) 사본:주 북경 대표부 대사-중계필
발   신 : 주 오스트리아 대사   CPW-1065
제   목 : IAEA 사무총장 방북

  1. 금 5.5 당지 중국 대표부 측에서 탐문한바에 의하면 BLIX 사무총장의 방북 전후
북경체류 일정은 아래와 같음.

  5.11(월) 북경기착(평양향발)

  5.16(토) 10:30 북경도착(평양발)

  14:00 기자회견(북경 BEIJING HOTEL)

  2. 전항 북경에서의 사무총장 기자회견에 참가할 한국 또는 서방 기자로하여금
사전 준비를 하도록 조치함이 좋을것으로 사료됨. 끝.

  (대사 이시영-국장)

  예고:92.6.30 일반.

보통문서로재분류(1992. 6. 30)

국기국	차관	1차보	미주국	외정실	분석관	청와대	안기부	중계

PAGE 1   92.05.06   03:49
                                              외신 2과 통제관 FM
                                                      0033

분류번호	보존기간

발 신 전 보

번   호 : WCP-1080   920507 1720 WG   종별 :

수   신 : 주 북경   대사. 총영사   (사본 : 주오스트리아 대사)

발   신 : 장 관   (국기)

제   목 : IAEA 사무총장 방북결과

연 : CPW-1065

1. 연호 Blix 사무총장의 기자회견에 참석하기 위해 4-5명의 외무부 출입기자들이 귀지 방문계획이며, 동 기자단 명단은 내주초 확정될 예정임. (명단 및 구체 인적사항은 내주초 통보예정)

2. 이와관련 동 기자들이 5.15(금)까지 귀지 도착할 수 있도록 주재국 외교부에 비자발급에 대한 사전 협조를 요청해 두기 바라며, 5.16. 기자회견장 (Beijing Hotel)에 아국기자들과 귀관직원이 참석할 수 있도록 사전 필요 조치를 취해 주시기 바람. 끝.

(국제기구국장   김재섭)

예 고 : 1992.6.30. 일반.

보 안 통 제	

앙 고 재	92년 5월 7일	기 구 과	기안자 성명 신종익		과 장	심의관	국 장	차 관	장 관	외신과통제

■May 1992
PR 92/24
FOR IMMEDIATE RELEASE

INTERNATIONAL ATOMIC ENERGY AGENCY
WAGRAMERSTRASSE 5, P.O. BOX 100, A-1400 VIENNA, AUSTRIA,
TELEPHONE: 1 2360, TELEX: 1-12645, CABLE: INATOM VIENNA,
TELEFAX: 431 234564

PRESS RELEASE FOR USE OF INFORMATION MEDIA • NOT AN OFFICIAL RECORD

DEMOCRATIC PEOPLE'S REPUBLIC OF KOREA (DPRK) SUBMITS INITIAL REPORT TO IAEA UNDER COMPREHENSIVE SAFEGUARDS AGREEMENT IN CONNECTION WITH THE NON-PROLIFERATION TREATY

Following the entry into force on 10 April of the Safeguards Agreement between the DPRK and the International Atomic Energy Agency (IAEA) signed on 30 January, 1992, the Initial Report on nuclear material and design information on nuclear facilities in the DPRK was handed over to the Director General of the IAEA, Dr. Hans Blix, on 4 May.

In addition to the facilities that were already under IAEA safeguards (a research reactor and a critical facility of the Institute of Nuclear Physics) the list includes the following facilities: a sub-critical facility of the Kim Il Sung University in Pyongyang; a nuclear fuel rod fabrication plant and storage in Nyongbyon; an experimental nuclear power reactor (5 MW) of the Institute of Nuclear Physics in Nyongbyon; and a radiochemical laboratory of the Institute of Radiochemistry under construction in Nyongbyon and declared to be designed for research on the separation of uranium and plutonium and waste management and for the training of technicians.

In addition, a nuclear power plant of 50 MW under construction in Nyongbyon and one of 200 MW under construction in the North Pyongan Province are reported, and three reactors (635 MW each) for a nuclear power plant are being planned. Furthermore, two uranium mines and two plants for the production of uranium concentrate are listed.

The first IAEA inspection visit under the new comprehensive Safeguards Agreement in the DPRK is expected to take place before mid-June 1992, when the IAEA Board of Governors next meets.

The Director General of the IAEA will pay an official visit to the DPRK in the week of 11-16 May while travelling in the Far East.

0035

관리
번호 92-596

외 무 부

종 별 :

번 호 : USW-2364   일 시 : 92 0508 1751

수 신 : 장 관(국기,미이,미일,정특,기정) 사본: 주오지리대사(중계필)

발 신 : 주 미국 대사

제 목 : BLIX 총장 방북

1. 금 5.8. 당관 안호영 서기관과의 접촉시 국무부 KENNEDY 대사실 SAMORE 보좌관은 BLIX 총장의 방북에 즈음하여 미국으로서도 금번 방북이 최대한 긍정적인 결과를 맺을수 있도록 노력하고 있다고 하면서, 그간 IAEA 와의 접촉 결과를 아래와 같이 알려왔음.

가. CARNEGIE ENDOWMENT 보고서

- 국무부는 연호 (USW-2309) CARNEGIE ENDOWMENT 보고서를 IAEA 측에 전달하고, 동 보고서에 따르면 김영남, 김용순, 최정순등이 AIEA 사찰관에게 초초 보고서에 등재된 것은 물론, 다른 시설에 대해서도 사찰을 허용하겠다고 한 것과 관련한 북한의 입장을 다시한번 확인할 것을 권고하였다고함.

검토필(19○○. 6. 3○)

나. 방사능 화학 연구소

- BLIX 사무총장은 금주 BECKER 미국대사와의 면담시 북한이 비핵화 공동선언에서 재처리 시설을 포기하고서도 최초보고서에 재처리 시설로 보이는 '방사능 화학 연구소'를 포함시킨 것은 잘 납득이 되지 않는다고 하면서, 이번 방북중 이점에 대해서 북한측의 설명을 요구할 것이라고 언급하였다함.

- 비엔나에서 미국대사관이 IAEA 사무국과의 접촉을 통하여 파악한 바로는 (1) 북한이 '방사능 화학연구소'라고 등재한 것이 미국이 재처리 시설로 지목해온것과 동일한 시설이며, (2) 동 시설은 연구용이 아니라 대규모 처리용량(THROUGH-PUT)을 가진 본격적 재처리 시설로 보이며, (3) 동 시설은 아직 완공이 되지 않은 상태이나 북한측은 동 시설을 설계대로 완공시킬 의향임을 시사하고 있어 IAEA 사무국도 동문제의 심각성을 느끼는 것으로 감지되고 있다함.

2. SAMORE 담당관은 상기 나. 와 같은 주비엔나 미국대표부의 관찰과 관련, 미국으로서는 CORE GROUP 을 중심으로 한 우방국과의 협동으로 이에대한 우려를

국기국 안기부	장관 중계	차관	1차보	미주국	미주국	외정실	분석관	정와대

0036

PAGE 1   92.05.09   08:54

외신 2과 통제관 BS

북한에 전달하여 재처리 시설공사가 계속되는 것을 막아야 할 것으로 보나, 이 경우
문제가 되는 것은

████████████████████████████████████

3. 이어서 SAMORE 담당관은 금번 남. 북 고위 회담에서 JNCC 제 4 차 회의가 5.12.
로 예정된 만큼, 한국이 5.5. IAEA PRESS RELEASE 를 기초로 하여 '방사능
화학연구소가 재처리 시설이 아니기를 희망한다는 정도의 입장을 북한측에 표명해
놓으면 여타 우방국들도 북한에 대해 동 문제에 대한 우려를 전달할수 있는 분위기가
조성될 수 있을 것으로 본다는 견해를 표명하였음. 끝.

　　(대사 현홍주-국장)

　　예고: 92.12.31. 일반

관리 번호	92-433

외 무 부

원 본

종 별 : 지 급

번 호 : JAW-2677

일 시 : 92 0508 1408

수 신 : 장관(국기,미이,정특,아일)

발 신 : 주 일 대사(일정)

제 목 : 북한 핵문제(IAEA 사무총장 방일)

연: JAW(F)-1645

1. 연호, IAEA 브릭스 사무총장이 방북후 5.17. 방일 예정이라는 보도와 관련, 금 5.18.(금) 일 외무성(원자력과) 측에 문의한 바, 동인은 5.11-16. 간 방북후 북경을 경유 5.18-20. 간 방일 예정이라 함. (일측은 절대 보안에 유의해 줄것을 당부하였음)

2. 동인의 방일결과는 외무성측으로 부터 청취후 보고예정임. 끝

(대사 오재희-국장)

예고: 92.12.31. 일반

검토필 (19P2. 6 - 30.)

_{보류문서로} 재분류(1992. 12.31.)

국기국	장관	차관	1차보	아주국	미주국	외정실	청와대	안기부

PAGE 1

92.05.08 14:31

외신 2과 통제관 AN

0038

관리
번호 : 92-434

외 무 부

원 본

종 별 : 지 급

번 호 : CPW-1984　　　　　　　　　　일 시 : 92 0508 1700

수 신 : 장관(국기,아이)

발 신 : 주 북경 대표

제 목 : IAEA 사무총장 방북 기자회견

　　대: WCP-1080

　　연: 주북경(정) 2022-104(3.17)

　　1. 대호 아국 기자들의 방중 비자 취득을 위해 금 5.8. 외교부(신문국)측에 협조를 요청하였던바, 외교부한측은 외국 기자들의 취재 목적 방중 신청은 연호 "외국기자 관리조례" 제 12 조 규정에 의거 반드시 해외공관을 통해 이루어져야 하기 때문에 정식 심사를 위해서는 우선 주한 중국대표부측에 신청해 주기를 요청하였음.

　　2. 당관으로서는 주한 중국대표부로 부터 외교부에 아국 기자들의 입국 허가를 문의해올 경우 조속한 허가가 이루어질 수 있도록 최선을 다하고자 하니 소정의 신청약식에 따라 주한 중국 대표부측에 조속 신청토록 조치바람. (동 비자 신청시에는 금번 기자회견이 MULTILATERAL 한 차원의 행사임을 부각시키기 바라며 시간이 얼마남지 않았음을 감안 본국정부에 신속히 청훈해주도록 특별 요청 바람)

　　3. 주재국의 외국기자 입국 허가에는 내부 관련 기관간의 상호 협조관계상 시일이 많이 소요되고 있으며, 이 때문에 꼭 방중해야 할 필요가 있으면서 시간이촉박할 때는 관광비자로 입국하는 기자들(과거 아국 주홍콩 특파원 포함)도 일부 있음을 참고바람.

　　4. BLIX 사무총장의 당지 경유 일정 참고로 다음 보고함.

　　가. 5.11 방북시는 공항안에서 잠시 대기후 평양 향발하며, 5.16. 평양에서북경 도착후 2 박 예정

　　나. 동 2 박 기간동안 BLIX 사무총장의 요청에 의하여 주재국 외교부 고위인사 면담 예정

　　다. 북경 체제 일정은"중국 핵공업총공사"측이 준비중.끝.

　　(대사 노재원-국장)

　　예고: 92.12.31. 일반

　　보통문서로 재분류(1992.12.31.)

국기국	장관	차관	1차보	아주국	외정실	분석관	안기부

PAGE 1　　　　　　　　　　　　　　　　　92.05.08　　19:20

　　　　　　　　　　　　　　　　　　　外신 2과 통제관 CH

　　　　　　　　　　　　　　　　　　　0039

관리 번호	92-246

원 본

외 무 부

종 별 :

번 호 : AVW-0785

일 시 : 92 0508 2100

수 신 : 장 관(국기,아일,미이,정특) 사본:주일,북경대표부,홍콩총영사-중계필

발 신 : 주 오스트리아 대사

제 목 : IAEA 사무총장 방일

금 6.8 본직이 당지 KUME 일본대사로 부터 확인한 바에 의하면 블릭스 사무총장은 북한 방문을 마치고 5.16 북경도착, 2 박후 5.18 출발, 동일 오후 동경도착 예정이며, 오와다 외무차관(확정), 과기처 장관(미정)등 면담이 계획되어 있고 5.20 오전 홍콩 향발 예정이라 함. 끝.

(대사 이시영-국장)

예 고:92.6.30 까지.

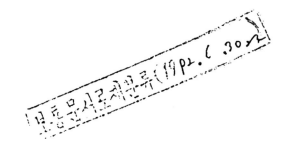

국기국	장관	차관	1차보	아주국	미주국	외정실	분석관	정와대
안기부	중계							

PAGE 1

92.05.09 07:26

외신 2과 통제관 BX

0040

EMBASSY OF THE REPUBLIC OF KOREA

Praterstrasse 31, Vienne
Austria 1020 (FAX : 2163438)

No : AVW(F)-093	Date : 2002 7 13 00
To : 장 관 (구이)	
(FAX No :　　　　　　　　　)	

Subject : 전 부

표지포함 3 매

Total Number of Page : ___

0041

Statement

First of all, I express my gratitude to all of you present at this press conference.

Today, I'd like to inform you on the implementation of the safeguard agreement signed between the Democratic People's Republic of Korea and the IAEA and some matters related to that.

We, as a member state to NPT, respect the safeguard agreement that was concluded with IAEA and stick to the position to exert all our possible efforts for it's earliest implementation.

As you know well, on 9th of April, the Supreme People's Assembly of DPR Korea reviewed and ratified the safeguard agreement. It was then, informed to IAEA and came into effect. According to the safeguard agreement, we are obliged to present the Initial Report and design information by the end of May. But My Government, starting from the desire to implement it at an earliest date, presented them on 4th of May much ahead of schedule. This is an clear and practical evidence that we do not say empty words.

Remaining are some technical matters.

We will discuss the formulation of attached regulations for the nuclear inspection and other technical matters at an earliest date and accept the inspection of IAEA in good faith. This is our constant position.

We are ready to disclose our nuclear facilities even before the Agency's inspection. I've already informed officially to Mr. Hans Blix, Director-General of IAEA who is to visit my country between 11-16th of this May that we would show him all the nuclear facilities which he wishes to see.

Despite of these facts, some figures in US and Japan are still seeking other purpose and creating artificial obstacles in our way for nuclear inspection which is being well proceeded. As we are showing our sincerity, the United States should also respond to it. If the United States is really interested in our nuclear inspection problem, it should stop at once the unreasonable behaviour of some figures who are trying to create artificial obstacles in the solution of nuclear inspection and should accept, as already pledged, our fair demand to do full scale inspection on its nuclear weapons and nuclear facilities in south Korea.

The south Korean authorities should not play on other's drum but put the interests of our nation at the first place

- 1 -

0042

and come out with sincere attitude to the north-south talks
for the denuclearization of the Korean peninsular.
Recently, due to our positive and active measures,
many positive changes are taking place in realizing the
denuclearization of Korean peninsular and this will lead
sooner or later to a fruitful result.

At this very point of time, the nuclear threat in
northeast Asia is obviously coming from Japan. It is an
constant ambition of Japan to become a political and military
giant from a economic giant. Its high technology and the
production , import and storage of Plotonium in large
quantity which exceed its necessary amount give clear
evidence that it can appear as an nuclear giant at once if it
wishes.

It is the pressing task of the peaceloving people of the
world to follow with high vigilance the nuclear armament of
Japan and to block it.

The Japanese authorities should not cling to deeds to
brake the process of the denuclearization of the Korean
peninsular but to give up its ambition for nuclear armament
which threats world's peace, thus dissolve the worries of the
world.

Thank you.

- 2 -

공   란

공   란

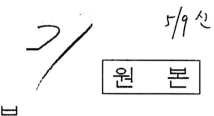

관리
번호 92-245

외 무 부

종 별 :

번 호 : AVW-0786   일 시 : 92 0508 2100

수 신 : 장 관(국기,과기처)

발 신 : 주 오스트리아 대사

제 목 : IAEA 사무총장 출발

　　연:AVW-0744

　　BLIX 사무총장은 예정대로 금 5.8 오전 북한, 중국, 일본및 홍콩 방문을 위해
당지를 출발하였음(수행원은 기보고와 동일). 끝.
　　(대사 이시영-국장)
　　예고:92.6.30 일반.

보통문서로재분류(1992 6 30)

국기국　　과기처

발 신 전 보

번 호 : WCP-1107   920511 1854 DW   종별 : <u>암호송신</u>

수 신 : <u>주 북경   대사. 총영사</u>

발 신 : <u>장 관 (국기)</u>

제 목 : <u>IAEA 사무총장 방북결과 기자회견</u>

대 : CPW-1984

'아국 기자의 표제회견 취재를 위한 참고자료를 금 5.13 파편 송부예정이니,
귀관의 참고로 하기 바라며, 아국 기자들로부터의 요청이 있을시 적의 배포, 활용
바람. 끝.

(국제기구국장   김 재 섭)

0047

원 본

외 무 부

종 별 :

번 호 : USW-2403   일 시 : 92 0511 1948

수 신 : 장 관 (미이,미일,정안,국기)

발 신 : 주 미 대 사

제 목 : IAEA 사무총장 방북

  금 5.11. 국무부 브리핑시 언급된 HANS BLIX IAEA사무총장 방북관련 내용을 하기보고함. (관련부분을 별전 USW(F)-2986 편 송부함)

  - (질문) BLIX 사무총장이 금 4.11. 방북, 북한핵시설 사찰을 시작한 것에 대한논평은 ?

  - (답변)

  . BLIX 총장의 북한 핵시설 사찰은 정식사찰 (FORMAL INSPECTION) 이 아님.

  . 북한이 IAEA 에 제출한 보고서를 검증, 분석키 위한 일련의 정식 사찰이 앞으로 실시되어야함.

  . 미국은 BLIX 총장의 방북 및 이에따른 북한과의 계속적인 사찰 문제 협의를 환영하나, 동 사찰과정이 신중하게 (IN A CAREFUL MANNER) 진행되기를 기대함.

  - (질문) IAEA 가 신속한 사찰 (EXPEDITIOUS INSPECTIONS) 을 실시할 권리를 유보하고 있다고보는지 ? IAEA 가 불시사찰 (CHALLENGING INSPECTION)을 실시할 가능성은 ?

  - (답변) 동 질문은 IAEA 가 답변할 문제라고 생각함.

  첨부: USW(F)-2986. 끝.

  (대사 현홍주-국장)

미주국	장관	1차보	미주국	국기국	외정실	분석관	청와대	안기부

PAGE 1   92.05.12   10:26 WH

외신 1과 통제관 ✓

0048

주 미 대 사 관

USK(F) : 二九八六 년월일 : 92.5.11 시간 : 18:48

수 신 : 장 관 (머이,미인,정안,측기)

발 신 : 주미대사

제 목 : 첨부됨

브통 안제

(출처 : FNS)

STATE DEPARTMENT REGULAR BRIEFING   BRIEFER: RICHARD BOUCHER
MONDAY, APRIL 11, 1992

        Q   International -- IAEA started to investigate -- inspect
North Korean nuclear facility today. Do you have any comment on
that matter?

        MR. BOUCHER: I don't believe they had a full-scale inspection
going. I think --

        Q   Not full-scale process.

        MR. BOUCHER: -- Director Hans Blix was (traveling over there
?).

        Q   (Inaudible) -- visit North Korea today, this morning, and
started to begin the inspection.

        MR. BOUCHER: Well, again, I would say that this is not a
formal inspection and that there will have to be a series of formal
inspections to verify and analyze the information that the North
Koreans have provided to the IAEA. I think we said last week that
we welcome that information, we welcome the fact that Director
General Blix has been able to travel there and continue these
discussions, but most of all we look forward to the process of
inspections going forward in a careful manner.

        Q   Richard, do you think that IAEA has reserved the right to
execute so-called expeditious inspections, and what do you think the
possibility is whether the IAEA would do the challenging inspection
at this time?

        MR. BOUCHER: Again, that's something that the IAEA, I think,
wil have to answer. It's not a question for us.

            (二九八六 - 1 - 1)

의신 1과
통   제

IAEA(국제원자력기구)의 대북한 핵시설 사찰, 1992. 전6권 (V.3 Blix 사무총장 북한 방문, 5.11-16 : 기본문서) 375

외 무 부

110-760 서울 종로구 세종로 77번지 　 / (02)720-2336 　 / (02)720-2686

문서번호 국기20332-341

시행일자 1992. 5.11.(　)

18058

수신 주북경대사

참조

취급		장 관
보존		
국 장	전 결	
심의관		
과 장		
기안	이 순 천	협조

제목 IAEA 사무총장 방북결과 기자회견 자료

　연 : WCP- 1107

　연호 표제회견 참고자료를 별첨 송부합니다.

　첨부 : 동 자료 1부. 끝.

외 무 부 장 관

0050

0051

Blix 사무총장에 대한 질문사항

(영문번역 별첨)

1. 사무총장이 방북시 만난 북한측 주요인사는 누구였으며 그들과 면담한 내용은?

2. 사무총장의 방북기간중 최초보고서상의 시설을 다 시찰할수 있었는지와 영변내 핵 시설을 시찰해 본 전반적인 소감은?

3. 북한이 '방사능 화학실험실'이라고 보고한 시설이 그동안 핵 재처리 시설로 의심되어온 시설과 동일한 것이 있었는지?
   또한 동 시설의 규모 및 기능등을 보았을 때 단순한 실험실이라고 판단되는지 아니면 핵 재처리 기능을 갖고 있는 시설로 간주할 수 있는지?

4. 미국 「카네기 재단」 사람들의 최근 방북시 북한측은 영변에 있는 실험실에서 플루토늄 추출실험을 해 본 적이 있다고 밝혔는데 사무총장은 금번 방북시 동 연구 실험실을 방문해 보았는지?
   또한 북한이 그간 추출해 온 플루토늄 양이 최초보고서에 포함되어 있었는지?

5. 북한은 최근 IAEA가 보고 싶어하는 모든 시설을 보여주고 최초보고서상에 포함 되어 있지 않은 여타시설들도 공개하겠다고 밝혔는데 앞으로 대북한 사찰시 IAEA 사찰관들은 어디든지 자유롭게 사찰할수 있을것으로 보는지? 사무총장은 북한 체재중 원하는대로 자유스럽게 방문하였는지?

6. 금번 사무총장의 금번 방북은 곧이어 있을 IAEA 임시사찰의 길잡이가 될걸로 봄. 북한의 핵개발 관련 의혹이나 사실을 밝히기 위한 IAEA의 향후 사찰활동 계획은 어떤것인지?

7. 방북에 만족하는지? 만족하다면 그 이유는?

0052

<Questions>

1. Did you meet KIM Il-Sung, KIM Jong-Il? What other high-ranking officers
    did you meet during your visit to North Korea? And what did you discuss
    about with them?

2. Did you visit all nuclear facilities which are on the list of North Korean
    initial report? What is your general view and impression on North Korean
    nuclear facilities?

3. Was the facility which North Korea describes as a 'radiochemical laboratory'
    the building suspected as a nuclear reprocessing plant?
    What is the capacity and function of the laboratory and what is your assess-
    ment as to whether the facility has been constructed for purely 'radiochemi-
    cal laboratory' purpose or for the nuclear reprocessing?

4. When the people of the American "Carnegie Endowment" recently visited North
    Korea, North Korea admitted having produced a little bit of plutonium at
    a radiochemistry laboratory. Did you visit the laboratory where the
    reprocessing experiments were said to be conducted?
    And was the amount of plutonium produced in the laboratroy described in the
    North Korean initial report on nuclear material?

5. North Korea has recently announced that IAEA inspectors will be given access
    to any facilities on the initial report and even other facilites which are
    not on the list.
    Do you believe that IAEA inspectors will be able to visit any places wher-
    ever they want to inspect in North Korea? And did you visit places in
    North Korea in that way?

6. I think your visit to North Korea will certainly guide the forthcoming ad
    hoc inspection of the IAEA. What is the future course of action of the
    IAEA inspection activities to North Korea so as to disclose all the facts
    and dispell suspicions about North Korean nuclear program?

7. Are you satisfied with the visit to North Korea? If so, what brought you
    satisfaction?

0053

북한이 제출한 최초보고서 및 Blix 사무총장 방북관련 참고자료

1. 최초보고서상 시설목록(16개)

시 설 명	수량	규모	소 재	비 고
연구용 원자로 및 임계시설	2기		영변핵물리학연구소	기사찰중
준임계시설	1기		평양 김일성대학	기존시설
핵연료봉제조 및 저장시설 각 1기	2기		영 변	기존시설
핵발전 실험원자로	1기	5MW	영변 핵물리학연구소	기존시설
* 방사능 화학실험실	1기		영변 방사능 화학연구소	건설중
핵발전소	1기	50MW	영 변	건설중
핵발전소	1기	2백MW	평북 (태천)	건설중
발전용 원자로	3기	각 기 635MW	(신포)	건설계획
우라늄광산	2개소		(순천등)	기 존
우라늄 정련 생산공장	2개소		(평산, 박천)	기 존

* 재처리시설로 의심받고 있는 시설일 수 있다고 추정됨.

( )표기 지역명은 북한이 공개하지 않은 가운데 우리측이 소재지역으로 추측하고 있는 지역명임.

2. 최초 보고서 제출에 대한 주요국 반응

가. 한국

 o 최초보고서가 북한이 보유하고 있는 모든 핵 물질과 시설에 대한 성실한 신고였기를 기대

 o 이에관한 IAEA의 조속한 사찰과 철저한 분석을 통하여 국제사회의 북한에 대한 핵무기 개발 우려가 해소되기를 바람.

0054

나. 미국

  ○ IAEA에 의하면 북한 최초보고서 내용이 방대하다고 하는 바, 이를 환영
    하며 동 보고서 제출이 조속히 이루어진것은 바람직함.

  ○ 북한 보고서의 성실성을 확인하는데는 상당한 시간이 소요되고 몇차례의
    사찰이 필요할것임.

라. 일본

  ○ 북한에 대한 핵사찰협정 비준 뿐만 아니라 모든 시설을 대상으로 한 무
    조건적인 핵사찰 수락을 촉구함.

3. Blix 사무총장 방북일정

  가. 수행원(3명)
    ○ 특별 보좌관 2명(T. Wojcik, P.Villaros)
    ○ 안전조치 극동 아시아 담당과장 1명(Willi Theis)

  나. 방북일정
    ○ 5.11(월) 북경출발, 평양도착
    ○ 5.12(화) 김일성, 김정일 등 북한 주요인사 면담
    ○ 5.13(수) - 15(금) 북한 핵시설 사찰
    ○ 5.16(토) 평양출발, 북경도착
        14:00 기자회견(북경 Beijing Hotel)

  다. 기타일정
    ○ 5.18-20 일본방문
    ○ 5.21-22 홍콩 원자력 홍보세미나 참석
    ○ 5.25 비엔나 귀임

4. Blix 사무총장 이력사항(별첨)

0055

북한의 핵 안전조치협정 발효후 IAEA 사찰실시 과정표

92.4.27. 국제기구과

1. <u>협정의 발효</u>

   o 발효일은 협정 비준 사실에 대한 북한정부의 서면
   통고를 IAEA가 접수한 일자

   | 92.4.10발효 |
   | ★ 이하 4.10.발효 따른 각단계별 최대한 일자 |

2. 사찰대상 모든 <u>핵 물질에 대한 최초 보고서</u> (initial
   report) 를 IAEA에 <u>제출</u>

   o 발효 해당월의 최종일로 부터 30일 이내

   92.5.31 까지
   제출

3. 최초보고서 내용에 대한 IAEA의 <u>임시사찰</u> (ad hoc in-
   spection) <u>실시</u>

   o 임시사찰을 위한 사찰관 임명은 가능한한 안전조치협정
   발효후 30일 이내 완결

   o 북한은 상기 IAEA 사찰관 임명 수락 여부를 제의받은
   후 30일 이내에 사무총장에게 통보

   o IAEA는 사찰관 수락회보 접수후 최소한 1주일전 북한에
   통보후 사찰관 파견

   92.6월 16일경
   실시 가능

   - 92.5월 10일경

   - 92.6월 9일경

   - 92.6월 16일경

4. 보조약정서(하기 5항) 체결 협의기간중 기존 <u>핵시설 관련</u>
   <u>설계정보</u> (design information)를 IAEA에 <u>제출</u>

   o 설계정보는 재처리시설 관련 정보도 포함하여 각 시설별
   설계정보 설문서(Design Information Questionnaire)답변
   형식으로 제출

   92.4.10-7.9
   사이

0056

o 제출된 설계정보 검증을 위해 IAEA는 북한에 사찰관 파견
  (임시사찰과 같은 절차를 거쳐 파견)

o IAEA는 상기 설계정보내용 확인후 시설부록 (Facility
  Attachment)을 작성 보조약정서에 첨부

5. <u>보조약정서 (subsidiary arrangement) 체결 및 발효</u>　　　　92.7.9까지

o 협정에 규정된 안전조치 절차와 시행방법을 구체적으로
  명시하는 보조약정서를 IAEA와 체결

o 보조약정서는 안전조치협정 발효후 90일이내에 체결 및
  발효 시키도록 노력

6. <u>사찰관 임명</u> 을 위한 사전 협의

o 사무총장은 북한에 대해 IAEA 사찰관 임명에 대한 동의를
  서면으로 요청

o 북한은 임명동의 요청 접수후 30일 이내에 수락여부를　　　92.8.8 경
  사무총장에게 통고

  * 사무총장은 필요에 따라 보조약정 체결전이라도 북한
    에 사찰관 임명 동의 요청 가능

  * 일단 임명동의를 받은 사찰관들은 향후 사찰을 위해
    북한 재입국시 임명동의 재요청 불필요

7. <u>일반사찰</u> (routine inspection) 실시

o IAEA는 사찰관 임명동의 접수후 사찰실시 1주일전 북한에
  사찰관 파견 사전통보

o 사찰관 북한 입국, 일반사찰 실시　　　　　　　　　　　92.8.15 경

8. <u>특별사찰</u> (special inspection) 실시　　　　　　　일반사찰 실시후
　　　　　　　　　　　　　　　　　　　　　　　　　　　　　필요시

o 특별사찰은 일반사찰을 통해 획득한 정보가 협정에 따른
  책임 이행에 충분치 못하다고 판단될 때 실시

0057

o 따라서 북한의 미신고 핵물질 및 시설에 대한 의혹이

  있을 경우 IAEA 이사회 결정에 따라 특별사찰 실시가능

  * 92.2월 IAEA이사회는 IAEA가 상기 핵관련 추가정보를

    입수하여 관련장소를 조사할수 있는 권한을 갖고 있음

    을 재확인

o 쌍방 합의후 가능한한 빠른 시일내 사찰관 파견 사전

  통보후 실시

끝.

0058

국제원자력기구(International Atomic Energy Agency) 개황

1. 설   립 : 1956.10.26. 창립(1953.12. Eisenhower 미국대통령 제창)

2. 회원현황 : 정회원(116개국)

3. 목적 및 기능

   o 전세계의 평화, 보건 및 번영에 대한 원자력의 공헌 촉진 및 증대

   o 원자력이 군사적 목적을 조장하는 방법으로도 이용되지 않도록 억제

4. 총회(General Assembly)

   o 매년 Vienna에서 개최

   o IAEA의 최고의사 결정기관

5. 기타조직 : 이사회(Board of Governors, 35개국)

              사무국(Secretariat), 사무차장 : Dr. Hams Blix (스웨덴인)

6. IAEA와 아국과의 관계

   o 가   입 : 1957. 8. 8. (북한가입 : 1974.6)

   o 아국의 지위 : 지역이사국 7회('57, '65, '73, '77, '81, '85, '91)로 현재
                  이사국

                  윤번이사국 1회('87-'89) 역임

   o 분담금 : $328,094(91년)

   o 수원현황 : IAEA로부터 약 50-60만불의 기술협력사업 지원 (91년)

   o 기   타 : 83.4. 및 89.4. IAEA 사무총장 Hans Blix 방한

0059

사무총장 인적사항

o 성   명 : Dr. Hans Blix(스웨덴인)

o 연   령 : 64세(1928년생)

o 학   력 :   스웨덴 Uppsala 대학 졸업(법학사)

　　　　　　　　　　미 국 Columbia 대학 대학원 연구 조교

　　　　　　　1958 영 국 Cambridge 대학 박사

　　　　　　　1959 Stockholm 대학 법학박사

o 경   력 :   1960   Stockholm 대학 부교수(국제법)

　　　　　　　1963-1976   외무부 국제법 국장

　　　　　　　　　　　　　외무부 국제법 고문

　　　　　　　1976   외무부 국제개발 협력 담당 차관

　　　　　　　1978. 10   외무부 장관

　　　　　　　1979.   외무부 국제개발 협력 담당 차관

　　　　　　　1981.12.1-   IAEA 사무총장
　　　　　　　현재

o 기타경력 : 1961년 이래 UN 총회대표

　　　　　　　1962-1978 제네바 군축회의 대표

　　　　　　　1980 스웨덴 원자력 계획에 관한 국민투표시 보류 찬성파 지도자

o 가   족 : 부인 EVA Blix 및 2자녀

o 저   서 : 국제법 및 헌법에 관한 저서 다수

　* 방한기록 ; 1983년 4월 및 1989년 4월 (2회)

0060

외 무 부

원 본

암호수신

종 별 : 지 급

번 호 : CPW-2037

일 시 : 92 0512 1530

수 신 : 장관(국기,아이)

발 신 : 주 북경 대표

제 목 : IAEA 사무총장 방북 결과 기자회견

연:CPW-1984

대:WCP-1107

1. 한국 상품전(5.12) 및 제 7 차 일.북 수교 회담(5.13-14) 취재를 위해 홍콩 주재 아국 특파원 전원(14 명)이 현재 당지 체류중에 있으며, 동 특파원들은 또한 표제 회견에도 관심을 가지고 취재 예정이라 하면서 참고 자료를 요구하고 있음.

2. 만약 표제 회의 관련 본부의 희망 보도 방향등이 있을 경우 동 내용을 정리하여 사전에 동 특파원들에게 배포하는 것이 좋을 것으로 사료되는바, 동 내용이 대호 파편 자료에 포함되어 있지 않을 경우 이를 별도로 전문 통보해 주시기 바람. 끝.

(대사 노재원-국장)

국기국   아주국

PAGE 1

92.05.12   17:13

외신 2과 통제관 CE

0061

발 신 전 보

	분류번호	보존기간

번 호 : WCP-1107   종별 : 암호송신   920513

수 신 : 주 북경 대표   대사. /총영사

발 신 : 장 관 (국기)

제 목 : IAEA 사무총장 기자회견

대 : CPW - 2037

연 : 국기 20332 - 341

1. 연호 파편 송부한 자료는 기자회견시 Blix 사무총장에게 질의할 내용

(국.영문)과 IAEA의 대 북한 핵사찰과 관련한 참고자료가 포함되어 있음으로, 본부측이기교에게 기 바르함.

2. 상기 기자회견 질의 사항에 대한 궁금증 해소가 본부의 관심사항이며, 나타난

기타 보도방향에 관한 의견은 없음

3. 오는 5.16 표제회견시 가능한한 귀관원도 참석하고 회견내용을 긴급 송신

(팍스포함) 바람.   끝.

(국제기구국장   김 재 섭)

			보 안 통 제	

앙 고 재	년 월 일	과	기 안 자 성 명		과 장	심 의 관	국 장		차 관	장 관	외신과통제

0062

발 신 전 보

	분류번호	보존기간

번   호 : WCP-1125   920513 1050 DQ   종별 : 암호송신

수   신 : 주 북경 대표   대사. 총영사

발   신 : 장 관 (국기)

제   목 : IAEA 사무총장 기자회견

대 : CPW - 2037

연 : 국기 20332 - 341

1. 연호 파편 송부한 자료는 기자회견시 Blix 사무총장에게 질의할 내용

(국.영문)과 IAEA의 대 북한 핵사찰과 관련한 참고자료가 포함되어 있으며 동 자료는

당부 출입기자에게 이미 배포하였음을 참고 바람.

2. 상기 기자회견 질의 사항에 대한 궁금증 해소가 본부의 관심사항이며,

기타 보도방향에 관한 의견은 없음

3. 오는 5.16 표제회견시 가능한한 귀관원도 참석하고 회견내용을 긴급 송신

(팍스포함) 바람.   끝.

(국제기구국장   김 재 섭)

앙 고 재	92년 5월 13일	기안자 성명		과 장	심의관	국장		차 관	장 관		외신과통제
	국기 과	이상윤									

0063

연합 H1-098 S06 외신( )

5/14 신

초예가. 북미2. 특수정책 사본

北韓, 核재처리시설 이미 가동상태

　　(東京=聯合) 吳俊東특파원= 李東馥 남북총리회담 한국측 대변인은 13일 "북한은 핵폭탄의 원료인 플루토늄을 분리 추출하는 핵연료 재처리시설을 이미 완공,언제라도 가동할 수 있는 상태에 있다"고 말했다.

　　李대변인은 이날 서울에서 가진 일본 요미우리(讀賣)신문과의 회견을 통해 이같이 밝히고 "북한은 핵폭탄 기폭장치의 개발도 완료한 것으로 보인다"고 말했다.

　　李대변인은 또 북한의 핵개발 의혹과 관련,가장 중요한 것은 ▲재처리시설의 상황 ▲87년부터 가동된 寧邊지구 제2원자로에서 나온 핵폐기물의 향방 등 두가지라고 지적하고 "북한은 핵 재처리시설을 건설하기 전에 소규모의 실험공장을 건설,가동시켰을 가능성이 매우 높다"고 말해 어느 정도의 플루토늄을 이미 생산했을 것이라는 인식을 나타냈다.

　　요미우리신문은 李대변인이 "한국 정부가 각종 정보를 수집,분석한 결과"라면서 북한 핵 재처리시설의 완공을 밝힌 것은 한국 고위 관리로서는 처음 있는 일이라고 덧붙였다.(끝)

(YONHAP)　920514　0847　KST

0064

외 무 부

종 별 : 긴 급

번 호 : AVW-0820 일 시 : 92 0515 2230

수 신 : 장 관(국기,미이,정특) 사본:주미,주일,주북경대사-중계필

발 신 : 주 오스트리아대사

제 목 : IAEA 사무총장 북한 방문

1. 금 5.15(금) 오후 발표된 IAEA 사무국의 BLIX 사무총장의 북한 방문에 대한 PRESS RELEASE 를 별전 FAX 송부함.

2. 북경에서의 5.16(토) 동 사무총장 기자회견 대비 특파원들이 사전에 참고하도록 조치바람. 끝.

(대사 이시영-국장)

국기국	장관	차관	1차보	미주국	외정실	분석관	정와대	안기부
중계								

PERMANENT MISSION OF THE REPUBLIC OF KOREA

Praterstrasse 31, Vienna
Austria 1020 (FAX : 2163438)

No : 오 *SVW(方)-10요*	Date : May 15, 1992
To : 장관 (국기, 미이, 정흥, 삭기허) (사본:주미,주일,주불겸) (직송턱)	
Fax No:	
From: 주 오스트리아 대사	
Subject : IAEA 사무총장 북한방문	
Number of pages: 2	

1. 금 5.15(금) 오후 발동되 IAEA 사무국에)
   BLIX 사무총장의 북한방문에 대한
   Press Release를 별러(TFAX) 송부함.

Praterstrasse 31, Vienna
Austria 1020 (FAX : 2163438)

No : 85 AVW(T)-108 | Date : May 15, 1992

To : 장관 (국기, 미이, 정특, 사기러) (사본 : 주미, 주일, 주북경)
                                            (익/송달)

    Fax No:

From: 주 오스트리아 대사

Subject : IAEA 사무총장 북한방문

Number of pages: 2

1. 금 5.15(금) 오후 발동되 IAEA 사무국에서
   BLIX 사무총장의 북한방문에 대한
   Press Release를 별러(FAX) 송부함.

배부처	장관실	차관실	一차보	二차보	외정실	본석관	아주국	미주국	구주국	중아국	국기국	경제국	동상국	문협국	외연원	청와대	안기부	공보처	경기원	상공부	재무부	농수부	동자부	친경처	기치
	/	/	/	/	/				0			/	/			/						/		

0067

...IONAL ATOMIC ENERGY AGENCY
...ERSTRASSE 5, P.O. BOX 100, A-1400 VIENNA, AUSTRIA,
...HONE: 1 2360. TELEX: 1-12645. CABLE: INATOM VIENNA,
...LFAX: 431 234564

PRESS RELEASE FOR USE OF INFORMATION MEDIA • NOT AN OFFICIAL RECORD

IAEA DIRECTOR GENERAL COMPLETES OFFICIAL VISIT TO THE DEMOCRATIC PEOPLE'S REPUBLIC OF KOREA

At the invitation of the Government of the Democratic People's Republic of Korea (DPRK) the Director General of the International Atomic Energy Agency (IAEA), Dr. Hans Blix, accompanied by senior advisers paid an official visit to the DPRK 11-16 May, 1992.

In the course of the visit the Director General and his advisers met with the Premier of the DPRK, Mr. Yon Hyong Muk, the Minister of Atomic Energy, Mr. Choi Hak Gun, the First Deputy Minister of Foreign Affairs, Mr. Kang Sok Ju and other officials.

The Director General and his advisers visited several installations at the Nyongbyon Nuclear Research Centre including a 5 MW(e) experimental nuclear power plant in operation, a 50 MW(e) nuclear power plant under construction and an installation for chemical processing of spent fuel under construction and partially tested.

They further visited a 200 MW(e) nuclear power plant under construction at Taechon and uranium ore-concentration plants at Pakchon and Pyongsan.

They also visited the Institute of Atomic Energy and the Kim Il Sung University in Pyongyang.

In the talks which were held during the visit, the DPRK's need for a peaceful nuclear power programme for economic and social development was explained.

The programme was described as being based on a policy of self-reliance and using indigenously designed reactors, indigenous natural uranium as fuel and indigenously-produced graphite as a moderator.

The ability to reprocess spent fuel is being developed and tested, according to the DPRK, in order to recover uranium and to obtain plutonium for eventual use in a breeder reactor, which is still in an early phase of study, or for use in future mixed oxide (MOX) fuel.

0068

another route to nuclear power is being considered, consisting of the import of light water reactor technology and enriched uranium fuel, if secure supply can be obtained.

The DPRK ratified a comprehensive safeguards agreement with the IAEA on 10 April, 1992 and an initial list of nuclear installations and material was transmitted to the Agency on 4 May.

A team of Agency safeguards inspectors will visit the declared installations within a few weeks.

The Director General was assured that the entire nuclear programme of the DPRK was devoted to peaceful purposes, that the safeguards agreement would be scrupulously respected and that, with a view to creating transparency and confidence, officials of the Agency are invited to visit any site and installation they wish to see, irrespective of whether it was found on the initial list submitted to the IAEA.

0069

3. ‘블릭스’ IAEA 事務總長 訪北 관련 報道資料 發表   5/16 일

　ㅇ 5.15 IAEA側은 ‘한스 블릭스’ 事務總長의 5.11-16간 訪北
　　結果에 관해 아래 要旨의 報道資料를 發表함.
　　　　　　　　　　　　　　　　　　　　　"방사능 화학연구소"들

　　- 블릭스 事務總長은 영변 核研究센터 所在 3개 核施設과
　　　태천에 建設中인 核燃料 施設, 박천 및 평산소재 우라늄鑛
　　　濃縮 施設을 방문

　　- 北韓側은 우라늄 回收 및 플루토늄 抽出을 위한 核燃料
　　　再處理 能力을 開發, 實驗中임을 認定

　　- 北韓側은 수주내 訪北 예정인 IAEA 査察團이 希望할 경우
　　　모든 核施設(IAEA 提出 核 報告書 포함 여부 불문)에 대한
　　　訪問 許容 約束　　　　　　　　　(駐오스트리아大使 報告)

0070

北 核재처리시설 非核선언 위배

李외무 "IAEA 첫시찰후 적극대응"

  (서울=聯合) 정부는 5월말 내지 6월초에 실시될 것으로 예상되는 국제원자력기구(IAEA)의 對北 임시사찰 결과를 토대로 북한의 核재처리시설 문제에 대한 적극적인 대응책을 마련해 나가기로 했다.

  李相玉외무장관은 16일 한브 블릭스IAEA사무총장의 訪北결과에 대한 IAEA측의 발표와 관련, "북한이 핵재처리능력을 개발, 실험중에 있다고 블릭스사무총장에 밝힌 것은 북한의 핵재처리시설에 대한 우리들의 우려를 더욱 증폭시켜주고 있다"면서 "IAEA의 對北임시사찰 결과를 지켜보면서 적절한 대응책을 수립하겠다"고 말했다.

  李장관은 또 북한이 核재처리시설을 갖고 있다면 이는 남북이 합의한 한반도 비핵화 궁동선언을 위배하는 것이라고 지적하고 "북한이 제출한 核물질과 시설에 대한 최초보고서를 토대로 실시되는 IAEA의 1차 임시사찰을 통해 북한의 핵개발문제 전반과 핵재처리문제에 대한 정확한 실상이 규명되기를 기대한다"고 말했다.

  李장관은 이와함께 韓.美양국은 북한의 핵문제가 IAEA사찰과 남북상호사찰을 통해 원만히 해결되면 별도의 협의를 통해 국제적으로 우려가 높아지고 있는 북한의 미사일개발과 수출문제에 대해서도 궁동 대처해나갈 방침이라고 말했다.

  李장관은 美.北韓접촉수준 격상등 관계개선에 대해 "캔터美국무부정무차관의 방한중 韓.美 양국은 IAEA사찰과 남북상호사찰을 통해 북한의 핵개발의혹과 우려가 해소돼야만 정책레벨의 접촉수준을 정례화한다는 입장을 재확인했다"면서 "美.북한 관계개선의 시기는 전적으로 북한에 달려 있으며 고위접촉이 이뤄지더라도 실종자와 유해송환, 테러포기등 美.북한간에 해결해야 할 현안이 많기 때문에 美.북한 관계개선이 가까운 시일내에 구체화되지는 않을 것으로 본다"고 덧붙였다.(끝)

(YONHAP) 920516 1036 KST

要外信隨時報告

北韓, IAEA에 북한내 모든 核시설개방 약속
블릭스 사무총장 북한 방문후 밝혀

外務部 情報狀況室
受信日時 92. 5. 16. 10:45

(北京=聯合) 金炳秀특파원= 北韓은 북한내 핵개발계획이 평화적 목적에 이용하기 위한 것임을 명백히 입증하고 이에 따른 신뢰를 제고하기 위해 이미 국제원자력기구(IAEA)에 제출한 사찰대상목록에 관계없이 IAEA 관계자들이 원할 경우, 북한내 어느 장소나 시설도 IAEA에 개방할 것임을 확약했다고 한스 블릭스 IAEA 사무총장이 16일 밝혔다.

북한측 초청으로 지난 11일부터 북한을 공식 방문하고 이날 북경에 도착한 블릭스 사무총장은 오후 기자회견에 앞서 IAEA본부가 있는 빈에서 배포한 발표문을 통해 이같이 밝히고 북한은 이와 함께 IAEA와 체결한 핵안전협정도 철저히 준수할 것임을 확약했다고 말했다.

블릭스 사무총장은 이에 따라 IAEA 조사팀이 수주일 이내에 북한을 방문, 북한내 핵시설을 사찰할 것이라고 밝혔다.

그는 이어 北韓은 우라늄 재생과 아직까지 초기연구단계에 있는 증식원자로나 앞으로 혼합산화물연료에 사용될 플루토늄을 얻기 위해 핵연료 재처리능력을 개발, 실험중에 있음을 시인했다고 전했다.

북한측은 또 안전한 공급선이 확보될 경우, 輕水원자로기술과 농축우라늄연료의 수입등 다른 방법을 통한 핵개발도 고려하고 있다는 입장을 밝혔다고 블릭스 총장은 덧붙였다.

블릭스 총장은 이번 북한 방문기간중 북한 정무원총리 연형묵을 비롯, 원자력공업부장 최학근, 외교부 제1부부장 강석주등 관리들과 일련의 회담을 가졌으며 寧邊 핵개발센터내의 가동중인 5메가와트級 실험용 원자로, 현재 건설중인 50메가와트級 원자로와 핵연료 재처리시설등 수개 시설을 돌아보고 부분적인 실험도 가졌다고 밝혔다.

그는 이어 현재 태천에 건설중인 2백메가와트級 원자로와 백천및 평산의 우라늄 選鑛공장등도 방문했다면서 북한 관리들은 자신과 만난 자리에서 사회,경제적 개발을 위한 평화적인 핵개발계획의 필요성을 설명하면서 이 계획이 자립정책에 토대를 둔 것으로 독자적인 원자로 설계및 이용, 北韓産 우라늄 추출과 감속제인 흑연 생산을 위한 것임을 강조했다고 덧붙였다. (끝)

0072

398 IAEA 대북한 핵시설 사찰 1

北韓, 核연료 재처리능력 보유

국제신뢰위해 核시설 전면개방

(北京=聯合) 金炳秀특파원 = 北韓은 플루토늄 생산에 필요한 核연료 재처리 능력을 보유하고 있으나 平壤당국은 이같은 核개발계획이 어디까지나 평화적 목적임을 입증하여 이에 관한 국제적 신뢰를 높이기 위해 北韓의 核관련 시설을 포함한 모든 장소를 국제원자력기구(IAEA)에 전면공개할 것임을 약속했다고 한스 블릭스 IAEA사무총장이 16일 밝혔다.

北韓측의 요청으로 지난 11일부터 북한을 공식 방문, 北韓의 核관련 시설을 둘러보고 이날 北京에 도착한 블릭스 총장은 이날 北京호텔에서 가진 기자회견을 통해 北韓은 우라늄 가공처리와 "아직 초기 단계에 불과한" 증식원자로에 이용하거나 앞으로 개발할 혼합산화연료에 사용할 플루토늄을 얻기위해 核재처리능력(기술)을 개발 시험중에 있음을 시인했다고 밝혔다.

核전문가를 포함한 3명의 보좌관을 대동하고 6일간 북한을 방문했던 블릭스 총장은 또한 北韓은 안전한 공급선이 확보될 경우 輕水원자로기술과 농축우라늄 연료 등을 수입하는 식의 다른 방법을 통한 核에너지 접근의 길도 고려하고 있다고 밝혔다.

자신의 이번 북한방문은 核사찰자체가 목적이 아닌 "공식적으로 상호 친숙을 이룩하기 위한 방문"이었다고 밝힌 그는 그러나 寧邊에서 건설중인 방사능 화학연구소는 그 규모의 방대함에 비추어 실험연구시설이라기 보다는 플랜트라고 볼수 있다고 밝히고 연구시설이 완성되면 우리의 용어로는 核재처리시설로 전용될 수 있을 것으로 본다고 말했다.

그는 북한측이 그들의 核시설을 오직 평화목적이라고 주장한데 대해 "북한은 核시설 리스트를 제출함으로써 그들의 임무를 다하고 IAEA의 요청을 받아들였으나 '평화목적'을 신뢰하기에는 다소 시간이 소요될 것"이라고 말했다.

그는 또한 寧邊일대에 대형 지하 대피시설이 있으나 이것은 전쟁에 대비한 것이라는 설명을 들었다고 밝혔다.

그는 또한 지금까지 생산한 플루토늄의 량으로는 核무기를 제조하기에는 미흡한 것으로 본다고 말했다.(끝)

(YONHAP) 920516 1830 KST

0073

블릭스총장 寧邊화학연구실 방문 일문일답
"35-40년전 구식 모델" 인상

(北京=聯合) 金炳秀특파원 =다음은 지난 11일 부터 북한을 공식 방문, 북한의핵 관련시설을 둘러보고 16일 북경에 도착한 한스 블릭스 IAEA(국제원자력기구)사무총장이 북경호텔에서 가진 기자회견의 일문일답이다.

--北韓핵시설을 시찰한 전반적인 소감은?

▲첫인상은 매우 구식으로 35~40년전 모델인 원자로시설을 갖추고 있었다. 당시 英國전문가들이 자문했다고 한다. 자체기술개발을 하다보니 효율성을 희생시키고 있다는 인상을 받았다.

--특히 플루토늄을 생산할수 있는 것으로 의심되는 寧邊 방사능화학연구실을 시찰한 소감은?

▲길이가 1백80m나 되는 거대한 건물이었다. 북한측은 이를 실험실이라고 하면서 내부장비는 40% 정도 갖추어졌다고 설명했다.

--寧邊의 방사능화학실험실을 시찰한 결과 그렇게 큰 빌딩이 단지 실험용 플루토늄을 생산하기위한 시설이라고 생각됐는가. 그같이 큰 빌딩이 실험실이라고 믿기는 어려운것은 아닌가.

▲그 방사능화학실험실의 건물은 길이가 1백80m로 거대한 빌딩이었다. 우리가 그 실험실을 방문했을때 北韓관계자들은 실험용으로만 쓰이는 것이라고 말했다. 그들은 실험실기능의 80%가 민간용 실험이며 지난 90년에 일부시설이 완공돼 테스트용으로 소량의 플루토늄을 생산하기위한 실험실로 사용돼왔다고 말했다. 현재 이 시설은 사용하지 않는다고 말했다.

--그 실험실을 방문했을때 어떤 인상을 받았는가. 당신은 그렇게 큰 건물이 실험실용이라고 생각하는가. 그같이 큰 건물을 지은 의도는 무엇이라 생각하는가.

▲우리는 추측은 하려하지 않겠다. 북한측은 그렇게 큰 건물을 지은 목적은 재처리시설을 이용, 핵발전원료로 사용할 플루토늄을 생산하려는 것이라고 설명했다.

--실험실이라고 하기에는 너무 크지 않은가.

▲내가 설명했듯 나의 용어로는 재처리 공장이다.

0074

--시설이 다른 곳으로 옮겨졌을 가능성은 없나? 또 플루토늄의 양을 말하지 않았는데 그것으로 무기를 만들기에 충분하다고 보지않나?

▲그것은 확실히 무기를 만들기엔 작은 양의 플루토늄이다. 우리는 그정보에 비밀이 있는지 여부를 조사할 의무가 있으며 북한에 대한 것도 다른 나라에 대해 하는 것과 같은 방식이다.작은 양이라도 사찰을 받게 되어있다.

장비를 옮겼는지는 나로서는 말하기 어렵다. 우리조사팀이 2주일내에 그곳에가서 공장을 샅샅이 조사할 것이다.

--2일전 북경에서 북한의 한 외교관은 IAEA조사만으로 북한의 핵문제를 증명하는데 충분하다고 말했다. 그러나 일본등 서방에서는 남북한 동시사찰을 요구하고 있는데 어떻게 생각하나?

▲우리는 우리가 할수있는 모든 노력을 다할 것이다. 그것이 문제해결에 기여할 것이다. 그러나 기본적으로 핵문제에 대한 신뢰여부는 보다 많이 공개될수록 좋은 것이며 우리를 초청한 북한도 다른 나라에 공개하는데 주저않을 것이라고 밝혔다. 그들은 핵사찰에 비준했으므로 사찰을 받을 의무가 있다. 나는 또 한국과 북한의 동시사찰선언준수가 핵문제공개에 도움이 된것으로 본다.

--북한 외교관은 IAEA사찰만을 주장하는데.

▲그것은 쌍방적인 문제다. 모든 정보를 살피고 어떤것이 빠졌는지를 계속 조사할 것이다.

--북한은 핵개발 프로그램을 평화적 목적에만 사용할 것으로 믿는가. 또 IAEA는 북한내 어디든 사찰할수 있다고 생각하는지.

▲그들은 의무를 다했다. 핵시설 목록을 제출했고 사찰을 허용했으며, 그들의 핵개발 프로그램을 익히도록 우리를 초청하기까지 했다. 우리는 현재까지는 신뢰할 만하게 진행되고 있다고 믿으나 그들이 제출한 보고서에 대한 신뢰문제는 본격사찰이 끝날때까지 좀더 할 것이다.

--북한은 당신들에게 사진을 찍도록 허용했는가.

▲우리는 많은 사진을 찍었다. 우리는 우리가 방문한 모든 곳에서 사진을 찍었으며 그들은 사진촬영을 위해 헬기까지 제공해줬다.

--IAEA사찰단에 2~3명의 한국인이 참여할 것이라는 얘기가 있는데.

▲아직은 누가 사찰단에 포함될지 결정되지 않았다.

--현재 건설중인 재처리시설이 완성, 가동되면 핵무기를 제조하는데 충분한 플루토늄을 생산하는데는 얼마나 걸리겠는가.

▲의미있는 기간을 제시하기는 어렵다.

0075

--언제쯤 북한의 50메가와트 및 200메가와트의 핵재처리 시설이 완성될 것으로 보는가?

▲50메가와트는 95년, 200메가와트는 96년에 완공될 전망이다. 우리는 200메가와트 재처리 시설을 위한 공사가 활발하게 이루어지고 있는 것을 보았다.

--이라크와 북한의 핵개발 정책에서 차이점이 있다고 보는가?

▲두나라 사이의 중요한 차이점은 이라크가 수십억달러를 들여 핵개발을 하면서 이에 관한 어떤 정보도 공개하지 않았은데 반해 북한은 지금 공개작업을 진행중이다.

그들은 우리에게 거대한 방사능화학실험실과 플루토늄 추출사실을 알려주었다. 이밖에 미공개된 관계시설에 대해서도 북한정부에 우리들은 정보 공개요청을 하고 있으며 북한쪽은 어떤 시설물에 대해서도 우리의 조사단을 보낼수 있다는 대답을 했다.

--寧邊의 지하 시설물에는 어떤 무기들이 저장돼 있는가.

▲아무런 무기도 발견하지 못했다.(끝)

(YONHAP) 920516 1934 KST

0076

〈원七〉 *(handwritten)* 5.16 밤 6.기...면에 연..... 3건 포....중.....3
- 알, 미, 기, 눅, 러시아 -

외 무 부

암 호 수 신

종 별 : 지 급

번 호 : CPW-2164   일 시 : 92 0516 1900

수 신 : 장관(국기,미이,정특,아이,기정) 사본: 주오지리 대사-중계필

발 신 : 주 북경 대표.

제 목 : BLIX 사무총장 기자회견

연:CPWF-93(1), CPWF-94(2)

1. IAEA 의 BLIX 사무총장은 금 5.16(토) 14:00-14:40 간 북경반점에서 기자회견을 갖고 방북내용에 관해 설명한후 질의응답을 가졌음(주홍콩 아국특파원 전원 및 주 북경외신 가자등 150 여명 참가, 당관 정상기, 김세웅 서기관 참가)

2. BLIX 사무총장은 금번 방북에 만족하는지 여부등 전체적인 소감 및 북한의 핵무기 개발가능성 여부등에 입장에 따라 노코멘트 입장을 취하였음.

3. 그러나 북한측의 원자력 평화적 목적 사용 노력, 전력수요상 핵발전소 건설 필요성, 북한 개발 프로그램이 독자개발로 인해 조잡하긴하나 안전성이 있다고 평가하는등 비교적 북한측 주장을 이해하려는 태도를 보였으며 당초 요청하지 않았던 지역도 방문할 수 있었고 북한은 이라크 경우 보다는 훨씬 협조적인 태도를 보이고 있다고 언급하였음.

4. 한편 작(5.15) IAEA 의 PRESS RELEASE 마지막 PARAGRAPH(THE DIRECTOR GENERAL WAS ASSURED THAT ---)은 북한측 주장을 인용한것이라고 밝혔음.

5. BLIX 총장은 공식기자회견 종료후 약 15 분간 수명의 기자들에 둘러쌓여집중 토론 시간을 가졌음.(동 내용은 연호(2)에 포함되어 있지 않으니 당지발 외신 참고바람.)

6. 연호 송부한 국문요지는 시간관계상 급히 작성 송부한것이므로 정확한 내용은 영문 TEXT 참고바람.

(대사 노재원-국장)

국기국	장관	차관	1차보	아주국	미주국	외정실	분석관	정와대
안기부	중계							

PAGE 1   92.05.16   20:57
외신 2과 통제관 FM
0077

IAEA(국제원자력기구)의 대북한 핵시설 사찰, 1992. 전6권 (V.3 Blix 사무총장 북한 방문, 5.11-16 : 기본문서) 403

92.5.16
장치나는 당에
독는 총신 단록
ᅇ

주 북 경 대 표 부

CPW(F) : **93**   2051 6 1700 시 간 :

수 신 : 장 관 (국가. 청통. 미미.

발 신 : 주 북 경 대 표

제 목 : BLIX 사무총장 기자회견록
         송부.

1. 기자회견 요의

2. 기자회견 FULL TEXT (영문)
    * 1 되기후 송송

(4 - 1 -)

0078

BLIX 사무총장 기자 회견 요지

5.16(토) 14:00-14:40

1. BLIX 사무총장 방문 결과 설명

o 준비된 PRESS RELEASE를 읽음. (별첨 팩스 승부)

- 금번 북한 방문이 IAEA의 사찰이 아니며 FAMILIARIZATION TOUR이었음을 사전 설명.

- 전력 생산을 위한 원자력 개발 필요성에 대한 북한측 설명 전달

2. 질의 응답

가. 방북의 전반적 소감

o 첫 인상은 매우 구식(35-40년전 모델)의 REACTOR-LINE을 갖추고 있었으며, 영국의 전문가들이 자문을 하고 있다 하였음.

o 기술의 자력개발(SELF-RELIANCE)를 위해 효율성을 희생시키고 있다는 인상을 받았음.

나. 방사능 화학 연구실(RADIO CHEMICAL LABORATORY) 시찰 소감

o 180m나 되는 매우 큰 건물이었으며, 북한측은 이를 실험실이라고 하면서 건물(CIVIL ENGINEERING)은 80%, 내부 장비는 약 40% 정도 갖추어졌다고 설명하였는바, 이에 대한 IAEA 전문가들의 평가는 북한측 설명이 맞다고 하였음.

o 동 실험실에서 1990년에 극소량(VERY TINY AMOUNT)의 플로토늄이 실험적으로 추출되었다고 설명하였으며, 이것이 바로 동 시설을 실험실이라고 부르는 이유임.

o 그러나 동 시설이 완전히 완성될 경우에는 핵재처리 공장으로 불리울 수 있을 것으로 생각함.

0079

다. 미국과 한국이 영변으로부터 핵재처리 시설을 다른 곳으로 옮겼다고 주장
하는데 대한 평가
- o 추측을 하고 싶지 않음.
- o 1990년에 시험 베이스로 소량 플로토늄을 추출한 시설이 그대로 있음.

라. 핵무기 개발에는 어느 정도의 시간이 걸릴 것인지?
- o 장비면에서 평가할때 아직 완전하지 않음.
- o 몇가지 단계가 필요함. (several phases are missing)

마. 남.북한 상호 사찰 필요성
- o 북한이 시설 사찰을 금지한 곳은 현재로서 없으나 IAEA 사찰이 완전
하다고 보기는 어려움.
- o 남.북한간의 상호 핵사찰이 잘 이루어어지기를 희망하며 북한측에게도
그렇게 이야기 했음.

바. 북한의 핵시설에 대한 IAEA 사찰만으로 모든 핵 의혹이 해소될 수 있는지?
- o 북한은 IAEA의 핵안전조치협정에 비준하였고 최초 보고서도 이미 제출
함으로써 많은 정보가 세계에 알려지게 되었음.
- o 또한 금번 familiaraze를 위한 방문이 이루어졌는바, 더욱더 많은 공개를
통해 더욱더 많은 의혹 해소 가능하다고 생각함.

사. IAEA에는 한국의 Inspector도 있는데 이들이 사찰팀에 포함될 가능성
- o 한국 뿐.아니라 북한의 Inspector도 있으나, 현재 말하기 어려움.

아. 전문가 입장에서 볼때, 핵재처리 및 무기급 플로토늄 생산에 얼마나 소요될
것으로 보는지?
- o 의미 없는 질문임.

자. 원자력 발전소의 완성 시기는?
- o 200MW는 1990년, 50MW는 1995년임.

차. 이라크의 핵개발과 비교 설명
- o 이라크는 밝히지 않은(not declared) 시설이 많은 반면, 북한은 많은
시설 내역을 밝힘.
- o 북한은 시설 공개를 약속한바 있으며, IAEA의 핵안전조치협정의 틀
이외의 시설도 공개할 용의를 표명하였는바, 긍정적임. (positive)

4-3

0080

카. 미국과 한국은 북한이 재처리 시설을 다른 데로 옮겼다고 주장하고 있으며,
   쏘련의 과학자들의 제 3국 핵기술 제공하고 있다는바, 등 기술이 북한에 갈
   가능성에 대한 평가

   ㅇ 그러한 많은 루머가 있으며 신문 등에는 보도되고 있으나 확증은 없음.

   ㅇ 여러나라가 쏘련의 과학자 고용을 위해 쏘련과의 연구소를 설립하고
     있다고 함.

타. 지하 시설에 무기가 저장되어 있지 않았은지?

   ㅇ 그렇지 않았음.

   ㅇ 공기정화기 이외에는 비어 있었음.

   ㅇ 북한측은 전쟁을 경험하였기 때문에 (공중) 공격을 두려워한다 하였으며
     비상시 대피용이라 하였음.

파. 작(5.15)의 IAEA PRESS RELEASE 맨 마지막 부분에 귀하는 북한측 핵연구가
   평화적 목적임을 assured 했다고 했는데 이는 귀하가 그와 같은 결론에
   도달했다는 의미인지 또는 북한측이 귀하에게 그렇게 믿도록 노력한 것을
   의미하는지(?)

   ㅇ 등 표현은 북한측 주장 내용을 인용한 것임.

※ 영문 FULL TEXT 약 두시간 추 FAX 송부 예정인바, 우선 등 요지 참고 바람.

주 북 경 대 표 부

(긴급)

CPW(F) : 94   시간 : 205/6 1830

수　신 : 장　관 (국기.미미.

발　신 : 주북경대표

제　목 : BLIX 사무총장 기자회견 내용 (출처 :　　　)

연 : CPW(F) - 93

BLIX 사무총장의　기자회견 내용임.

(-8-1)

보안 통제	

외신 1과	
통　제	

0082

IAEA Press Conference, Beijing

Mr Hans Blix: I have arranged this pressconference, because I know there's much interest in the nuclear program of the DPRK. I and my advisers are the first to see a number of nuclear installations in the DPRK. The first point I'd like to make is that it was not an IAEA inspection, but it's an official visit to familiarize ourselves of the nuclear programmes of theDPRK. It is ansafe inspection is bg planned to take within weeks to verify the dealaration which was submitted to the IAEA onthe 4th of May. We were hosted throughout our visit by the Minister of Atomic Energy who travelled with us. I also had talks with the Prime Minister and the Deputy Foreign Minister of the DPRK.

We visited Pyongyong Nuclear Research Centre and saw, among other things there, a 5 MW experimental nuclear power plant, which is in operation since 1986. We also saw a 50 MW demonstration prototype nuclear power plant which is under construction. And we saw the fuel element factory which is also in operation. We saw the radio-chemical laboratory under construction and some other laboratories. We were also shown some other large underground shelters. We went to another place in Tepšhon to see the 200 MW power plant which is under construction there. And we went to Pyongsan to see a uranium ore concentration plant which produces uranium concentrate.

In Pyongyang we visited the Institutute for Atomic Research and saw the site plant which was installed there. And we visited Kim Il Sung University and held taets with the professors there.

~~What we learned~~ (중간 설명부분 특이 내용없에 생략)

Question 1 (by a South Korean reporter): You mentioned a very large building in Yongbin you have visited, what kind of laboratory is it, is it just reproducing certain quantity of plutonium ?

Answer by H. Blix: The structure is 180 meters long, it is a large building. They said it's a laboratory

8 - 2

0083

Question 1: What is the total evaluation of your visit to North Korea?
You have visited the 5 MW nuclear power plant, according to a report, they
are producing some nuclear wastes, do you think how much amount of atomic
wastes they are producing now? And they also have some intention to hide
their nuclear wastes.

Answer by H. Blix: You ask about my total impression of my visit to North
Korea, some of the reactors we saw are old fashioned nuclear reactor line
they have chosen for reasons of self reliance.
They continued the gas cooled reactors for quite some time, but eventually
abandoned it, because the light water reactor is more effective, so the
Noth Koreans have sacrificed effectiveness in favour of self reliance.
They are aware of the fact the light water line is more effective, but
they are hesitating because they are not certain that they would have the
assured supply of gecolergin and , the second point that we were informed
that the reactor is still holding the core which was originally put into
it, however, a number of rods have been damaged and have been taken out,
it is from these rods, that they have reprocess tiny amount of plutonium.

Question 2: Is the radioactive-chemical laboratory you have spoken just
a laboratory? Can't it be a reprocessing plant?

Answer by H. Blix: The radio chemical laboratory is not the biggest, it's
not a small one, it's 180 metres long, it's a large building. However,
it was explained to us that it is a laboratory, because it is used so far
for testing, and it is about 80% complete in terms of civil engineering,
and only 40% complete in terms of equipment. it is information we have,
and we estimate it is probablyaccurate. It is used for only testing in
1990, as we were told. At which time a tiny quantity of plutonium was
produced. And this was the reason whythey call it a laboratory. There
was no work going on at the present time. We were informed that the
equipment was ordered but not yet been delivered.

$\beta - 3$

0084

③

In what has been complete,it can be that I have no doubt that it could have been used as a reprocessing plant, but it's not complete and the use of it according to what's been told to us is for testing, that the reason given for the laboratory.

Wuestion 3. Do you have the impression during your visit there that they reallyintend to set up or they are setting up a reprocessing plant? What's their intention, are they going ahead or they'll back away?

Answer by H.Blix: I don't like very much to speculate. I prefer to tell you what I have seen. It's a large building of 180 metres long, several storeys high, and it is declared to us as the installation in which they have been testing and reprocessing the plutonium and uranium of a small quantity, and this is the planned purpose of the building. They are nuclear full cycle, and the reprocessing of the fuel in order to obtain uranium and plutonium for eventually the nuclear reactor. But they have only done it that in 1990 they produced only a very tiny quantity of plutonium and there was no work going on at the moment.

0085

Question 4: Is it not too big for a laboratory?

Answer: It is their term that they have used as testing, it is in operation, in our terminology, it is a reprocessing plant.

Question 5: Do thay have the intention not to complete that laboratory? Is it possible for tham to make a weapon with that tiny amount of plutonium whose amount you did not reveal?

They could have easily move their equipment?

Answer: We are obliged to observe the confidential nature of the amount. A tiny quantity of plutonium is far from enough to make a bomb. As to the equipment, I cannot tell whtether they are waiting those equipment, our inspectors will be there, they will have found the details.

0086

Question 6: North Koreans now invite IAEA inspection, but some western countries like Japan offered to ask for mutual inspection. Do you think the IAEA inspection is all clear about the North Korean nuclear agency?

Answer: As I said initially I have the confidence in nuclear inspection. The more openness that you have, the better. I said also to our host in DPRK that they have an obligation, because they have signed the comprehensive safeguards agreement.

Question 7. The same North Korean official said that they believe it's unnecessary to have IAEA inspection, do you agree withthat?
⟨ inspections other than ⟩

Amswer: That's bilateral matter between the DPRK and us. Because we'll do a thorough assessment whether, we'll analyse the information that we achieve, to assess that whether they are consistent or if their view is coherent.

Question 8: Do you believe or not DPRK's entire nuclear programme is devoted to peaceful purposes? Whether IAEA inspectors can inspect anywhere in north Korea if they deem it necessary?

Answer: Early this year, they fullfilled their obligation about their nuclear programme of the DPRK, when they ratified the Comprehensive Safeguards Agreement and submitted to us a list of installation, and through this that a great deal of information became available. And these installations and these materials will now be open to inspection that will follow soon. They invited me and some other advisers to familiarize ourselves with the nuclear programme of the DPRK. So, in a very short span of time the programme will be known as shed verymuch of secrecy, and it willnow for us to assess the confidence that we have with it. And for our expert to assess their consistency. Certainly it will take some time before the confidence can develop in their declaration.

Question 9 : Were you allowedto take pictures and use your video camera during your visit to North Korea?

Answer: We took quite a lot of pictures. We were taken to all the site on the list, they offered a helicopter.

0087

8 - 6

IAEA(국제원자력기구)의 대북한 핵시설 사찰, 1992. 전6권 (V.3 Blix 사무총장 북한 방문, 5.11-16 : 기본문서) 413

Question 10: If the reprocessing plant is complete and fully running, how long will it take to produce enough plutonium tomake a core of the nuclear weapon?

Answer: I don't think there is a meaningful figure.

Question 11: Do youbelieve that the 200 MW plant will be complete in 1996?

Answer: 1995 is a realistic time for the commercial completion of the 200 MW plant.

Quesyion 12: Is there any differences netween your inspection of the Iraqi nuclear facilities and your visit to the nuclear installations in the DPRK?

Answer: There are some differences. The Iraqis did not delare, DPRK is declraing that they have built a nuclear laboratory which is producing plutonium. This will build up more confidence. WE have also noted that we have the right that we request to inspect when we feel that something is not decleared. WE have obtained an official invitation to visit their installation, we believe it is a posotive step.

Question 13: The suspicion that North Korea may move its nuclear installations from Pyongyong to other sites? Whether some ex-Soviet nuclear scientist may be hired by the DPRK?

Answer: We basically did not see tha hard sign of the removal of any items,nor did we see any case of the presence of the Soviet scientist, who still need exit visa to move toanothe country.

Question 14: You mentioned the underground shelters, can you describe them?

Amswer: The underground shelters are inPyongyong. They were large cavities under the ground. WE didn't see anything stored in the shelters at all.

Question 15: During your discussion with the Chinese official, did they say that the 3rd or 4th nuclear reactor will be built in Guangdong?

8-7

0088

Answer: We have extensive relations with the Chinese officials. I have personally visited Qinshan plant and Daya Bay plant. We have very close cooperations with the Chinese side.

(캔터 미국무차관 방한)

10항 하단 예상 질문

> 핵문제와 관련 북한의 최초보고서상 기재된 목록과 미국이 보유하고 있는
> 정보 내용과 차이가 있는지?
>
> 특히 핵재처리 시설이 포함되지 않는데 대한 미측 평가는?

o 미국은 북한이 최초보고서를 시일내 제출한 것을 환영하고 북한의 동 태도를 일단
  긍정적인(encouraging) 것으로 평가

o 북한의 성실한 보고 여부 및 북한의 핵 재처리 시설 보유 여부를 포함한 핵 개발
  능력에 대한 평가는 5월말 또는 6월초로 예정된 IAEA 임시사찰 결과를 지켜보는
  것이 좋겠음.

〈참고자료〉

o 5.15 IAEA는 Hans Blix 사무총장의 방북결과를 Press Release로 배포하였는 바,
  그 내용은 다음과 같음
  - '블릭스' 사무총장은 영변 핵연구센터 소재 "방사능 화학 연구소" 등 3개 핵시설과
    태천에 건설중인 원자력발전소, 박천 및 평산소재 우라늄 정련 생산시설을 방문
  - 북한측은 우라늄 및 플루토늄 추출을 위한 핵연료 재처리 능력을 개발, 실험중
    임을 인정(고속증식로 및 산화 우라늄 연료에 사용할 목적)
  - 북한은 앞으로 경수로 기술 수입 및 농축 우라늄 연료 개발을 고려하고 있음.

0090

- 북한측은 수주내 방북 예정인 IAEA 사찰단이 희망할 경우 모든 핵시설(IAEA 제출 핵 보고서 포함 여부 불문)에 대한 방문 허용 약속

- 사무총장은 북한내 모든 핵 개발 프로그램이 평화적 목적이며 안전조치 협정이 적용될 것임을 확신하게 됨.

o 북한이 핵 재처리 시설을 보유하고 있다면 이는 "한반도의 비핵화 선언" 제3조 "남과 북은 핵 재처리 시설과 우라늄 농축시설을 보유하지 아니한다"라는 규정에 정면으로 위배되는 것으로서 문제삼지 않을 수 없음.

   (IAEA로서는 북한이 평화적 목적으로 사용하는 것을 확인할 수 있는 한 핵 재처리 시설 보유와 플루토늄 추출 등에 대하여 제지하는 권한이 없음)

0091

관리
번호 92-458

외 무 부

종 별 : 긴 급

번 호 : AVW-0825

일 시 : 92 0516 1500

수 신 : 장 관(국기,미이,정특) 사본:주미대사-중계필

발 신 : 주 오스트리아 대사

제 목 : IAEA 사무총장 북한 방문결과

연:WAV-0820

1. 연호 BLIX 사무총장 방북결과 PRESSE RELEASE 내용과 관련 당관 조공사가 당지 핵심우방국 대표부 실무진들의 일차적 반응을 타진한바 요지 아래 보고함.

가. 미국 LAWRENCE 참사관

-BLIX 사무총장 일행이 방문한 영변의 사용후 핵연료 화학적 처리를 위한 시설(INSTALLATION FOR CHEMICAL PRCESSING OF SPENT FUEL)이란 표현은 동시설이북한측이 주장하고 있는 실험실(LABORATORY) 수준을 훨씬 넘어서는 핵재처리 시설임을 명백히 시사하는 것으로 봄. 다만 동시설이 PILOT PLANT 단계인지 본격적인 시설단계 인지는 동인들의 귀임후 확인될수 있을 것임.

-따라서 이는 북한이 91 년말 남북한 한반도 비핵화 공동선언을 통해 재처리 시설을 보유치 않기로한 약속과 정면으로 배치되는 것인바 북한의 약속이 진지성이 없는 것임을 들어내는 것으로 볼수 있음. 한국측은 이를 근거로 핵통제 공동위원회를 통해 북한측에 대해 따져 볼수 있을 것임.

-핵재처리 시설문제는 IAEA 차원에섬원 핵통제범위를 벗어나는 것임으로 앞으로 남북한간 핵통제공동위원회의 역할과 남북한 상호사찰의 조기 실현이 더욱 더 중요시됨.

나. 호주 대표부 차석 SCHICK 참사관및 카나다 MCRAE 참사관

-북한측이 최초보고서 포함여부를 불문하고 앞으로 IAEA 측이 희망하는 모든 시설에대한 방문을 허용하겠다고 BLIX 총장에게 약속한 점이 주목되며 지금까지 알려진 외의 북한 핵시설이나 활동에 관한 새로운 정보 여부가 중시된다고 봄. -또한 IAEA 차원에서는 사무국이나 다수의 이사국들이 최근 북한의 일련의 조치내용(비준, 최초보고서 조기제출, BLIX 방문, 모든시설 방문 약속등)에 대해 이를 평가하고 있는

국기국	장관	차관	1차보	미주국	외정실	분석관	청와대	안기부
중계								

PAGE 1

92.05.17   05:29

외신 2과 통제관 FM

0092

분위기 인데다 곧 북한에 대한 최초 사찰이 예정대로 실시될 경우 6 월 이사회에서의 북한문제 토의 대책이 용이하지 않을 것임.

-북한의 재처리 시설문제를 남북한간 비핵화 공동선언 위반이라는 이유로 6 월 이사회에서 문제삼는 방안도 검토할순 있으나 이경우 IAEA 차원과는 관계없는문제로 북한을 궁지에 몰아 넣으려한다는 비판을 받을 가능성이 있어 바람직 스럽지 않다고 봄.

2. 내주초 BLIX 총장의 방북결과를 추가 파악하는대로 핵심 우방간에 상호정보교환및 6 월 이사회 대책등을 협의키로 하였음. 끝.

(대사 이시영-국장)

예고:92.6.30 일반.

PERMANENT MISSION OF THE REPUBLIC OF KOREA

Praterstrasse 31, Vienna
Austria 1020 (FAX : 2163438)

No : 오스트(정) - 108 | Date : May 15, 1992

To : 장관 (국기, 미이, 경특, 사기처) (사본: 국의, 국일, 국물청)
(직송탁)

Fax No:

From: 주 오스트리아 대사

Subject : IAEA 사무총장 북한방문

Number of pages: 2

1. 금 5.15(금) 오후 발표된 IAEA 사무총장
BLIX 사무총장의 북한방문에 대한
Press Release를 별첨(FAX) 송부함.

INTERNATIONAL ATOMIC ENERGY AGENCY
WAGRAMERSTRASSE 5, P.O. BOX 100, A-1400 VIENNA, AUSTRIA,
TELEPHONE: 1-2360, TELEX: 1-12645, CABLE: INATOM VIENNA,
TELEFAX: 431-234564

PRESS RELEASE FOR USE OF INFORMATION MEDIA • NOT AN OFFICIAL RECORD

IAEA DIRECTOR GENERAL COMPLETES OFFICIAL VISIT TO THE DEMOCRATIC PEOPLE'S REPUBLIC OF KOREA

At the invitation of the Government of the Democratic People's Republic of Korea (DPRK) the Director General of the International Atomic Energy Agency (IAEA), Dr. Hans Blix, accompanied by senior advisers paid an official visit to the DPRK 11-16 May, 1992.

In the course of the visit the Director General and his advisers met with the Premier of the DPRK, Mr. Yon Hyong Muk, the Minister of Atomic Energy, Mr. Choi Hak Gun, the First Deputy Minister of Foreign Affairs, Mr. Kang Sok Ju and other officials.

The Director General and his advisers visited several installations at the Nyongbyon Nuclear Research Centre including a 5 MW(e) experimental nuclear power plant in operation, a 50 MW(e) nuclear power plant under construction and an installation for chemical processing of spent fuel under construction and partially tested.

They further visited a 200 MW(e) nuclear power plant under construction at Taechon and uranium ore-concentration plants at Pakchon and Pyongsan.

They also visited the Institute of Atomic Energy and the Kim Il Sung University in Pyongyang.

In the talks which were held during the visit, the DPRK's need for a peaceful nuclear power programme for economic and social development was explained.

The programme was described as being based on a policy of self-reliance and using indigenously designed reactors, indigenous natural uranium as fuel and indigenously produced graphite as a moderator.

The ability to reprocess spent fuel is being developed and tested, according to the DPRK, in order to recover uranium and to obtain plutonium for eventual use in a breeder reactor, which is still in an early phase of study, or for use in future mixed oxide (MOX) fuel.

0095

Another route to nuclear power is being considered, consisting of the import of light water reactor technology and enriched uranium fuel, if secure supply can be obtained.

The DPRK ratified a comprehensive safeguards agreement with the IAEA on 10 April, 1992 and an initial list of nuclear installations and material was transmitted to the Agency on 4 May.

A team of Agency safeguards inspectors will visit the declared installations within a few weeks.

The Director General was assured that the entire nuclear programme of the DPRK was devoted to peaceful purposes, that the safeguards agreement would be scrupulously respected and that, with a view to creating transparency and confidence, officials of the Agency are invited to visit any site and installation they wish to see, irrespective of whether it was found on the initial list submitted to the IAEA.

0096

1. IAEA 事務總長 訪北結果 記者會見

5/18 시

○ 5.16 '한스 블릭스' IAEA 事務總長이 北韓訪問 結果에 대해
   北京에서 가진 記者會見 要旨는 아래임.

   - 금번 訪北時 北韓이 IAEA에 提出한 最初報告書上의 主要
     施設을 모두 視察함.

   - 길이 180m인 寧邊의 放射能 化學研究所는 完工되면 核再處理
     施設로 볼 수 있음(現在 80%정도 完工, 内部裝備 약40% 設備).
     同 研究所에서 90년 極小量의 플루토늄이 抽出되었으나 爆彈
     製造用으로는 너무 不足한 量임.

   - 北韓이 核武器를 開發하고 있다는 明確한 證據는 없으며,
     核武器 開發裝備가 아직 不足한 狀態임. 核查察에 임하는
     北韓의 姿勢는 이라크에 비해 肯定的임.

○ 한편, 제7차 日.北韓 修交會談 北側 首席代表 이삼로는
   5.17 우리側 記者와 가진 記者會見에서 아래 要旨로 言及함.

   - 블릭스 事務總長의 訪北結果 記者會見時 發言은 비교적
     公明正大한 것으로 생각함.

   - 寧邊의 放射能 化學研究所 規模가 방대한 것은 落後된 自體
     技術과 裝備로 이루어진 것이기 때문이며 플루토늄 生産을
     위한 再處理施設이 아님.   (駐北京代表 報告 및 外信綜合)
     * 分析評價 및 向後 措置事項은 別途 報告함.

0097

제목: ~~IAEA~~ 국제원자력기구 사무총장 방북 결과   92. 5. 18.

> 국제원자력기구(IAEA) 사무총장 "한스 블럭스"는 북한의 초청으로 지난
> 5.11·16간 북한을 방문하고 방북결과를 5.16 북경에서 기자회견으로
> 발표하였는 바, 이와관련 아래 보고드립니다.

1. 사무총장의 기자회견 요지

ㅇ 최초보고서상의 주요 시설을 모두 시찰함.
   - 자력으로 개발한 구식 모델의 원자로

   ※ 연형묵 총리등 정부인사를 면담한 바, 당초 예정된 김일성, 김정일 예방은
     불실현

ㅇ 방사능 화학연구소는 완공되면 핵 재처리 시설임.
   - 길이가 180m나 되는 큰 건물로서 건물은 80%정도 완성되고, 내부장비는 40%
     정도 갖추어져 있으나 현재 작업은 중단된 상태이고 부품 국내 조달중
   - 내부시설을 다른 장소로 옮겼다는 확증이 없었음.

ㅇ 상기 연구소에서 1990년 극소량의 플루토늄이 추출되었으나 폭탄 제조용으로는
   너무 부족한 양임.

ㅇ 북한이 핵무기를 개발하고 있다는 명확한 증거가 없으며, ~~북한의~~ 핵무기 개발
   까지에는 장비면에서 부족하며 몇가지 단계를 거쳐야 함.

ㅇ 보다 정확한 내용은 수주내에 있을 IAEA 임시사찰에서 밝혀질 것임.
   - 북한의 자세를 이라크와 비교해 볼때 긍정적인 것으로 봄.

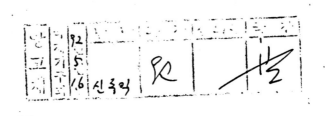

0098

2. 분석 및 평가

　o 방사능 화학연구소가 그간 의혹의 촛점이었던 핵 재처리 시설과 동일한 것으로
　　판명됨.

　o 그간 추출한 플루토늄은 상기 연구소에서 추출한 것이며 여타 추출시설은 없는
　　것으로 보임.

　o 북한의 핵무기 개발 의혹은 수주내로 있을 IAEA 임시사찰시 보다 분명해 질것
　　인 바, 임시사찰 결과 별다른 의혹이 없을 경우 IAEA 6월이사회(6.15-19)에서
　　의 대북한 조치사항은 없음.

　o 앞으로 문제는 방사능 화학연구소를 북한이 시사하고 있는 바와 같이 계속
　　완공을 추진할 것인지 여부임.
　　- 이 경우 남북한 비핵화 공동선언에 위배됨.

3. 향후 조치사항

　o 사무총장의 5.24경 비엔나 귀임시 주오스트리아 대사를 통하여 방북결과를 상세
　　파악
　　- 사무총장의 방북결과를 미국 등 우방국과 상호 협의, 평가

　o IAEA 임시사찰 결과를 보고 IAEA 차원에서의 향후 대책 검토

　o 북한의 방사능 화학연구소 완공 포기등 남북한 비핵화 공동선언의 완전 이행을
　　위한 대책 강구. 끝.

0099

國際原子力機構 事務總長 訪北 結果

1992. 5. 18.

外　務　部

國際原子力機構(IAEA) 事務總長 '한스 블릭스'는 北韓의 招請으로 지난 5. 11-16간 北韓을 訪問하고 訪北結果를 5. 16 북경에서 記者會見으로 發表하였는 바, 이와관련 아래 報告드립니다.

---

1. 事務總長의 記者會見 要旨

　○ 最初報告書上의 主要 施設을 모두 視察함.

　　- 自力으로 開發한 舊式 모델의 原子爐 包含

　　※ 연형묵 總理等 政府人士를 面談한 바, 當初 豫程된 김일성, 김정일 禮訪은 不實現

　○ 放射能 化學研究所는 完工되면 核 再處理 施設임.

　　- 길이가 180m나 되는 큰 건물로서 건물은 80%정도 完成 되고, 內部裝備는 40%정도 갖추어져 있으나 現在 作業은 中斷된 狀態이고 부품 國內 調達中

　　- 內部施設을 다른 場所로 옮겼다는 確證이 없었음.

　○ 上記 研究所에서 1990년 極小量의 플루토늄이 抽出되었 으나 爆彈 製造用으로는 너무 부족한 양임.

0100

o 北韓이 核武器를 開發하고 있다는 명확한 證據가 없으며,
　核武器 開發까지에는 裝備面에서 부족하며 몇가지 段階를
　거쳐야 함.

o 보다 정확한 內容은 數週內에 있을 IAEA 臨時査察에서 밝
　혀질 것임.
　- 北韓의 姿勢를 이라크와 비교해 볼때 肯定的인 것으로 봄.

2. 分析 및 評價

o 放射能 化學研究所가 그간 疑惑의 촛점이었던 核 再處理
　施設과 同一한 것으로 判明됨.

o 그간 抽出한 플루토늄은 上記 研究所에서 抽出한 것이며
　여타 抽出施設은 없는 것으로 보임.

o 北韓의 核武器 開發 疑惑은 數週內로 있을 IAEA 臨時査察
　時, 보다 分明해 질것인 바, 臨時査察 結果 별다른 疑惑이
　없을 경우 IAEA 6月理事會(6.15-19)에서의 對北韓 措置
　事項은 없음.

o 앞으로 問題는 北韓이 示唆하고 있는 바와 같이 放射能
　化學研究所 完工을 계속 推進할 것인지 與否임.
　- 이 경우 南北韓 非核化 共同宣言에 違背됨.

0101

3. 向後 措置事項

o 事務總長의 5.24경 비엔나 歸任時 주오스트리아 大使를
  통하여 訪北結果를 詳細 把握
  - 事務總長의 訪北結果를 美國等 友邦國과 相互 協議, 評價

o IAEA 臨時査察 結果를 보고 IAEA 次元에서의 向後 對策 檢討

o 北韓의 放射能 化學硏究所 完工 抛棄等 南北韓 非核化 共同
  宣言의 完全 履行을 위한 對策 講究   끝.

0102

발 신 전 보

EM-0014   920518 1257 DQ

번   호 :

수   신 : 주 전대사·주재 공관장대사.//총영사, 즉러이르, 글륳로. 주눠육흥영<ㄴ

발   신 : 장   관 (국기)

제   목 : IAEA 사무총장 방북 결과

　　　　IAEA 사무총장 "Hans Blix"가 북한의 초청으로 지난 5.11-16간 북한을 방문

하고 5.16 북경에서 가진 기자회견 내용 요지와 이에대한 아측 평가를 아래 통보하니

참고 바람.

　　　1. 사무총장의 기자회견 요지

　　　　o 최초보고서상의 주요 시설을 모두 시찰함.

　　　　　- 자력으로 개발한 구식 모델의 원자로 포함

　　　　　- 연형묵 총리등 정부인사를 면담한 바, 당초 예정된 김일성, 김정일

　　　　　　예방은 불실현

　　　　o 방사능 화학연구소는 완공되면 핵 재처리 시설임.

　　　　　- 길이가 180m나 되는 큰 건물로서 건물은 80%정도 완성되고, 내부장비

　　　　　　는 40%정도 갖추어져 있으나 현재 작업은 중단된 상태이고 부품 국내

　　　　　　조달중

　　　　　- 내부시설을 다른 장소로 옮겼다는 확증이 없었음.

　　　　o 상기 연구소에서 1990년 극소량의 플루토늄이 추출되었으나 폭탄 제조

　　　　　용으로는 너무 부족한 양임.

	보 안 통 제	PL

0103

o 북한이 핵무기를 개발하고 있다는 명확한 증거가 없으며, 핵무기 개발 까지에는 장비면에서 부족하며 몇가지 단계를 거쳐야 함.

o 보다 정확한 내용은 수주내에 있을 IAEA 임시사찰에서 밝혀질 것임.

  - 북한의 자세를 이라크와 비교해 볼때 긍정적인 것으로 봄.

2. 분석 및 평가

o 방사능 화학연구소가 그간 의혹의 촛점이었던 핵 재처리 시설과 동일한 것으로 판명됨.

o 그간 추출한 플루토늄은 상기 연구소에서 추출한 것이며 여타 추출시설 은 없는 것으로 보임.

o 북한의 핵무기 개발 의혹은 수주내로 있을 IAEA 임시사찰시 보다 분명 해 질것임. ~~바, 임시사찰 결과 별다른 의혹이 없을 경우 IAEA 6월이사회~~ ~~(6.15-19)에서의 대북한 조처사항은 없음.~~

o 앞으로 문제는 북한이 시사하고 있는 바와 같이 방사능 화학연구소 완공을 계속 추진할 것인지 여부임.

  - 이 경우 남북한 비핵화 공동선언에 위배됨.   끝.

(국제기구국장   김 재 섭)

0104

발　신　전　보

~ WJA-2201　920518 1252　DQ

번　　　호 : _____　　종별 : _____

수　　신 : 주 일본　　　　대사. /총영사

발　　신 : 장　관　(국기)

제　　목 : IAEA 사무총장 방북결과

연 : EM- /K　및 기자회견 내용(fax)

1. 연호 Blix 사무총장이 기자회견에서 밝힌 북한의 핵 시설에 태한 평가와
IAEA 6월이사회 대책 등에 관하여 귀 주재국과 협의후 결과 보고바람.

~~IAEA의 Blix~~
~~4. 표제~~ 등 사무총장 귀지 방문중(5.18-20) 귀 주재국 정부인사와의 면담시
~~사무총장~~ 표제관련 언급 내용에 대해서도 파악 보고바람. 끝.

예고 : 92.6.30 일반

(국제기구국장　김 재 섭)

0105

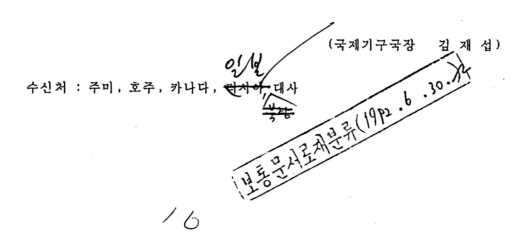

발 신 전 보

번 호 : WUS-2349   920518 1301   DQ 종별 :

WAU -0438   WCN -0514
WJA -2203

수 신 : 주 수신처 참조   대사./총영사

발 신 : 장 관 (국기)

제 목 : IAEA 사무총장 방북결과

연 : EM-14 및 기자회견 내용(fax)

연호 Blix 사무총장이 밝힌 북한의 핵 시설 현황에 대한 평가 및 6월 IAEA

이사회 대책 등에 관한 주재국 정부와 협의 결과 보고바람.   끝.

귀의견을 통의

예고 : 92.6.30 일반

(국제기구국장 김 재 섭)

수신처 : 주미, 호주, 캐나다, 오스트리아 대사

보통문서로재분류(1992. 6 .30.)

보 안 통 제

앙고재	국제기구과	기안자 신종익		과 장	국 장		차 관	장 관

외신과통제

0106

	분류번호	보존기간

발 신 전 보

번   호 : WAV-0752   920518 1811   FO   종별 : _____

수   신 : 주 오스트리아   대사. 총영사

발   신 : 장 관 (국기)

제   목 : IAEA 임시사찰

대 : AVW-0645

1. 대호 IAEA 임시사찰단의 북한 방문과 관련 IAEA 사무국에 하기사항을 문의,
조속 보고 바람.

　　가. IAEA 임시사찰단이 확정되었는지 여부와 확정되었을 경우 그 명단

　　나. 방북 사찰 일정

　　다. 동건관련 IAEA 사무국에서 공식 발표할 경우와 발표할 경우 그 시기

2. 아울러 상기 임시사찰단의 방북결과는 Blix 사무총장 방북결과와 같이 기자
회견등의 방법으로 공개할 것인지 여부를 문의하고, 어느 경우에도 임시사찰 경우를
6.15 시작 6월 IAEA 이사회 개최전에 아국을 포함한 주요 이사국에 사전 설명하여 주
도록 요청 바람. 끝.

예고 : 92.6.30. 일반

(국제기구국장   김 재 섭)

	보 안 통 제	

0107

관리
번호 92-881

원 본

외 무 부

종 별 : 지급

번 호 : USW-2535

일 시 : 92 0518 1749

수 신 : 장관 (미일, 미이, 국기)

발 신 : 주 미 대사

제 목 : IAEA 사무총장 방북결과

대 : WUS-2349, EM-0014

1. 당관 임성준 참사관은 금 5.18. 국무부 KARTMAN 한국과장을 면담, 대호 IAEA 사무총장 방북 결과에 대한 평가를 문의하였는바, 동 면담요지 아래 보고함.

- KARTMAN 과장은 금번 BLIX IAEA 사무총장의 방북은 기자회견에서도 밝힌바와 마찬가지로 사찰목적 방문이 아니라는 점에 유의해야 할 것이며 따라서 미국이 추구하고 있는 북한 핵관련 정책에 아무런 영향을 미치고 있지 않는다는 견해를 표명하였음.

- 동 과장은 그럼에도 불구하고 BLIX 총장의 방북은 몇가지 점에서 중요한 의미를 가질수 있다고 보는바, (1) 북한의 핵시설을 직접 시찰함으로써 지금까지미국이 수집해온 제반 정보가 사실에 가깝다는 증거를 제시하여 주고 있으며, (2) 북한 핵시설중 가장 주목되어온 방사능 화학연구소가 불완전한 상태이나 핵재처리 시설이라는 점이 밝혀졌으며, (3) 동 사무총장이 IAEA 사찰을 보완할수 있다는 점에서 남북한 상호사찰의 중요성을 북한측에 강조한 점이 매우 고무적인일이라고 평가하였음.

- 임참사관이 금번 BLIX 사무총장의 방북 결과에 관하여 미측이 IAEA 측과 별도 접촉한바 있는지 문의하였던바, 동 과장은 북경 기자회견 내용만 파악하고 있으며, IAEA 측에 특별히 파악한 사실은 없다고 밝히고, 다만 IAEA 사찰시기와 관련 BLIX 총장이 수주후라고 말한바 있으나 5 월말은 시간적으로 촉박한 것 같으며 따라서 6 월초가 될 것이라는 얘기가 있다고 말하였음.

- 동 과장은 본건관련 기자질문에 대비키 위한 PRESS GUIDELINE 을 준비중이라고 밝혔는바, 동 내용 입수후 추보 예정임.

2. 상기 면담시 KARTMAN 과장은 북한 핵문제에 대한 공동 대처를 위한 한. 미. 일

미주국	장관	차관	1차보	미주국	국기국	분석관	청와대	안기부

PAGE 1

92.05.19   08:15

외신 2과   통제관 BZ

0108

3 자 실무협의와 관련, 일본측으로 부터 5.29 경 서울에서 개최할 것을 제의 받았다고 밝히면서, 미측은 개최시기, 장소에 신축성이 있으나, 중요한 것은 당사국인 아측의 의견이므로 아측 입장이 어떤지 알려줄 것을 요청하였는바, 대일 접촉결과등 관련사항 회시바람.

3. IAEA 이사회 대책등에 관하여는 KANNEDY 대사실과 별도 접촉 추보하겠음.끝.

(대사 현홍주-국장)

예고: 92.12.31. 일반

외 무 부

원 본

종 별 : 지급

번 호 : USW-2536

일 시 : 92 0518 1750

수 신 : 장관(미일/미이,국기)

발 신 : 주 미 대사

제 목 : IAEA 사무총장 방북결과

연: USW-2535

연호, 표제관련 국무부 보도지침을 별첨 FAX 송부함.

첨부: USW(F)-3187. 끝.

(대사 현홍주-국장)

예고: 92.12.31. 일반

미주국	장관	차관	1차보	미주국	국기국	분석관	정와대	안기부

PAGE 1

92.05.19   08:19

외신 2과   통제관 BZ

0110

436 IAEA 대북한 핵시설 사찰 1

주 미 대 사 관

USK(F) : 3187   년월일 : 92.5.18   시간 : 17:49

수 신 : 장 관 (미일, 미이, 중기)

발 신 : 주미대사

제 목 : 첨부물

보 안	
통 제	

(출처 :   )

(3187 - 3 - 1)

외신 1과	
통 제	

0111

EAP PRESS GUIDANCE
May 18, 1992

NORTH KOREA - VISIT OF IAEA DIRECTOR GENERAL BLIX

Q: Can you give us comment on the recent visit by IAEA Director General Blix to North Korea? Where do we stand on IAEA inspections?

A: — WE HAVE DIRECTOR GENERAL BLIX'S STATEMENT IN WHICH HE SAID THAT NORTH KOREA WAS TAKING ITS FIRST STEPS TOWARD OPENNESS AND BUILDING CONFIDENCE CONCERNING ITS NUCLEAR INTENTIONS.

— WE NOTE THAT BLIX STRESSED THE IMPORTANCE OF CONCLUDING A NORTH-SOUTH BILATERAL INSPECTION REGIME AND FULLY AGREE ON THE IMPORTANCE OF THIS POINT.

— WE NOTE ALSO THAT BLIX POINTED OUT THAT HIS VISIT DID NOT CONSTITUTE AN INSPECTION. INSPECTIONS WILL BEGIN WITHIN A FEW WEEKS.

— REGARDING THE VARIOUS TECHNICAL MATTERS RAISED BY DG BLIX, WE WOULD PREFER NOT TO COMMENT DIRECTLY BUT RATHER AWAIT THE ASSESSMENT OF THE IAEA INSPECTORS.

3187 -3 -2

Q: What about Blix's report that the North Koreans are reprocessing?

A: -- BLIX SAID THAT THE DPRK HAD UNDER CONSTRUCTION A FACILITY WHICH, WHEN COMPLETED, COULD BE TERMED A REPROCESSING PLANT. HE ALSO SAID THAT DPRK OFFICIALS TOLD HIM THEY HAD REPROCESSED VERY SMALL AMOUNTS OF PLUTONIUM FROM SPENT FUEL.

-- WE HAVE CONSISTENTLY EXPRESSED OUR SERIOUS CONCERN ABOUT THAT FACILITY. THE JOINT DECLARATION ON A NON-NUCLEAR KOREAN PENINSULA, SIGNED LAST DECEMBER BY NORTH AND SOUTH, FORBIDS POSSESSION OF FACILITIES FOR EITHER REPROCESSING OR ENRICHMENT. WE EXPECT THE NORTH KOREANS TO LIVE UP TO THIS AGREEMENT.

3187 - 3 - 3

USK(F) : 3143   년월일 : 92.5.17   시간 : 15:00
수 신 : 장   관 (미일.이이.정통.정안) 사본: 과기처,
발 신 : 주 미 대 사   국방부   보 안
제 목 : 블릭스 IAEA 사무총장 북경기자회견   통 제

THE NEW YORK TIMES)
SUNDAY, MAY 17, 1992 1

NORTH KOREAN SITE HAS A-BOMB HINTS

Potential for Weapons Is Seen In Laboratory Inspection

By SHERYL WuDUNN
Special to The New York Times

BEIJING, May 16 — The head of the International Atomic Energy Agency said today that a mysterious building in North Korea, if outfitted with additional equipment, could function as a plutonium reprocessing center, the core of a nuclear weapons program.

Hans Blix, the director general of the agency, just returned from a six-day visit to North Korea. He is the first Westerner known to have visited the sprawling laboratory in Yongbyon, 60 miles north of the capital, Pyongyang. The laboratory is the focus of suspicions about North Korea's nuclear intentions.

The observations of Mr. Blix, who also saw three nuclear power plants and a surprising network of underground tunnels, provide the firmest evidence yet that North Korea may have tried to build a nuclear bomb, or perhaps is still trying. He said his inspection would be followed within a few weeks by a team that will examine all of North Korea's declared nuclear sites.

Some Answers, More Questions

Mr. Blix was very careful to describe only what he saw and not to accuse North Korea of trying to develop nuclear weapons.

"I don't like very much to speculate," Mr. Blix said at a news conference in Beijing upon his return.

The visit by Mr. Blix and his advisers, however, seemed to raise as many questions as it answered about whether North Korea was trying to develop nuclear weapons and how far it might have progressed.

North Korea told the agency that it had extracted plutonium for research purposes in the "radio chemical laboratory," as it refers to the Yongbyon building. Mr. Blix said the laboratory, built beginning in 1987, is about 600 feet long and several stories high, about the size of two football fields.

"It is termed a laboratory and of course they have used it for testing," he said. "If it were in operation and complete, then it would certainly in our terminology be called a reprocessing plant."

Mr. Blix said he was told that North Korea had built the complex entirely on its own. He added that North Korean nuclear scientists, some of whom he described as very knowledgeable, were probably trained in their own country and in the Soviet Union.

Missing Pieces

Mr. Blix said that the Yongbyon plant was incomplete and that there were "several pieces missing." He would not specify what equipment was missing.

He said he was told that the construction was 80 percent complete and that 40 percent of the equipment had been installed. The North Korean authorities told him that the rest of the equipment "was on order but not yet delivered." It was not clear when it would arrive.

The fact that the building was partly empty and not in operation during Mr. Blix's visit raised the possibility that some plutonium-processing equipment had been removed specifically for the visit or that North Korea had failed in its attempt to build a complete reprocessing plant.

Hans Blix, director general of the International Atomic Energy Agency, who said that a mysterious building in North Korea could become the core of a nuclear weapons program.

3143 – 5 – 1

외신 1과
통 제

0114

Nuclear Site in North Korea Provides Clues on Weapons

Continued From Page 1

Robert M. Gates, Director of Central Intelligence, told Congress this year that North Korea could be a few months to a few years away from producing its first bomb.

If North Korea removed equipment from the Yongbyon laboratory, it is possible that it had progressed further with its nuclear weapons program than some American officials thought.

If, on the other hand, the equipment has not yet been installed, it is possible that North Korea is not as far along as was believed.

Surprised by Shelters

Mr. Blix said that among the biggest surprises of his trip was the glimpse he was allowed of two cavernous underground shelters that North Korean nuclear scientists said were used to house "equipment and people and documents."

North Korea is a master of the deep, long tunnel, and Mr. Blix said it took several minutes to descend by escalator to the unusually elaborate transit system he toured. Mr. Blix refused to speculate on what else could be stored in the extensive shelters, which are equipped with ventilation systems.

The underground shelters, which he described as "large cavities under the hill," were near the Yongbyon re-

A laboratory in Yongbyon is the focus of suspicions about North Korea's nuclear program.

search reactor and appeared to be empty. The group was told that North Korea had built them in case of an attack.

North Korea is an extraordinarily closed country that rarely admits Westerners, and for years its nuclear program has been one of the most secretive in the world. In 1985, North Korea signed the Nuclear Nonproliferation Treaty, but never allowed inspections.

Earlier this month, North Korea filed a list of nuclear sites with the atomic energy agency. It allowed the agency group to visit all the sites it had requested, plus a few more, like the shelters. Also at Yongbyon, the visitors saw a 5-megawatt experimental nuclear power plant, in operation since 1986 and a 50-megawatt nuclear power plant due for completion in 1995.

'Tiny Quantity' of Plutonium

North Korea told Mr. Blix, a Swede, that it was trying to develop nuclear energy plants for civilian use through a process that used natural uranium, which is abundant in the country, and pure graphite, which it said it can produce. North Korea said it was testing the reprocessing of spent reactor fuel to recover plutonium and depleted uranium for ultimate use in a breeder reactor. North Korean officials added that they had successfully produced a small amount of plutonium in 1990.

"It was a tiny quantity, far from the amount that you would need for a bomb," Mr. Blix said, but he refused to disclose how much it was.

North Korean officials said the five-megawatt experimental reactor, which still holds the core originally installed in 1986, had a number of rods damaged. It was from these rods, which were removed, that the North Koreans reprocessed a tiny amount of plutonium. Mr. Blix was not shown the damaged rods, but he said the explanation was plausible.

The agency's team was also taken by helicopter to visit a 200-megawatt nuclear power plant, due to be completed in 1996, in the north of the country. Mr. Blix said that contrary to reports that there was no equipment for electrical lines coming from the plant, he did see poles on which lines could be mounted.

The atomic energy agency is expected to send a team of about half a dozen experts in a few weeks to inspect closely all the nuclear sites North Korea declared in its 100-page submission to the agency. Mr. Blix and his advisers had taken photographs and made a videotape, which he said would be released soon, after they are shown to the agency's board of directors in Vienna.

Before this visit, suspicions were apparently based largely on satellite observations.

3143- 5-2

USF(F) :　　　　　 년월일 :　　　　 시간 :

수　신 : 장　관

발　신 : 주미대사

제　목 :

(출처 THE WASHINGTON POST
SUNDAY, MAY 17, 1992 A25

보안
통제

N. Korean Plutonium Plant Cited

Pyongyang Building Reprocessing Facility

By T. R. Reid
Washington Post Foreign Service

TOKYO, May 16—North Korea is building a nuclear fuel reprocessing plant capable of producing plutonium, the key element used in nuclear weapons, the head of the International Atomic Energy Agency reported today at the end of the first international visit to the North's nuclear facilities.

In a press conference in Beijing, IAEA Director Hans Blix said he had been taken to a partially completed, 600-foot-long industrial facility to be used for processing spent uranium into plutonium. "If it were in operation and complete, then it would certainly in our terminology be called a reprocessing plant," Blix said, according to the Associated Press.

North Korean officials have adamantly denied that they have a plutonium reprocessing plant. Just two weeks ago, in a press conference in Pyongyang, Deputy Prime Minister Kim Dul Hyon stated, "We have no plutonium reprocessing facility."

Blix said North Korean officials told him the facility is a research laboratory. North Korea conceded for the first time this month that it has produced a small amount of plutonium in experiments at the site. Blix said he was told this was "a tiny quantity . . . far from the amount you need for a weapon."

The existence of the plutonium facility tends to support the warnings from Western intelligence agencies that the Communist regime in Pyongyang is working to develop nuclear weapons.

On the other hand, Blix said, his study group also found evidence supporting North Korea's assertion that its nuclear plants are strictly

See NORTH KOREA, A30, Col. 1

(3143 - 5 - 3)

외신 1과
통제

0116

N. Korea's Nuclear Sites Seen

NORTH KOREA, From A25

for peaceful power-generation purposes.

The fact that the IAEA team was able to visit the nuclear facilities reflects a willingness on Pyongyang's part to cooperate with international inspectors.

In addition, Blix said, his team found electric power distribution grids outside two large nuclear power plants, suggesting that the plants are intended for power generation. Western intelligence officials studying photos taken by spy satellites have said in the past that they did not see evidence of power distribution lines.

The North Korean nuclear facilities, most of them located in a large riverside complex at Yongbyon, about 60 miles north of Pyongyang, have been off-limits to visitors. For years, Pyongyang resisted international demands that it sign the nuclear Non-Proliferation Treaty and submit to international inspection.

But this year, under pressure from its two chief allies, Russia and China, North Korea signed the treaty and agreed to let IAEA inspectors see any facility they wanted. This week's visit by Blix was designed to make arrangements for the formal inspection.

Blix said North Korea, generally extremely wary of foreign visitors, was cooperative. "We have no reason to complain at all," he told the press conference. He said a full-scale inspection should be underway within a month.

Blix noted that North Korea is a "closed society" but said it had been more cooperative than Iraq. The IAEA had carried out inspections in Iraq before the Persian Gulf War but did not find the nuclear weapons development program that came to light after the conflict.

Leonard Spector, a nuclear proliferation expert with the Washington-based Carnegie Endowment for International Peace, said this first IAEA visit to North Korea is a "big step forward." But he said the revelation that there is apparently a reprocessing facility underway raises questions about North Korea's statements that it is not going to reprocess nuclear fuel into plutonium.

North Korea is an isolated and heavily armed nation ruled by a totalitarian leader, Kim Il Sung, who regularly warns his people that foreign enemies may attack. Western intelligence agencies have said Pyongyang has supplied terrorist groups and nations with weapons.

From satellite photos and other sources, Western nations have watched the development of the North's nuclear complex. The CIA has said that North Korea has a plutonium reprocessing plant and may only be a few months away from producing enough of the toxic element to build a nuclear bomb.

The North's long refusal to admit international inspectors heightened fears that the regime must have something to hide at the Yongbyon complex. Pyongyang's willingness to join the international nuclear non-proliferation agreement, which requires international inspections, was thus seen in the West as a positive sign.

Blix's visit was not a formal inspection but rather a trip to arrange the inspection. Nonetheless, it offered the first outside appraisal of North Korea's nuclear facilities.

3143- 5-4

(출처 : THE SUN)
SUNDAY, MAY 17, 1992

Atomic official says N. Korean lab could be converted to use for weapons

Building reportedly needs equipment

New York Times News Service

BEIJING — The head of the International Atomic Energy Agency said yesterday that a mysterious building in North Korea, if outfitted with additional equipment, could function as a plutonium reprocessing center, the core of a nuclear weapons program.

Hans Blix, the director general of the agency, just returned from a six-day visit to North Korea. He is the first Westerner known to have visited the sprawling laboratory in Yongbyon, 60 miles north of the capital, Pyongyang.

The laboratory is the focus of suspicions about North Korea's nuclear intentions.

The observations of Mr. Blix, who also saw three nuclear power plants and a surprising network of subterranean tunnels, provide the firmest evidence yet that North Korea may have tried to build a nuclear bomb,

or perhaps is still trying. He said his inspection would be followed within a few weeks by a team that will examine all of North Korea's declared nuclear sites.

Mr. Blix was very careful to describe only what he saw and not to accuse North Korea of trying to develop nuclear weapons.

"I don't like very much to speculate," he said at a news conference in Beijing upon his return.

The visit by Mr. Blix and his advisers, however, seemed to raise as many questions as it answered about whether North Korea was trying to develop nuclear weapons and how far it might have progressed.

North Korea told the agency that it had extracted plutonium for research purposes in the "radio chemical laboratory," as it refers to the Yongbyon building. Mr. Blix said that the laboratory, built beginning in 1987, is about 190 yards long and several stories high, about the size of two football fields.

"It is termed a laboratory, and of course they have used it for testing," he said. "If it were in operation and

complete, then it would certainly in our terminology be called a reprocessing plant."

Mr. Blix said he was told that North Korea had built the complex entirely on its own. He added that North Korean nuclear scientists, some of whom he described as very knowledgeable, were probably trained in their own country and in the Soviet Union.

Mr. Blix said that the Yongbyon plant was incomplete and that there were "several pieces missing."

He was told that the construction was 80 percent complete and that 40 percent of the equipment was installed. The North Korean authorities told him that the rest of the equipment "was on order but not yet delivered." It was not clear when it would arrive.

The fact that the building was partly empty and not in operation during Mr. Blix's visit raised the possibility that some plutonium-processing equipment had been removed specifically for the visit or that North Korea had failed in its attempt to build a complete reprocessing plant.

(3143 - 5 - 5)

외신 1과
통 제

0118

원 본

관리 번호	92-471

외 무 부

종 별 :

번 호 : AVW-0836

수 신 : 장 관(국기,미이)

발 신 : 주 오스트리아 대사

제 목 : 북한 핵문제 핵심 우방국 협의

일 시 : 92 0518 2130

대:WAV-0748

연:AVW-0785

1. 본직은 5.21(금) 오후에 미, 일등 핵심 우방국대사를 초치 BLIX IAEA 사무총장의 북한 방문결과에 대한 북경기자 회견 관련 정보 교환및 평가, 6 월 이사회 의제(북한 문제) 관련 협의와 최근 남북한 핵통제 위원회 회의 경과를 설명하기 위하여 협의회를 가질 예정임.

2. 이와 관련 당관은 대호 북경기자회견 영문 TRANSCRIPT 를 회의 참석대상대표부에 배부하였으며, 당지 미국대표부는 동 기자 회견관련 별전 FAX 와 같이 주 중국 미국대사관이 작성한 자료를 송부하여 왔음(이에 관한 일본측 자료는 명일 입수 송부하겠음).

3. 상기 핵심 우방국 협의와 관련 본부의 특별한 의견 있으면 회시하여 주시기바람.

별첨:AVW(F)-110 7 매.끝.

(대사 이시영-국장)

예고:92.6.30 일반.

검토필 (1992. 6 .30.)

보통문서로재분류(1992. 6 .30)

국기국	장관	차관	1차보	미주국	외정실	분석관	청와대	안기부

EMBASSY OF THE REPUBLIC OF KOREA

Praterstrasse 31, Vienna
Austria 1020 (FAX : 2163436)

No : AVW(F) - 110	Date :
To : 장 관 (중기, 머이)	
(FAX No :)	

Subject : 회부

표지포함 매

Total Number of Page :

0120

446 IAEA 대북한 핵시설 사찰 1

VZCZCHTOS11IEVCBC
OO RUTENI
DE RUEEEJ #3736/01 1380011
ZNR UUUUU ZZH ZZH
O 170011Z MAY 92 ZFF4
FM AMEMBASSY BEIJING
TO RUEEC/SECSTATE WASHDC NIACT IMMEDIATE 4547
INFO RUFEME/USMISSION USVIENNA IMMEDIATE 0227
RUEHKO/AMEMBASSY TOKYO 8218
RUEHUL/AMEMBASSY SEOUL 5203
BT
UNCLAS SECTION 01 OF 04 BEIJING 013736

DEPT PASS DOE HEADQUARTERS

USMISSION FOR UNVIE

E.O. 12356: N/A
TAGS: IAEA, ENNP, MNUC, PREL, PARM, KN, KS, CH
SUBJECT: IAEA DG BLIX MAY 16 BEIJING PRESS CONFERENCE
ON THE NORTH KOREAN NUCLEAR PROGRAM

1. UNCLASSIFIED ENTIRE TEXT.

2. SUMMARY: IN A PRESS CONFERENCE ON HIS MAY-11-16
VISIT TO THE DPRK, IAEA DIRECTOR GENERAL HANS BLIX SAID:

-- HIS VISIT DID NOT CONSTITUTE AN IAEA INSPECTION; AN
INSPECTION SHOULD OCCUR WITHIN WEEKS.
-- THE NORTH KOREANS HAD REPROCESSED A "TINY AMOUNT" OF
PLUTONIUM FROM A NUMBER OF DAMAGED RODS OF THE FIVE
MEGAWATT YONGBYON REACTOR.
-- IF FULLY EQUIPPED, THE RADIOCHEMISTRY LAB AT
YONGBYON COULD BE CONSIDERED A REPROCESSING PLANT.
-- IN AN EFFORT TO ENSURE SELF-RELIANCE AND AVOID
FOREIGN SOURCES FOR FUEL AND TECHNOLOGY, THE DPRK HAD
REJECTED THE USE OF LIGHT WATER AND HEAVY WATER
TECHNOLOGIES FOR ITS NUCLEAR PROGRAM.
-- THE DPRK WAS TAKING THE FIRST STEPS TOWARDS OPENNESS
AND BUILDING CONFIDENCE CONCERNING ITS NUCLEAR
INTENTIONS.
-- AS PART OF THE PROCESS OF BUILDING CONFIDENCE, HE
HOPED THAT THE DPRK AND ROK WOULD REACH AN AGREEMENT ON
A BILATERAL INSPECTION REGIME.
END SUMMARY.
3. ON MAY 16, DURING A HALF HOUR PRESS CONFERENCE AT
THE BEIJING HOTEL, IAEA DIRECTOR GENERAL HANS BLIX
DISCUSSED HIS JUST CONCLUDED OFFICIAL VISIT TO NORTH
KOREA. THE AUDIENCE OF OVER SIXTY INCLUDED A LARGE
NUMBER OF SOUTH KOREAN JOURNALISTS, KOREA WATCHERS FROM
THE THE RUSSIAN AND JAPANESE EMBASSIES, SEVERAL OFFICERS
FROM THE SOUTH KOREAN TRADE OFFICE, DPRK EMBASSY
POLITICAL COUNSELOR PAK SOK GYUN, AND POLOFF. BLIX WAS
ACCOMPANIED BY SEVERAL IAEA ADVISERS. NO CHINESE
OFFICIALS WERE PRESENT. THE TEXT OF THE HASTILY DRAFTED
AND PHOTOCOPIED STATEMENT WHICH WAS DISSEMINATED AT THE

IAEA(국제원자력기구)의 대북한 핵시설 사찰, 1992. 전6권 (V.3 Blix 사무총장 북한 방문, 5.11-16 : 기본문서) 447

BLIX VISIT NOT AN INSPECTION

4. NOTING THAT EL AND HIS ADVISERS WERE THE FIRST
OUTSIDERS TO VISIT NORTH KOREA'S NUCLEAR INSTALLATIONS,
BLIX BEGAN THE CONFERENCE BY EXPLAINING THAT HE HAD
ARRANGED THE CONFERENCE BECAUSE OF THE GREAT INTEREST IN
THE NORTH KOREAN NUCLEAR PROGRAM. TO CLARIFY, BLIX SAID
HIS VISIT DID NOT CONSTITUTE AN IAEA INSPECTION. IT WAS
AN OFFICIAL VISIT TO FAMILIARIZE THE AGENCY ON THE
DPRK'S NUCLEAR PROGRAM. AN OFFICIAL INSPECTION SHOULD
TAKE PLACE WITHIN A FEW WEEKS TO VERIFY THE DECLARATION
CONVEYED ON MAY 4 BY THE DPRK TO IAEA.

VISIT AGENDA

5. THE DPRK MINISTER OF ATOMIC ENERGY WAS THE HOST OF
THE IAEA DELEGATION. THEY HELD DISCUSSIONS WITH THE
PRIME MINISTER AND FIRST DEPUTY FOREIGN MINISTER AND
VISITED THE YONGBYON NUCLEAR RESEARCH CENTER. AT
YONGBYON, THE DELEGATION SAW A FIVE MEGAWATT
EXPERIMENTAL NUCLEAR POWER PLANT -- IN OPERATION SINCE
1986, A 50 MEGAWATT DEMONSTRATION PROTOTYPE POWER PLANT
UNDER CONSTRUCTION, A RADIOCHEMISTRY LABORATORY UNDER
CONSTRUCTION, SOME OTHER LABS, AND UNDERGROUND SHELTERS.

6. THEY ALSO VISITED A 200 MEGAWATT POWER PLANT UNDER
CONSTRUCTION AT TAECHON. AT PAKCHON AND PYONGSAN THEY
VISITED URANIUM-ORE-CONCENTRATION PLANTS, CAPABLE OF
PRODUCING "YELLOW CAKE." IN PYONGYANG, THE DELEGATION
TALKED TO ACADEMICS AND RESEARCHERS AT KIM IL-SUNG
UNIVERSITY AND VIEWED THE CYCLOTRON AT THE INSTITUTE FOR
ATOMIC ENERGY RESEARCH.
NORTH KOREA DESCRIBES ITS NUCLEAR PROGRAM

7. BLIX SAID THE NORTH KOREANS EXPRESSED THE CONVICTION
THAT THEY NEEDED TO RELY ON NUCLEAR POWER FOR
ELECTRICITY. CURRENTLY, FIFTY PERCENT OF THE COUNTRY'S
ELECTRICITY IS GENERATED BY THERMAL POWER; FIFTY PERCENT
BY HYDROELECTRIC POWER. WHEN THEY WERE CONSIDERING
VARIOUS TYPES OF TECHNOLOGY FOR THEIR NUCLEAR PROGRAM,
THE NORTH KOREANS DISCARDED THE IDEA OF USING HEAVY
WATER -- ADOPTED, FOR EXAMPLE, BY CANADA AND INDIA -- AS
TOO DIFFICULT A PROCESS. THEY ALSO DETERMINED THAT THE
LIGHT WATER PROCESS WOULD BE TOO DIFFICULT. IN
ADDITION, A LIGHT WATER REACTOR WOULD REQUIRE IMPORTED
TECHNOLOGY AND IMPORTED ENRICHED URANIUM. RATHER THAN
HAVING TO DEPEND ON FOREIGN SOURCES FOR THE DEVELOPMENT
OF ITS NUCLEAR PROGRAM, THE DPRK OPTED FOR A PROGRAM
WHICH WOULD ENSURE "SELF-RELIANCE." THE NORTH KOREANS
DECIDED TO USE A NATURAL URANIUM AND GRAPHITE PROCESS
BT
#3736

NNNN

1/4 RJS   UNCLASSIFIED   BEIJING 013736/01

8-3

0122

-- ADOPTED THIRTY-FIVE YEARS AGO IN THE BRITISH TO
DEVELOP THEIR NUCLEAR PROGRAM. NORTH KOREA PRODUCES
BOTH GRAPHITE AND URANIUM IN SUFFICIENT QUANTITIES FOR
ITS NUCLEAR PROGRAM.

THE REPROCESSING QUESTION

8. ON THE QUESTION OF REPROCESSING SPENT FUEL, BLIX
SAID THE NORTH KOREANS HAD ACTUALLY PRODUCED A "TINY
QUANTITY" OF PLUTONIUM WHICH HAD BEEN DECLARED TO IAEA.
THE NORTH KOREANS HAD INTENDED TO USE THE FUEL IN A
BREEDER REACTOR WHICH WAS STILL IN THE EARLY PHASE OF
STUDY.

INSPECTION SCHEDULE

9. AFTER RATIFYING AN IAEA SAFEGUARDS AGREEMENT ON
APRIL 10, CONTINUED BLIX, THE DPRK ON MAY 4 DEPOSITED
WITH IAEA AN INITIAL DECLARATION OF NUCLEAR FACILTIES
AND MATERIAL. SOME OF THE FACILTIES WERE LISTED IN THE
PRESS STATEMENT (SEPTEL). OTHER INFORMATION PROVIDED BY
THE DPRK WOULD BE HANDLED ACCORDING TO IAEA PROCEDURE
AND BE TREATED AS CONFIDENTIAL.

IS EVERYTHING ON THE DPRK LIST?

10. ANSWERING HIS OWN RHETORICAL QUESTION ON THE
COMPLETENESS OF THE DPRK LIST AND CONFIDENCE, BLIX
REMARKED THAT IN A CLOSED SOCIETY SUCH AS NORTH KOREA IT
WAS EASIER TO HIDE INFORMATION THAN TO DISCLOSE IT.
CONFIDENCE, HOWEVER, COULD ONLY COME FROM AN INCREASING
OPENNESS OF SUCH A SOCIETY. NORTH KOREA'S DECLARATION
WAS A FIRST STEP IN OPENNESS. AN INSPECTION WOULD BE
THE NEXT STEP IN THE PROCESS OF OPENNING UP. THE NORTH
KOREANS HAD MADE FURTHER OVERTURES BY OFFERING TO IAEA
FOR INSPECTION THE ORIGINAL OPERATING RECORD FOR THE
FIVE MEGAWATT PLANT. THEY HAD ALSO INVITED IAEA
OFFICIALS TO VISIT ANY SITE ON OR NOT ON THE DPRK LIST
OF NUCLEAR FACILITIES.

11. AFTER AN INSPECTION, OPINED BLIX, IT WOULD BE
EASIER TO ANALYZE THE "COHERENCE" OF THE DPRK NUCLEAR
PROGRAM, I.E., SEE HOW THE PARTS OF THE PROGRAM MATCH OR
FIT TOGETHER.

ANOTHER STEP TOWARD OPENNESS: THE NORTH-SOUTH KOREA
BILATERAL INSPECTION REGIME

12. CONCLUDING HIS STATEMENT, BLIX EXPRESSED HOPE THAT
AN AGREEMENT BETWEEN NORTH AND SOUTH KOREA ON A
BILATERAL INSPECTION REGIME WOULD COME TO FRUITION. HE
SAID A BILATERAL AGREEMENT WOULD BE HELPFUL IN THE
PROCESS OF ATTAINING OPENNESS.

BLIX'S VIEW OF THE DPRK NUCLEAR PROGRAM

13. WHEN ASKED, BLIX SAID THE NORTH KOREANS HAD CHOSEN

A SOMEWHAT "OLD FASHIONED" NUCLEAR REACTOR FOR THEIR
PROGRAM. THE BRITISH, FOR EXAMPLE, ABANDONED THE
NATURAL URANIUM PROCESS FOR THE LIGHT WATER PROCESS
AFTER A FEW YEARS BECAUSE OF THE RELATIVE EFFECTIVENESS
OF THE LATTER PROCESS. THE DPRK HAD DECIDED TO
SACRIFICE EFFECTIVENESS FOR SELF-RELIANCE BECAUSE THEY
COULD NOT BE CERTAIN OF THE ASSURANCE FROM A FOREIGN
SOURCE ON THE SUPPLY OF FUEL AND TECHNOLOGY.

14. WHEN ASKED LATER IN THE CONFERENCE ABOUT THE
PEACEFUL PURPOSE OF THE DPRK NUCLEAR PROGRAM, BLIX
EXPLAINED THAT ONCE THE DPRK RATIFIED A SAFEGUARDS
AGREEMENT AND PROVIDED A LIST OF NUCLEAR FACILITIES AND
MATERIAL, A GREAT DEAL OF INFORMATION WAS MADE AVAILABLE
ABOUT THE DPRK NUCLEAR PROGRAM. NORTH KOREA INVITED
BLIX AND HIS ADVISERS TO NORTH KOREA IN ORDER TO
FAMILIARIZE IAEA WITH THE DPRK PROGRAM. THE IAEA
DELEGATION HAD BEEN ABLE TO TAKE A "FAIR AMOUNT" OF
PHOTOS AND VIDEO FOOTAGE. IN A SHORT PERIOD OF TIME A
GREAT DEAL OF SECRECY HAD BEEN SHED. IT WAS TIME NOW TO
ASSESS THE COMPLETENESS AND CONSISTENCY OF THE NORTH
KOREAN NUCLEAR PROGRAM. IT WOULD TAKE TIME, HOWEVER,
BEFORE CONFIDENCE COULD DEVELOP.

15. ON THE
TIMEFRAME FOR COMPLETION OF THE FACILITIES
UNDER CONSTRUCTION, BLIX SAID THE FIFTY MEGAWATT PLANT
SEEMED TO BE ON SCHEDULE FOR COMPLETION IN 1995 AND THE
200 MEGAWATT, COMMERCIAL-TYPE PLANT, FOR 1996. NOTING
MEDIA REPORTS ON THE 200 MEGAWATT FACILITY LACKING
ELECTRICAL COMPONENTS, BLIX SAID HE SAW A SWITCHYARD AND
PYLONS THERE. NO LINES, HOWEVER, HAD BEEN CONNECTED.
BT
#3736

NNNN

2/4   UNCLASSIFIED   BEIJING 013736/02

0124

16. ON THE TREATMENT HIS DELEGATION RECEIVED IN
PYONGYANG, BLIX REPLIED THAT ALL HAD BEEN TAKEN TO ALL
OF THE FACILITIES IT HAD ASKED TO VISIT, AND A FEW
MORE. THEY USED A HELICOPTER ON THE THIRD DAY OF THE
VISIT IN ORDER TO COVER ALL THE FACILITIES PLANNED FOR
THE DELEGATION'S SCHEDULE. BLIX SAID HE HAD NO REASON
TO COMPLAIN -- THE NORTH KOREANS WENT OUT OF THEIR WAY
TO ACCOMMODATE HIM AND HIS COLLEAGUES.

MORE ON REPROCESSING
————————————————

17. ON THE AMOUNT OF NUCLEAR WASTE BEING PRODUCED, BLIX
REPLIED THAT THE FIVE MEGAWATT REACTOR STILL HAD ITS
ORIGINAL CORE, BUT A NUMBER OF RODS HAD BEEN DAMAGED. A
"TINY" AMOUNT OF PLUTONIUM HAD BEEN REPROCESSED FROM
THESE RODS.

18. WHEN ASKED WHETHER THE LAB AT YONGBYON WAS INTENDED
FOR REPROCESSING, BLIX DESCRIBED IT AS "NOT A SMALL"
BUILDING -- ABOUT 160 METERS LONG. THE NORTH KOREANS
CALLED IT A LABORATORY BECAUSE IT WAS INTENDED FOR USE
IN TESTING. IT WAS ABOUT EIGHTY PERCENT COMPLETE IN
TERMS OF CIVIL ENGINEERING, AND FORTY PERCENT COMPLETE
IN TERMS OF EQUIPMENT. IT HAD ONLY BEEN USED FOR
TESTING IN 1990 WHEN THE PLUTONIUM HAD BEEN PRODUCED.
NO WORK WAS GOING ON AT THE LAB DURING THE IAEA VISIT.
MORE EQUIPMENT HAD BEEN ORDERED. WITH ALL THE EQUIPMENT
DELIVERED AND IN PLACE, OPINED BLIX, THE FACILITY COULD
BE CONSIDERED A REPROCESSING PLANT.

19. PRESSED ON THE LAB'S PURPOSE, BLIX SAID HE DID NOT
LIKE TO SPECULATE. THE LAB HAD BEEN DECLARED A TESTING
FACILITY; ITS PLANNED PURPOSE WAS FOR TESTING. HE
REITERATED THE NORTH KOREAN EXPLANATION THAT
REPROCESSING HAD BEEN ENVISIONED FOR EVENTUAL USE WITH A
BREEDER REACTOR, AND THE CLAIM THAT ONLY A TINY AMOUNT
OF PLUTONIUM HAD BEEN PRODUCED IN 1990. HE ENDED HIS
REPLY WITH THE COMMENT THAT IF THE FACILITY WERE
COMPLETE AND IN OPERATION IT COULD BE CALLED A
REPROCESSING PLANT.

20. ASKED ABOUT NORTH KOREAN INTENTIONS CONCERNING
COMPLETION OF THE LAB, BLIX SAID THEY HAD NOT EXPRESSED
THEIR INTENTIONS. WHEN ASKED WHETHER THE "TINY AMOUNT"
OF PLUTONIUM WAS ENOUGH TO MANUFACTURE A BOMB, BLIX --
DECLINING TO SPECIFY THE AMOUNT -- REPLIED IT WAS FAR
FROM THE AMOUNT REQUIRED FOR A BOMB. HE DECLINED TO
ANSWER A QUESTION ON THE FACILITY'S FUTURE CAPABILITY TO
PRODUCE WEAPONS-GRADE PLUTONIUM. ON WHETHER EQUIPMENT
HAD BEEN REMOVED FROM THE LAB, BLIX REPLIED HE COULD NOT
MAKE SUCH A DETERMINATION DURING HIS VISIT. IAEA
INSPECTORS, HOWEVER, WOULD GO THROUGH THE FACILITY IN
DETAIL.

MORE ON THE NORTH-SOUTH KOREA BILATERAL INSPECTION REGIME
——

21. WHEN ASKED ABOUT THE IMPORTANCE OF NORTH-SOUTH
KOREAN MUTUAL INSPECTIONS, BLIX SAID IAEA WOULD DO WHAT

IT COULD TO CONTRIBUTE TO THE PROCESS OF OPENNESS. THE
MORE OPENNESS, THE BETTER FOR THE PROCESS OF BUILDING
CONFIDENCE. BLIX SAID HE TOLD THE NORTH KOREANS NOTHING
WAS STOPPING THEM FROM BEING OPEN WITH OTHERS. HE
EXPRESSED HOPE THAT AN AGREEMENT WOULD BE REACHED
BETWEEN NORTH AND SOUTH KOREA THROUGH THE PROCESS OF
NEGOTIATIONS.

22. WHEN ASKED IF SOUTH KOREAN INSPECTORS WOULD BE PART
OF THE IAEA INSPECTION TEAM, BLIX REPLIED IAEA HAD
INSPECTORS BOTH FROM THE DPRK AND ROK. THE HALF DOZEN
INSPECTORS WOULD BE SELECTED ACCORDING TO THE COMPETENCE
NEEDED TO EVALUATE THE NORTH KOREAN FACILITIES. NO
DECISION HAD BEEN MADE ON THE MAKE-UP OF THE INSPECTION
TEAM.

LESSONS FROM THE IRAQ EXPERIENCE
----
23. ON THE LESSONS LEARNED FROM THE IRAQ EXPERIENCE,
BLIX REPLIED THAT THE SITUATION OF NORTH KOREA WAS
DIFFERENT FROM THAT OF IRAQ. NORTH KOREA, FOR EXAMPLE,
HAD
DECLARED ITS RADIOCHEMICAL LABORATORY AND THAT IT
HAD SUCCEEDED IN REPROCESSING SPENT FUEL INTO
PLUTONIUM. THE IAEA DID LEARN FROM THE IRAQ EXPERIENCE
THAT IT NEEDED TO DEVISE METHODS TO GIVE GREATER
ASSURANCE THAT NON-DECLARED SITES WOULD BE DISCOVERED.
TOWARDS SUCH ASSURANCES, THE IAEA BOARD OF GOVERNORS HAD
UNDER CONSIDERATION NEW MEASURES THAT WOULD REQUIRE MORE
BT
#3736

NNNN

3/4   UNCLASSIFIED   BEIJING 013736/03

0126

INFORMATION UNDER SAFEGUARDS AGREEMENTS. UNDER EXISTING SAFEGUARDS AGREEMENTS, IAEA DID HAVE THE RIGHT TO CARRY OUT SPECIAL INSPECTIONS IF THERE WAS REASON TO BELIEVE SOMETHING HAD BEEN HIDDEN.

24. IAEA, CONTINUED BLIX, WOULD HAVE THAT ABILITY REGARDING NORTH KOREA. IT HAD ALSO OBTAINED FROM NORTH KOREA THE STANDING INVITATION FOR AN IAEA INSPECTION TEAM TO VISIT AT ANY TIME -- A COMMITMENT WHICH EXTENDED BEYOND PRESENT SAFEGUARDS DUTIES.

SOVIET SCIENTISTS TO NORTH KOREA OR ELSEWHERE?

25. ON THE QUESTION OF THE "EXPORT" OF FORMER SOVIET SCIENTISTS TO NORTH KOREA AND ELSEWHERE, BLIX SAID HE HAD NO HARD EVIDENCE TO SUPPORT MEDIA REPORTS ON THE MATTER. IN FACT, SOME COUNTRIES WERE CONSIDERING SETTING UP INSTITUTES WITHIN THE FORMER USSR TO EMPLOY SCIENTISTS IN THEIR LOCAL AREAS.

WAS ANYTHING MOVED BEFORE THE BLIX VISIT?

26. ASKED ABOUT THE CONTENTS OF THE UNDERGROUND SHELTERS HE VISITED, BLIX SAID THE VERY EXTENSIVE, LARGE CAVITY SHELTERS UNDER THE HILLS WERE EMPTY EXCEPT FOR VENTILATION SYSTEMS. THE NORTH KOREANS TOLD BLIX THEY FEARED ATTACK AND WERE PREPARED TO MOVE PEOPLE, EQUIPMENT AND DOCUMENTS TO THE SHELTERS WHEN NECESSARY. ADMITTING HE HAD ONLY VISITED A FEW, BLIX REITERATED HE HADN'T SEEN ANYTHING IN THE SHELTERS.

TALKS ON THE PRC NUCLEAR PROGRAM?

27. ASKED ABOUT HIS TALKS IN BEIJING AND CHINA'S PLANS FOR ANOTHER NUCLEAR POWER PLANT, BLIX SAID HE WOULD BE MEETING THE AFTERNOON OF MAY 16 WITH HIS CHINESE HOSTS. THE IAEA HAD EXTENSIVE RELATIONS WITH CHINA, HE REMARKED. ON A PREVIOUS STOP IN CHINA, BLIX VISITED TWO NUCLEAR POWER PLANTS. THE PRC, HE COMMENTED, WAS PROCEEDING SLOWLY AND CAUTIOUSLY WITH ITS NUCLEAR PROGRAM, IN CLOSE COOPERATION WITH IAEA. IAEA WAS PREPARED TO ASSIST CHINA TO ENSURE THE SAFETY OF THE NUCLEAR FACILITIES.
ROY
BT
#3736

NNNN

4/4   UNCLASSIFIED   BEIJING 013736/04

0127

5/19신

| 관리
번호 | 92-472 |

외 무 부

종 별 :

번 호 : AUW-0427   일 시 : 92 0519 1100

수 신 : 장관(국기)

발 신 : 주 호주 대사

제 목 : IAEA사무총장 방북결과

대:뫼-0438

0(098)를 COUSINS 외무.무역부 핵정책 부국장은 BLIX 사무총장의 북한 방문결과에 대한 종합평가 작업에 다소 시일이 소요됨으로 당관 장공사와의 5.22(금) 면담을 희망, 동면담후 결과 보고예정임.끝.

(대사 이창범-국장)

예고:92.6.30. 일반.

보통문서로재분류(1992. 6.30.)

국기국

관리번호 92 -638

외 무 부

종 별 : 지 급

번 호 : USW-2561 　　　　　　　　 일 시 : 92 0519 1913

수 신 : 장 관 (민이,미일,국기,정안,기정) 사본: 주오지리대사(중계필)

발 신 : 주 미 대 사

제 목 : IAEA 사무총장 방북

대: WUS-2349

1. 대호 IAEA 사무총장이 밝힌 북한 핵시설 현황에 대한 주재국의 평가 및 6월 이사회 대책과 관련, 당관 안호영 서기관이 국무부 KENNEDY 대사실 SAMORE 보좌관과 협의한 내용을 하기 요지 보고함.

2. 북한 핵시설 현황에 대한 평가 (이하 동 보좌관 발언)

가. 재처리 시설

- BLIX 사무총장이 수차에 걸쳐 영변에 '재처리 시설'이 있다고 밝힘으로써북한으로서는 더이상 동 시설을 '연구시설' 이라고만 강변하기가 어려울 것임.

검토필 (19 2. 6. 30)

- BLIX 사무총장의 발언만큼이나 중요한 것은 북한의 태도인바, 북한이 BLIX 사무총장 발언을 반박하고 나서지 않는 것은 북한이 사실을 인정하는 차원에서 이를 해결해 나가려는 자세라고도 볼수 있는바, 그렇다면 이것은 매우 긍정적인 진전임.

- BLIX 총장이 40 퍼센트의 장비가 설치되었다고 한 것도 주목되는바, 이는(1) 미국의 분석보다 재처리 시설 건설이 진척되지 않았다고 해석할 수도 있고, (2) 북한이 그간에 설치된 장비를 해체, 이동하였다고도 볼수 있는바, 이는 금후 IAEA 사찰을 통해 보다 정확히 파악할수 있을 것임.

나. 지하시설

- BLIX 총장이 지하시설을 시찰한 것은 중요한 것으로 보이는바, 동 총장이시찰한 지하시설은 비어 있었으나, 북한이 핵시설 부근에 지하시설을 건설하고있고, 경우에 따라서는 핵시설 은폐에 이를 이용할 수도 있다는 것을 보여준 것이기 때문임.

다. 핵시설 전면개방

- 북한이 다른사람 아닌 BLIX 총장에게 최초보고에 포함되지 않은 시설도

미주국 안기부	장관 중계	차관	1차보	미주국	국기국	외정실	분석관	청와대

0129

PAGE 1 　　　　　　　　　　　　　　　　　 92.05.20　　09:03

외신 2과 통제관 BX

사찰관들에게 공개하겠다고 한것도 역시 중요한 것으로 봄.

- (이에대해 안서기관은

(1) 동경 학술회의에 참석한 북한 최우진 대표의 동 문제에 대한 발언내용(불필요 운운)을 소개하고,

(2) IAEA PRESS RELEASE 에 의하면 사찰 (INSPECTION) 이 아니라 방문 (VISIT) 이라고 되어 있는 점에도 유의하여야 할 것임을 지적하였음.)

3. IAEA 최초사찰

- SAMORE 보좌관은 비엔나에서 입수된 비공식 정보에 의하면 약 8-9 명으로구성된 IAEA 사찰단이 예상보다 빨리 금주말경 비엔나를 출발, 약 2-3 주에 걸쳐 북한 핵시설을 사찰하게 될 것으로 보인다고 하였음.

- 금번 사찰의 주안점은

(1) 5MW 원자로의 운영실적 조사(금번 방문시 북한은 IAEA 사찰단에게 LOG BOOK 을 공개하겠다고 약속하였다고함) 및

(2) '방사능 화학연구소'의 실태조사 2 가지에 놓여지게 될 것이라고 함.

- 이어서 SAMORE 보좌관은 BLIX 사무총장은 금번 6 월 이사회에서 IAEA 가 북한 핵사찰에 중요한 진전을 이루었다는 것을 과시하기 위해 최대한의 노력을 할 것으로 보이며, 사찰팀을 예상보다 일찍 파견하려는 것도 이러한 노력의 일환으로 보인다고 평가하였음.

4. 6 월 이사회 대책

- 안서기관은 IAEA 사찰 진전, BLIX 총장의 상기한 태도 및 아측이 탐문한 주요 우방태도 (WUS-2331, 1 항 나등)에 비추어 미측은 6 월 이사회 대책을 어떻게 구상하고 있는지를 문의하였음.

- 이에대해 SAMORE 보좌관은

(1) 북한이 예상보다 일찍, 그리고 적극적으로IAEA 사찰에 호응하고 있고,

(2) 재처리는 IAEA 자체가 금지하고 있는 것은 아니므로 한계가 있는 것은 사실이나, 미국으로서는 북한이 6 월 이사회 이전까지도 재처리 시설에 대해 분명한 태도를 보이지 않을 경우에는

(1) 이에대한 우려를 표시하고,

(2) 북한으로 하여금 재처리 포기를 촉구하는 것을 내용으로 하는 발언을 하고, 기타 우방에 대해서도 이를 권유하는 선에서 대처하게 될 것으로 보나, 아직 구체적인

PAGE 2

0130

입장이 결정된 것은 아니라고 하였음.

   - 이어서 SAMORE 보좌관은 미국을 비롯한 우방국들이 6 월 이사회에서 재처리 문제에 대해 강경한 입장을 취할수 있으려면 아측이 JNCC 등의 기회에 금번 BLIX 총장 방북을 계기로 들어난 북한의 재처리 시설에 대해 북한이 확실한 태도를 밝힐 것을 촉구하는 것이 중요한 것으로 본다는 의견을 제시하였음.

   - 이에대해 안서기관은 이미 5.12 JNCC 접촉시에도 북한에 대해 동 문제를 제기하였음을 설명하고 6 월 이사회에서는 재처리 문제에 관심을 제기하는 것이 물론 중요하나, 재처리 금지의 기초가 되는 것은 비핵화 공동선언이므로 아측으로서는 금번 이사회에서 남. 북한 상호사찰의 중요성을 역시 강조하는 것이 중요할 것으로 본다고 한바, SAMORE 보좌관은 동감이라고 하면서, BLIX 총장도 금번 북한 방문시에 남. 북한 상호사찰이 신뢰회복 조치(CBM)로서도 중요하다고 강조한 것으로 알고 있다고 답변하였음. 끝.

   (대사 현홍주-국장)
   예고: 92.12.31. 일반

2. IAEA 事務總長 訪北 結果에 대한 美側 評價

5/20신 7/

o 5.18 美 國務部 關係官은 최근 '한스 블릭스' IAEA 事務總長 訪北 意義를 아래와 같이 評價함.

- 北韓 核施設의 直接視察을 통해 지금까지 美國이 蒐集한 제반 情報가 事實에 가깝다는 證據 제시

- 寧邊소재 放射能 化學研究所가 비록 不完全한 狀態이나 核 再處理施設이라는 점을 立證

- 블릭스 事務總長이 IAEA 査察 보완을 위한 南北韓 相互 査察의 重要性을 北韓側에 强調한 점은 매우 鼓舞的

o 한편, 同日 美 國務部는 表題관련, '南北韓 相互査察 實施의 重要性을 强調한 IAEA 事務總長의 發言에 전적으로 同意하며, 北韓이 韓半島 非核化宣言에 따라 核再處理施設 保有를 抛棄할 것을 期待한다'고 論評함.　　　　　　　　　（駐美大使 報告）

0132

원 본

5/21 신

외 무 부

종 별 :

번 호 : CNW-0596

수 신 : 장관(국기,미일)

발 신 : 주 캐나 다대사

제 목 : IAEA 사무총장 방북결과

일 시 : 92 0520 1710

대:WCN-0514

대호 관련 5.20. 주재국 외무부 ARSENE DESPRES 원자력 과장이 당관 백참사관 면담시 언급한 내용 아래 보고함.

1. 카측은 북한의 핵문제 관련 한국과 기본적으로 같은 입장이며, 모든 의혹이 없어질때까지 북한측에 계속 압력을 가하는 것이 필요하다고 생각함.

2. 북한측이 최초 보고서를 제출했으나, 모든 핵관련 시설이 동 보고서에 포함되어 있는지 의문시 됨. 그러나 북한이 핵안전협정 비준이후 최초보고서를 예상보다 빨리 제출하고, 또한 6월중에 IAEA 사찰을 받기로한것등은 평가할만한것이라고 생각함.

3. 6월 IAEA 대책은 AIEA 의 북한 핵시설에 대한 사찰 결과를 본후 미, 일호주등과 구체적으로 협의할 예정임.

(대사 박건우-국장)

예고문:92.6.30. 일반

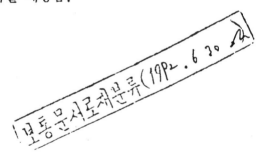

국기국   장관   차관   1차보   미주국   분석관   청와대   안기부

외정실

PAGE 1

92.05.21   08:24
외신 2과 통제관 BN
0133

공 란

공 란

공   란

공   란

공 란

외　무　부

원　본

종　별　:

번　호 : AVW-0844　　　　　　　　　일　시 : 92 0520 1230

수　신 : 장 관(국기,미이,정특)

발　신 : 주 오스트리아 대사

제　목 : IAEA 총장 북경기자 회견

　　일본측의 표제회의 관련 자료를 별전 FAX송부함.

　　첨 부: AVW(F)-113 4 매.끝. 추후어증

　　(대사 이시영-국장)

국기국　　미주국　　외정실

PAGE 1　　　　　　　　　　　　　　　　92.05.20　21:23 FN

　　　　　　　　　　　　　　　　　　　외신 1과 통제관 ✓

0139

5/22신
?

EMBASSY OF THE REPUBLIC OF KOREA

Praterstrasse 31, Vienna
Austria 1020 (FAX : 2163435)

No : AVW(F)-113	Date : 2052 0 1230

To : 장 관 (국기, 메이, 정특)

(FAX No :   )

Subject :

AVW-0844 의 정복

표지포함   5 매

Total Number of Page : _____

5-1

0140

023942-05

１．今次北朝鮮訪問はＩＡＥＡによる査察ではなく、公式に訪問して北朝鮮の原子力

計画をよく理解することにあつた。５月４日に北朝鮮よりＩＡＥＡに申告がなされ、

右査察は数週間以内（ＷＩＴＨＩＮ　ＷＥＥＫＳ）に行われることが予定されている。

われわれ一行は滞在中、原子力相に接待され、同相と行動をともにした。また、われ

われは北朝鮮の首相及び外交部第一副部長と会つた。

２．われわれは、ヨンビョンの原子力研究センター（ＮＵＣＬＥＡＲ　ＲＥＳＥＡＲ

ＣＨ　ＣＥＮＴＥＲ）を訪問した。そこで１９８６年から、か動されている５メガワッ

トの実験ろ、また建設中の５０メガワットの原子力発電所、更にいくつかのか動中の

工場を訪問した。また、われわれは、建設中の放射化学実験施設（ＲＡＤＩＯＣＨＥ

ＭＩＣＡＬ　ＬＡＢＯＲＡＴＯＲＹ）を訪れ、更に地下シェルターに案内された。更

f-2

0141 2/5

にわれわれは、テチョン（TAECHON）では建設中の２００メガワットの発電所、パクチョン（PAKCHON）及びピョンサン（PYONGSAN）では、ウラン精製工場を訪問した。ピョンヤンでは原子研究所（INSTITUTE FOR ATOMIC RESEARCH）及び金日成大学を訪問し、同大学の教授とも会う機会を持った。

３．今回の訪問を通じ、北朝鮮は原子力による発電に頼らざるを得ないこと確信した。発電の５０％は水力、残りの５０％は火力に依存しているが、ねん料は不足の状況にある。また、われわれは北朝鮮がいかなる選択しを考えているかについてもちよう取した。一つは、カナダ及びインドで製造された重水ろを使用することであるが、北朝鮮側によれば、その利用は困難と考えられている。また、けい水ろの利用についても困難と考えられており、結局彼らは、ウラニウムとグラファイト（GRAPHITE）を利用することに決定した。英国には右を利用した原子ろが３５－４０年前に建設され、今もなお稼動されている。

また北朝鮮ではねん料の再処理によるプルトニウムの生産につき、その開発と実験が行われているが、少量のプルトニウムのちゆう出については、既にＩＡＥＡに申告されている。北朝鮮側は、プルトニウムのちゆう出は、現在なお研究の初期の段階にある増しよくろでの利用あるいは将来の混合さん化ねん料（MIXED OXIDE FUEL）としての利用に供するためのものであると述べていた。北朝鮮側は、けい水ろの利用について関心を有していたが、この利用を進めるためには、そのための技術を外国から導入しなければならず、その場合もはや自立（SELF-RELIANCE）の方針を継続していくことは出来なくなる。

４．北朝鮮は、４月１０日に保障措置協定の批准をＩＡＥＡに通報し、同協定が発効後、５月４日に保有している施設を申告越した。そしてＩＡＥＡとしては、そのリストに基づいて数週間以内に査察を行うことを予定している。提出されたリストが信頼するに足るものか否か問われたならば、自分（ブリックス）は同リストは完全なものと確信している。北朝鮮は閉さ社会であり、もち論、その社会では開放された社会に比べてものをかくすことは容易である。信頼感というものは開放の度合いを高めていくことによって強められていくものである。その意味で、ＩＡＥＡへの申告は開放に

023900-05

両付ての重要な第一歩であり、予定さている査察は次の重要なステップとなるものである。北朝鮮側は、か動中である5メガワットの実験ろの初期か動記録についても、われわれが利用することが出来る旨述べるとともに、IAEA職員が希望するいかなる施設、場所にも将来招待するとも述べていた。査察を通じて、夫々の部分が如何に相互に関わり合つているかについてのプログラムの一かん性を分せきすることが容易になろう。しゆう知の通り、最近南北朝鮮の間で相互査察を規定した合意が達成された。われわれは、国際社会に向けて一層開放の度を高めるという意味において、右合意が実施されることを希望する。

5．引き続いての質疑応答の概要次の通り。（カッコ内は質問部分）

（1）（全体的な評価如何、5メガワットの実験ろ状況如何）全般的な印象を言えば、北朝鮮は効率的なけい水ろを使わずに旧式の原子ろを使つているが、それは自立の方針をとつていることによるものである。そのために効率性がぎせいにされていると言える。また、北朝鮮はけい水ろの利用に対してはねん料及び技術の不足からも、ちゆうちよしている。5メガワットの実験ろについては、既に使用している金属ぼうの中には損しようしたり、持ち出されたりしたものがあるが、いまだ持ちたえているとの北朝鮮側の説明があつた。

（建設中の50及び200メガワットの原子力発電所の完成の時期如何）50メガワットの原子力発電所は1995年完成の見込みということであり、現実的なところであろう。200メガワットの原子力発電所は1996年完成の見込みということであり、多くの作業が残つているがこれもまた現実的な数字と思う。

（2）（放射化学実験施設は単に実験用のものか）放射化学実験施設といつても小さな建物ではなく、180メートルの長さがある。北朝鮮側が実験施設と言つているのは、これまで同施設は実験用として使われてきているからである。われわれの得た情報によれば、同施設は建ちくの関係では約8割、設備の関係では約4割が夫々完成されている。これまでにはただ1990年に実験用として少量のプルトニウムをちゆう出するために使われたことがある。全て完成した場合には、再処理施設（REPRO CESSING PLANT）と考えられようが、いまだ完成されておらず、しかも実験用ということで「実験施設」との言ばを使つている。

5-4

0143

～（問題の施設は米の情報によれば再処理施設ではないか）推測は差しひかえたく、自分のこの目で見たものについて話をしたい。この建物は長さ１８０メートル、高さ数階（SEVERAL）もある大きな施設であるが、１９９０年に実験用に少量のプルトニウムをちゅう出するために使われたもので、現在はか動していない。（ちゅう出されたプルトニウムを兵器に利用することはできないか）少量にすぎないもので、武器に利用するまでの量には至らない。（装置を外部に持ち運んだ可能性如何）建物の中を歩いたが、見ていないところもあつたので、装置を持ち運んだことは全くないと自分から言い切ることは出来ない。（再処理施設というのは、どの位の大きさ、長さであれば十分なのか）意味のある数字については持ち合わせていない。

（３）（地下シエルターについては如何）ヨンビョンのおかの下にあり、中には大きなものであるが、見た限りあつたのは空調設備のみ。歴史の体験から、攻撃からの危険に備えるためのものとの説明があつた。３日目にはテチョン、パクチョン及びビョンサンに行くためヘリコプターに乗つた。（今回の訪問の際、写真やビデオはとつてきたのか）写真はかなりとつてきた、またビデオもとつてきた。（査察チームの中には韓国の人も入るのか）ＩＡＥＡには南北朝鮮の職員が働いている。しかし近く予定されている北朝鮮への査察チームについて、いかなる査察員が加わるかは施設の種類如何によるものであり、具体的に述べることはできない。（イラクの場合の経験が参考となつたか）イラクの場合には、ＩＡＥＡへの申告を行わなかつた等、今回の北朝鮮の場合とは大きな違いがある。

5-5

0144

5/t

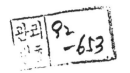

—1992. 8. 21 (목)
16:00
— Jim Pierce
(동서기산)

BLIX STATEMENTS ON DPRK REPROCESSING PLANT

IAEA DIRECTOR GENERAL BLIX'S RECENT STATEMENTS EFFECTIVELY
CONFIRM THAT THE DPRK IS CONSTRUCTING A REPROCESSING PLANT
AND, IN FACT, HAS REPROCESSED AT THAT SITE. AS FOREIGN
MINISTER LEE NOTED IN HIS MAY 16 STATEMENT, POSSESSION OF A
REPROCESSING FACILITY BY THE DPRK WOULD BE A CLEAR VIOLATION
OF THE DECEMBER 31 JOINT NON-NUCLEAR DECLARATION.

WE HAVE EXPRESSED OUR VIEWS ON THE REPROCESSING ISSUE BEFORE,
MOST RECENTLY DURING THE KANTER VISIT. NONETHELESS, GIVEN
BLIX'S NEW STATEMENTS AND THE MEETINGS OF THE JNCC WORKING
GROUP, WE WOULD LIKE TO REPEAT OUR FULL SUPPORT OF THE ROK'S
POSITION AND SUGGEST THAT THE ROK FOLLOW UP AT THE NEXT
SESSION OF THE JNCC WORKING GROUP BY:

--   CITING THE BLIX STATEMENTS THAT THE DPRK FACILITY, ABOUT
WHICH THE ROK AND THE INTERNATIONAL COMMUNITY HAVE LONG BEEN
CONCERNED, WOULD BE, IF COMPLETED, A REPROCESSING PLANT AND
THAT REPROCESSING OF PLUTONIUM HAS ALREADY OCCURRED THERE;

--   REITERATING, IN STRONG TERMS, THE ROK'S DEMAND FOR
INFORMATION ON THE NORTH'S REPROCESSING ACTIVITIES;

--   STATING THAT THE OPERATION OR POSSESSION OF A
REPROCESSING PLANT IS A CLEAR VIOLATION OF THE DECEMBER 31
AGREEMENT;

--   DEMANDING THAT ALL WORK ON AND AT THE REPROCESSING PLANT
BE HALTED IMMEDIATELY;

--   NOTING THAT THE BLIX REVELATIONS UNDERSCORE THE
IMPORTANCE OF CONCLUDING A CREDIBLE INSPECTION REGIME TO
VERIFY COMPLIANCE WITH THE AGREEMENT.

0145

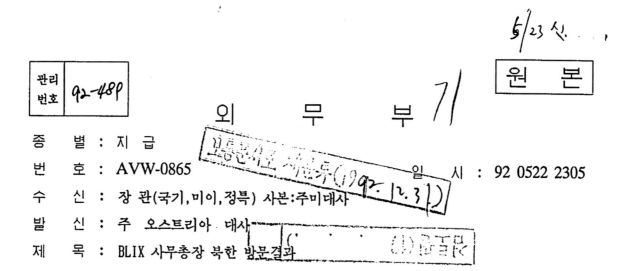

5/23 신.

관리번호 92-48P

원 본

외 무 부 71

종 별 : 지 급
번 호 : AVW-0865
수 신 : 장 관(국기,미이,정북) 사본:주미대사
발 신 : 주 오스트리아 대사
제 목 : BLIX 사무총장 북한 방문결과

일 시 : 92 0522 2305

연:AVW-0858

금 5.22(금) 조창범공사는 VILLAROS 사무총장 특별보좌관(BLIX 사무총장 방북수행)과 면담(미국 LAWRENCE 참사관, 호주 SCHICK 참사관 동석), 표제관련 의견교환한바, 특기사항 아래 보고함.

1. BLIX 사무총장은 방북기간중 면담한 북한측 고위인사들에게 그간 북한의 핵개발에 대한 국제적 의혹이 강했던 점에 비추어 북한이 자발적으로 북한의 핵시설 현황에 관한 상세한 정보를 국제사회에 모두 공개토록 하는것이 북한의 이익에도 도움이 될것이라고 적극 권고하였던바 IAEA 로서는 SAFEGUARD CONFIDENTIAL 원칙상의 제약을 감안), 북한 원자력 공업부장은 이를 대체로 수긍하는 태도(WELL ACCEPTED)를 보였다함.

2. 특히 북한 연형묵 총리 면담시에도 상기와 같이 권고하였던바, 연은 이에대해 경청하는 태도(TAKE NOTE)를 보이면서 '정치적인 이점(POLITICAL WISDOM)을 알겠다. 우선 남북한간의 협상 진전상황을 주시해보자. 북한 한쪽만 진전 노력을 하고 있다'라는 반응을 보였다고 함.

3. 동인의 관측으로는 북한이 6월 미차회 즈음엔 IAEA 로서는 헌장상 SAFEGUARD CONFIDENTIAL 원칙 때문에 공개할수 없는 북한의 핵시설에 관한 상세한 정보를 북한 스스로 대외적으로 모두 밝힐 가능성도(이사회 발언등을 통해) 적지않은 것으로 본다함.

4. 금번 방북결과를 토대로 자신으로서는 북한 핵문제의 실체에 관해 하기 3가지 시나리오를 가상하고 있다함.

가. 북한이 이미 핵무기를 개발하고 이를 숨겨두고 있거나, 또는 핵무기 제조에 충분한 핵물질을 이미 확보하고 숨겼을 가능성. 이는 하기 사항을 고려한 것임.

국기국 장관 차관 1차보 미주국 외정실 분석관 청와대 안기부
중계

PAGE 1

92.05.23 08:22
외신 2과 통제관 BN
0146

-북한이 이미 핵 재처리 능력이 있다는 점

-북한측이 보여준 문제의 핵 재처리 시설의 규모(HUGE REPROCESSING PLANT 로 표현)는 북한측이 주장하고 있는 연구용 재처리 실험실 이외에 그 중간단계의PILOT PLANT 단계를 거친후에나 건설될수 있는 것이며, 그 중간단계없이 연구용 실험실에서 여사한 규모의 재처리 시설 건설로 옮겨간다는 것은 기술적으로 전혀 납득할수 없는것(JUST SILLY)이라는 점.

-따라서 북한이 아주 명청이이거나 또는 이미 PILOT PLANT 를 건설하고 이를 감추고 있을 가능성이 있다는 점.

나. 북한이 김일성의 특별지시에 따라 핵무기 개발계획을 크게 시작하긴 했으나 동 과정에서 기술적인 어려움때문에 결국 목표달성을 할수없어 중단하였으며 그러나 이를 아무도 김일성에게 사실대로 보고 할수없~~(963)~~

~~아~~기 때문에 계속 연구하고 있는척하고 있는 상태일 가능성.

다. 상기 2)항의 상황하에서 북한내의 SOMBODY INTELLIGENT 가 꾀를내어 이를 대외관계에 있어 BARGAINING CHIP 으로 최대한 이용하고 결국 김일성에게 명분을 찾아 보자는 생각일 가능성

라.VILLAROS 특별보좌관 자신으로서는 상기 3)항의 상태일 가능성이 많은 것으로 보며 특히 북한이 앞으로 재처리 시설을 내세워 이를 남북한 관계및 대외관계에 BARGAINING CHIP 으로 적극 이용하게 될것이라는 느낌을 받았다고 함.

5. 북한측에 대해 문제의 재처리 시설은 남북한 비핵화 공동선언과 저촉되지 않느냐고 물었던바 비핵화 공동선언은 산업시설 규모(AT INDUSTRIAL LEVEL)만을 금지하는 것이라고 대답했다고 하였음.

6. 북한 방문중 북한이 IAEA 에 신고한 시설은 모두 보았으며 지나가다 발견한 터널 내부도 보았음(미국의 공격시 대피용이라고 설명) 사진촬영이 일체 허용되지 않았는바, 자신이 터널입구등 구조를 백지에 스케치 했는데 안내원 2 명이 달려와서 이를 못하게 하였다고 함.

7. 북한측 인사들은 외부세계 사정에 관해 너무도 모르고 있는 인상이었으며, 특히 북한측의 BREEDER REACTOR 의 연구설명에 대해 현황을 문의했더니 김일성대학 학자 5 명이 5 년 계획으로 연구중이라고 했다는 바, 이는 실제 서방의 연구경험에 비추어 전혀 납득이 가지 않는 설명이었다고 함

8. 금번 방북 결과및 사찰 실시 경과등과 관련하여 6 월 이사회전에 전 이사국들에

PAGE 2

대한 브리핑을 위한 특별 회의 개최문제를 한때 검토하였으나 이를 않기로 하였으며 이는 6 월 이사회 전까지의 시간상 제약및 현재로선 북한만을 특별히 취급해야할 필요가 없다는 판단 때문이라고 하였음.

9. 한편 동인은 6 월 이사회시 사무총장의 북한문제에 관한 보고의 내용에 관해서는 사무총장의 귀임후 협의하여 준비될것이나 사무총장으로서는 사안의 민감성을 감안 어느측으로 부터도 반작용이 없을 내용의 보고가 되도록 신중을 기할것일고 하였음. 끝.

(대사 이시영-국장)

예고:92.6.30 일반.

공 란

공   란

공　　　란

공   란

대 한 민 국
주 오 스 트 리 아 대 사 관

오스트리아 —535

경 유 : 외무부장관 (국제기구 과장)

수 신 : 과학기술처장관 (원자력정책관)

제 목 : IAEA 사무총장 방북에 따른 북경 기자회견 내용

1992. 6. 2.

(보존기간 :   )

　　　표제건에 대하여 IAEA 사무국에서 작성한 "Press Transcript" 를

별첨 송부합니다.

　　　첨부 : 동 자료 2부.　　끝.

외 무 부	
접수일자	
접수번호	387
경 유	조기

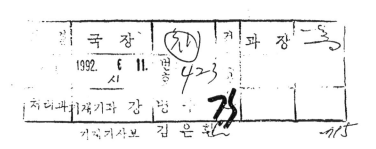

0153

Transcript from the Press Briefing by Dr. Hans Blix, Director
General of the International Atomic Energy Agency
Beijing Hotel, Beijing, 16 May 1992, 2:00 p.m. (Beijing time)

Dr. Blix:

.   I have arranged this press conference because I know there
is much interest in the nuclear programme of the DPRK and I and
my advisors are the first foreigners to see a number of nuclear
installations in the DPRK. The first point I would like to make
to you is that this was not an IAEA inspection of nuclear
installations, but an official visit to familiarize ourselves
with the nuclear programme of the DPRK. A safeguards inspection
is planned to take place within weeks to verify the declaration
that was submitted to the IAEA on the 4th of May.

We were hosted throughout our visit by the Minister of
Atomic Energy who travelled with us and I also had talks with the
Prime Minister and with the First Deputy Foreign Minister of the
DPRK. We visited the Nyongbyon Nuclear Research Centre and saw,
among other things there, a 5 MW (e) experimental nuclear power
plant which has been in operation since 1986. We also saw the 50
MW (e) demonstration prototype nuclear power plant which is under
construction and we saw the fuel element factory which is also
in operation. We saw the Radiochemical Laboratory under construc-
tion and some other laboratories. We were also shown some large
underground shelters.

We went to Taechon to see the 200 MW (e) nuclear power
plant which is under construction there and we went to Pakchon
and to Pyongsan to see the Uranium Ore Concentration Plants which
produces uranium concentrate, often inaccurately called
yellowcake. At Pyongyang we visited the Institute for Atomic

0154

Research and saw the cyclotron which is installed there. And we also visited the Kim Il Sung University and met with professors at that university.

What did we learn? The first point was that there is the conviction that the DPRK needs to rely upon nuclear power for electricity generation. About 50% of their electricity, we were told, comes from hydropower and about 50% from thermal power. They have fairly abundant supplies of coal. However, they feel they wish to use these coal resources not only for thermal power but also for industrial production, fibres, for instance. They determined they need a nuclear power programme and they looked at what options they have. They are not too numerous: one is to use the heavy water line which has been produced by Canada and India. But the production of heavy water, they considered, was difficult. There is the light-water reactor line. Then you have to enrich uranium, and this they also considered difficult. And they decided then that they will use the method of natural uranium and graphite. They have natural uranium, which they had learned to process to make reactor grade fuel, and graphite was also something that they could produce and make sufficiently pure for use in nuclear reactors. So they chose the line that the British chose, some 35-40 years ago, when they built the Calder Hall reactor which is still in operation in the UK.

They also decided that they would reprocess the spent fuel that will result from the reactors, thereby obtaining depleted uranium and plutonium and they have actually generated and reprocessed a tiny quantity of plutonium which they have declared to the Agency. They told us that they would use the reprocessed material as fuel in a breeder reactor and they are in an early phase of study of breeder reactors, alternatively they would use the reprocessed fuels to make mixed oxide (MOX) fuel that can be used in light water reactors. They also told us that they were interested in a light-water reactor line which, however, would require lightly enriched uranium. This line would not allow them to continue on the basis of self-reliance; the line they have chosen allows them complete self-reliance. Light water reactor technology would have to be imported and enriched uranium would also have to be imported and they feel unsure whether they would get sufficiently strong assurances of supply if they were to make use of that line.

They ratified the comprehensive safeguards agreement under the Non-Proliferation Treaty with the Agency on the 10th of April this year. And they deposited with me an initial declaration of the nuclear material they possess and of the installations they have on the 4th of May. The installations have been listed by us in a press release. The information about the quantity of the nuclear material in the DPRK remains confidential, as for all other countries that submit material for our inspection. We expect to have an inspection on the basis of this declaration within weeks and the task of that inspection is to verify the declaration.

I am sure some of you will ask me whether everything is on this list. Can we be confident that the list is complete? In a closed society - and the DPRK is still a closed society - it may of course be easier to hide something than it is in an open society. I think confidence can only come from an increasing

0156

openness. The safeguards declaration that they deposited with us is an important first step in openness. The inspection that will take place very shortly is the next step in openness. They have also told us that they are ready to make available to us the original operating record of the 5 MW (e) plant and they have in addition declared that officials of the IAEA are invited to visit any installation or any place, any site they would like in the future. After the inspection has taken place, it would be easier for us also to analyse the coherence of the programme and how the different parts match each other.

Lastly, as you know, an agreement has been reached with the Republic of Korea under which they plan to have mutual inspections, and we hope that agreement, too, will come to fruition and be completed. They are still negotiating about it, and I have certainly given them my counsel that it would be desirable with a view to further openness to the world and thereby gaining confidence. I have put together some of the essential points in a small press release which will be available to you. I set aside this time because I assume there will be interest and I will be available for some 50 minutes if you wish me to answer questions.

-Question (not audible on tape)

Dr. Blix: You ask about my total impression of the Korean nuclear programme. They have chosen a somewhat old-fashioned reactor line for reasons of self-reliance. The British continued with advanced gas-cooled reactors for quite some time but eventually abandoned this because the light-water reactor line is more effective. So the North Koreans have sacrificed that effectiveness in favour

0157

of self-reliance and they are aware of the fact that a light-water reactor line would be more effective. Hence they show an interest in it but they are hesitating because they are not certain that they would have an assurance of supply of technology and of fuel. On the 5 MW (e) reactor, we were informed that the reactor still holds the core that was originally put into it; however, a number of rods have been damaged and have been taken out and it is from those rods that they have reprocessed a tiny quantity of plutonium.

-Question (not audible on tape)

Dr. Blix: The Radiochemical Laboratory that we visited is not a small building, it is about 180 meters long, so it is a large building. However, it was explained to us that it was termed a laboratory because it is used so far for testing. It is about 80% completed in terms of civil engineering and only about 40% completed in terms of equipment. This is the information we had. Our experts think that this estimate of readiness is probably accurate. It has, as we were told, only been used for testing in 1990, at which time a tiny quantity of plutonium was produced. This is the reason why they call it a laboratory. There was no work going on at the present time; we were informed that equipment was ordered but has not yet been delivered. If it had been completed, if all the equipment had been there, I have no doubt that it would have been considered a reprocessing plant in our terminology, but the non-completeness of it and the use of it for testing are the reasons which were given as to why it is called a radiochemical laboratory.

-Question (not audible on tape)

0158

Dr. Blix: I do not like to speculate, I prefer to tell you what I have seen, it is a large building 180 meters long, several stories high, and it was described to us as an installation in which they have been testing the reprocessing of some fuel and have obtained a small quantity of plutonium and, of course, depleted uranium. And this was the plan and the purpose of the building. They are explicitly saying that their nuclear fuel cycle envisages the reprocessing of fuel in order to obtain uranium and plutonium for eventual use in a reactor, but they have only done this in 1990 on a test basis and only obtained a very tiny quantity of plutonium and there was no work going on at the moment; that is what we have seen.

-Question: Is it not too big for a laboratory?

Dr. Blix: As I explained it is termed a laboratory because they have used it for testing. If it were in operation and complete, then certainly, in our terminology, we would call it a reprocessing plant.

-Question (not audible on tape)

Dr. Blix: No they have nothing in it.

-Question (not audible on tape)

Dr. Blix: There is a tiny quantity of plutonium and certainly far from the amount that you need for a weapon. Well, we are obliged to observe the confidential nature of this information regarding all countries and we treat the DPRK the same way as all others. A tiny quantity, far from what you would need for a bomb. As to the equipment, I cannot really tell you whether there has been equipment that was taken out or whether they are waiting for equipment to come. Our inspectors will be there within weeks and

0159

they will go through this plant and check on details. I can only tell you that it was <u>not</u> complete at the time when we walked through; there were several pieces missing.

<u>-Question (not audible on tape)</u>

Dr. Blix: We will do as thorough a job as we can and I think that will contribute a great deal to openness. However, as I said initially, I think that for confidence in the nuclear sphere the more openness you can have, the better and I said that also to our hosts in the DPRK. There is nothing to stop them from being open to others. Vis-a-vis us, they have an obligation to be open, because they have signed a comprehensive safeguards agreement. I hope that the bilateral agreement made with the Republic of Korea will also proceed through negotiations that are in train. I think that will increase the openness and the confidence.

<u>-Question (not audible on tape)</u>

Dr. Blix: That is a bilateral matter between them and us. Of course, we will do a thorough job as I explained to you. We will analyse all the material and all the information that we received. We will assess whether or not in our view it is coherent, whether it is consistent or whether anything is missing.

<u>-Question (not audible on tape)</u>

Dr. Blix: Well, let's take for instance the following: earlier this year, relatively little was known about the nuclear programme of the DPRK. Once a state ratifies a comprehensive safeguards agreement with us, it also fulfills the obligation that follows on that agreement to submit to us a list of installations and of nuclear material. It was through this

0160

procedure that a great deal of information became available to the world. These installations and this material will now be open to the inspections that will follow soon. And they invited me, and some advisors with me, to familiarize ourselves with the nuclear programme of the DPRK. So, in a very short span of time, a programme that was very little known has set aside very much of its secrecy and it will now be for us and for others to assess the confidence that we will have in it; for our experts to assess the completeness, the consistency of the programme, and governments will also undoubtedly assess on their part the completeness of the declaration. As I said also initially, I think that it will certainly take some time before their confidence develops - - if it develops - in the completeness of the declaration.

-Question (not audible on tape)

Dr. Blix: We took a fair amount of pictures, yes. There was also some video taken.

-Question (not audible on tape)

Dr. Blix: The question is far too general, but I can tell you that we were asked before we left Vienna what we wanted to visit, and we were taken to all the sites and a few more that we had put on our lists, and they had to use the helicopter one day in order to make sure that we saw them all, so we have no reason to complain at all, on the contrary, they went out of their way to take us to those sites we had asked to see.

-Question (not audible on tape)

Dr. Blix: We have inspectors both from the Republic of Korea and from the DPRK in the IAEA. I cannot tell you yet who we will

0161

send. It will be a group of about half a dozen people. We usually go by what competence needs to be covered in a particular inspection, depending upon what kind of facilities they have. That is the most important guiding criterion.

-Question How long would it be before they had enough plutonium for a bomb?

Dr. Blix: That is the kind of answer you would love to have. It's so speculative that I would not feel particularly comfortable. So I do not think I can respond. Not at the present time, there are far too many imponderables in such a situation. You would love a figure, but no meaningful figure can be given.

-Question (not audible on tape)

Dr. Blix: The 50 MW (e) was planned for 1995 and the 200 MW (e) for about 1996. Well, that is hard to say, I mean we saw them both and there was a lot of activity on the 200 MW (e) plant. The 50 MW (e) plant, I think it was probably lunch time when we were there.

Yes, my experts think that 1995 is realistic for the 50 MW (e) plant. And the other one -there was a great deal of work going on, so it may well be realistic too. The 200 MW (e) plant is what we would call in the industrialized world a commercial type, a plant for generation of electricity, and of course the 50 MW (e) plant too is for generation of electricity, just as they get electricity from the 5 MW (e) plant. There has been some speculation or indications in the media to the effect that there were no electric outlets but we were shown such electric outlets. For the 200 MW (e) plant there was a yard for a switchyard and some pylons for the power lines, but no power lines mounted yet.

0162

-Question (not audible on tape)

Dr. Blix: Well, there are some important differences. Iraq never declared anything enriched, and they also did not declare that they had built a billion dollar enrichment programme. The DPRK is declaring to us that they have built a radiochemical laboratory which is of fairly large size and they have also declared that they have succeeded in reprocessing spent fuel into plutonium. So there is a big difference. What the Agency learned from the case of Iraq was to devise methods which would give greater assurance that non-declared installations and sites would be discovered and we have proposed a number of ways of having access to more information that will have to be delivered to us under the strengthened safeguards system which is now being discussed in the Board of Governors. We have also noted that we have a right under safeguards agreements to request what we term special inspections in case we find reasons to believe that something is not declared. Whether we discover this through inconsistencies in the information, or whether the media somehow discover something, or through some other way. So, we would have that capacity in case we think that there is some site that should have been declared.

In the case of our discussions now, we have obtained a commitment by the Government of the DPRK that we have, as it were, a standing invitation to send officials of the Agency to look at any site or any installation which we want. This is something that goes beyond present safeguards duties in a country and I think that is a positive step. So, the answer is yes, after

0163

Iraq we have taken a number of steps to strengthen our ability to detect undeclared installations if there are any.

–Question (not audible on tape)

Dr. Blix: As to the possible removal from the radiochemical laboratory of any items, the inspectors, when they come there, and look closely, they would see some signs of any such thing having occurred, but we did not see any traces of that. About Soviet scientists, there are lots of rumours in the media that Soviet scientists are going abroad. We have not seen any hard evidence of that. We have tried in a number of cases to follow up such information and news items to the effect that plutonium is seized in one place or another or enriched uranium has been seized in Zurich. We have followed up a number of those stories, in fact we try to follow up all of them, but we have not found substance in any of them so far. To my knowledge, nuclear scientists in the ex-Soviet Union still require exit visas to leave. Now, in my view, that is not something that is particularly desirable to keep forever. I think personally it is people's right to travel freely in the world. A number of States are setting up some Institutes in the Soviet Union for the employment of nuclear scientists who might otherwise be unemployed and perhaps be tempted to go abroad. I do not know how realistic the fear of such temptations is. But the fact is that we have not seen any hard evidence. It does not exclude that it could happen, but we have not seen any evidence.

–Question (not audible on tape)

0164

Dr. Blix: The underground shelters we saw were at Nyongbyon, at the Nuclear Research Centre. They were very extensive, they were large cavities under the hills. Empty, with the exception that the ventilation systems were visible, otherwise nothing in them. And it was explained to us that they fear the risk of an attack: they have experience of war, of being attacked, and that they would propose to move out equipment and people and documents in case of need.

The helicopter was used on the third day of our tour in order to enable us to see in one day the plants of Taechon, Pakchon and Pyangson.

-Question (not audible on tape)

Dr. Blix: We did not see anything stored there at all. They were huge. No, we saw no weapons. We did not go through them all, though.

-Question (not audible on tape)

Dr. Blix: We will have meetings with some of the leaders of the Chinese nuclear power programme this afternoon so I cannot say much about what we will talk about, but we have extensive relations with our Chinese hosts and I have myself visited both the Qinshan and the Daya Bay plant and we are trying particularly to be of assistance in the field of training and safety and safety regulations, and we know that they are rather slowly and cautiously expanding their nuclear programme. They have put the Qinshan plant into operation and the Daya Bay plant will go into operation, I think, next year. So we have a very close co-operation with China in this field.

Thank you very much.

920526 jp

0166

외교문서 비밀해제: 북한 핵 문제 11
북한 핵 문제 IAEA 대북한 핵시설 사찰 1

초판인쇄 2024년 03월 15일
초판발행 2024년 03월 15일

지은이 한국학술정보(주)
펴낸이 채종준
펴낸곳 한국학술정보(주)
주 소 경기도 파주시 회동길 230(문발동)
전 화 031-908-3181(대표)
팩 스 031-908-3189
홈페이지 http://ebook.kstudy.com
E-mail 출판사업부 publish@kstudy.com
등 록 제일산-115호(2000. 6. 19)

ISBN 979-11-7217-084-4 94340
      979-11-7217-073-8 94340 (set)